DU MÊME AUTEUR

Arletty, Flammarion, 1996.
Houellebecq non autorisé : enquête sur un phénomène, Maren Sell, 2005.

Avec Laurent Léger
Cécilia, la face cachée de l'ex-première dame, Pygmalion, 2008.
Tapie-Sarkozy, les clefs du scandale, Pygmalion, 2009.
Le Dernier Tabou. Révélations sur la santé des présidents, Pygmalion, 2012.

En collectif
Nicolas Sarkozy ou le Destin de Brutus, par Victor Noir, Denoël, 2005.
L'Amour fou, 17 passions extraordinaires, Maren Sell, 2006.
Amoureuse et rebelle, Textuel, 2008 (préface à la publication de lettres d'Arletty parues dans le même volume que des lettres d'Édith Piaf et Albertine Sarrazin).

DENIS DEMONPION

SALINGER INTIME

Enquête sur l'auteur de *L'Attrape-cœurs*

ISBN 978-2-221-20081-0
Dépôt légal : janvier 2018

À Luc, mon fils, qui, par deux fois,
m'a accompagné à Cornish, New Hampshire.

« J'ai toujours essayé de vivre dans une tour d'ivoire,
mais un océan de merde clapote contre les murs. »

Flaubert, lettre à Tourguéniev, 1871

Prologue

Il voulait qu'on lui fiche la paix. Car il avait son caractère. À présent qu'il est là où il est, Salinger est tranquille et bien tranquille, lui qui fuyait le système, les faux-semblants, les importuns, les vanités et tout le saint-frusquin.

L'écrivain s'est éteint chez lui à Cornish, le mercredi 27 janvier 2010. Retiré depuis des lustres sur les hauteurs de ce coin perdu du New Hampshire, il y a vécu pendant plus de cinquante ans, au milieu de collines boisées, sombres et oppressantes. Il venait d'avoir quatre-vingt-onze ans. Ce n'est que le lendemain que la nouvelle a fait le tour du monde : Jerome David Salinger est mort. De « causes naturelles », a précisé son fils Matthew dans un communiqué diffusé par l'agent littéraire de son père, Harold Ober qui, depuis la publication de *L'Attrape-cœurs*[1], le seul et unique roman mondialement connu de Salinger, le protégeait de toute intrusion dans sa vie privée. Ce dernier s'était fait de la discrétion une règle si intangible que certains le croyaient mort depuis longtemps.

Et pourtant...

---

1. *L'Attrape-cœurs* a paru en 1951 sous le titre original *The Catcher in the Rye* ; traduit de l'anglais (États-Unis) par Sébastien Japrisot, Paris, Robert Laffont, 1953 ; par Annie Saumont, Paris, Robert Laffont, 1986.

Solide gaillard aux traits émaciés, sa silhouette légèrement inclinée en imposait à ceux qui le croisaient au bureau de poste, à la station-service ou au supermarché. Beau gosse il avait été, beau vieillard il était resté. Le port altier, d'une parfaite courtoisie, il était, à son corps défendant, intimidant. L'acuité du regard et les silences qui ponctuaient sa conversation forçaient le respect des codes par lui-même fixés. Il avait des manières de seigneur, bien que diminué physiologiquement, surtout les derniers temps. La surdité qui le handicapait – une séquelle de la guerre – n'avait fait qu'empirer avec les années.

L'écrivaine américaine Joanna Smith Rakoff a travaillé un an chez l'agent littéraire de Salinger, en 1996. Dans le formidable récit qu'elle en a tiré, *Mon année Salinger*[1], outre la précision du trait avec lequel elle décrit l'ambiance de bureau et la crainte zélée qu'il inspirait malgré lui à sa supérieure chargée de défendre les intérêts de l'écrivain, elle note qu'il avait la voix « un petit peu plus forte que nécessaire[2] ». Il avait, précise-t-elle, l'élocution vaguement confuse de ceux qui n'entendent plus bien depuis longtemps.

Il avait revêtu l'uniforme de GI à vingt-quatre ans. L'armée américaine n'avait d'abord pas voulu de lui. Aussi avait-il fait des pieds et des mains pour être enrôlé sous la bannière étoilée. C'est ainsi que le 6 juin 1944, le barda sur le dos et la machine à écrire dans le paquetage, il avait débarqué avec des milliers de « boys » sur les plages de Normandie, à Utah Beach.

Au péril de sa vie.

---

1. Joanna Smith Rakoff, *My Salinger Year*, New York, Alfred A. Knopf, 2014; *Mon année Salinger*, traduit de l'anglais (États-Unis) par Esther Ménévis, Paris, Albin Michel, 2014, p. 155.
2. *Ibid.*

Salinger a essuyé des tirs de shrapnells, fait la campagne de France, contribué à la libération de Paris, parcouru les décombres, survécu aux bombardements et à la bataille des Ardennes. Jusqu'à la capitulation de Berlin, le feu nourri de l'ennemi a été son quotidien. Il a observé de près les dégâts provoqués sur les hommes par l'explosion des mines et les éclats d'obus, les corps déchiquetés, les camarades tombés sous la mitraille ou laissés estropiés. Par miracle, il en a réchappé. Non sans dommages.

Dans cet enfer, il l'avoue sans pudeur – fait rarissime chez lui : il a eu peur. Même s'il s'en est sorti, bon an mal an, les séquelles de la guerre l'ont, en réalité, anéanti. Comme si après des mois de tension, ses nerfs, soudain, avaient lâché. À l'hôpital militaire américain de Nuremberg où il fut admis au lendemain de l'armistice, les médecins de l'armée diagnostiquèrent une forme légère de « psychose traumatique du soldat », qu'il s'empressera de mettre en scène dans une nouvelle, « Juste avant la guerre avec les Esquimaux[1] ».

Salinger a connu des mois de dépression, l'atonie d'une existence sans saveur, l'effroi et le désenchantement. Une part de lui-même a succombé au champ d'horreur. Quand il en revient, ce n'est plus le même homme. Il tente de reprendre pied, cherche une sorte de salut dans l'étude du bouddhisme, mais il en reste durablement affecté.

---

1. *Just Before the War with the Eskimos*. Parue dans le *New Yorker*, le 5 juin 1948. Puis dans le recueil intitulé *Nine Stories*, Boston, Little, Brown and Company, 1953. *Nouvelles*, traduit de l'anglais (États-Unis) par Sébastien Japrisot, Paris, Robert Laffont, 1961, 2017. [Les ouvrages de Salinger étant constamment réimprimés, nous donnons, ici et *infra*, à titre indicatif, une date de publication récente – *note de l'éditeur*.]

Des semaines après la démobilisation, marié de fraîche date, il retourne à New York. Le mariage fera long feu. L'écriture demeure son seul horizon.

L'Attrape-cœurs paraît en 1951. L'œuvre détonne dans le paysage littéraire américain. Elle lui vaut un succès aussi immédiat que foudroyant. On l'adule, on le courtise, on le sollicite. Mais plutôt que de parader et de se complaire dans le commentaire des aventures de son héros Holden Caulfield, Salinger prend du champ. Pour échapper au tourbillon promotionnel, il part en voyage en Écosse, le pays de ses ancêtres maternels. Dès son retour, il s'éloigne de New York et du tohu-bohu. Son existence revêt dès lors une drôle de tournure, une forme d'adieu à la société, mais pas à la vie, ni aux lettres. Direction le Vermont où il élit domicile pendant quelque temps, avant de se retirer dans le New Hampshire, au cœur d'un paysage bucolique et montueux que la rudesse de l'hiver rend plus hostile encore. En plein mois d'août, même quand le soleil brille à travers les cimes des arbres, le décor prend les couleurs d'un romantisme inquiétant. Il avait fini par en faire son Aventin.

Salinger n'a pas toujours aspiré à cette retraite superbe. Avant-guerre, il savait se montrer urbain et sociable, presque mondain. Ce fut encore un peu le cas après, mais de manière ponctuelle et passagère. Pour la bonne cause : la promotion de la littérature.

Le 20 novembre 1952, à l'occasion d'une lecture de *L'Attrape-cœurs* à Brooklyn, il se prête à une séance de photos. Pas sûr que, par la suite, il y en ait eu d'autres. Les tirages en noir et blanc le montrent assis à une table, un exemplaire ouvert devant lui, en bras de chemise blanche, le col ouvert, la main droite appuyée sur la hanche ; tantôt fixant l'objectif, tantôt absorbé dans sa lecture, un doigt glissé sous le col du veston comme s'il se grattait le cou, un geste pour lui aussi familier que de se passer la main sur les cheveux. Dans la main gauche, il tient une cigarette qui se consume dans une volute de fumée. Ces photos sont les seules pour lesquelles il a posé. Toutes celles qui, les années suivantes, seront publiées ne seront que des photos volées. Car céder à la publicité, même pour accompagner la vente d'un ouvrage, pouvait provoquer la colère de Salinger, chatouilleux sur ce point jusqu'à l'obsession. Joyce Maynard, avec qui il allait vivre huit mois, n'avait pas encore écrit son premier roman qu'il lui confiait : « Le visage d'un écrivain ne devrait jamais être connu[1]. »

Selon lui, un auteur n'a pas à commenter l'œuvre qu'il écrit. Sa force d'expression seule doit suffire à convaincre le lecteur de ses intentions. Tout le reste ne relève que de l'exhibitionnisme, un travers qu'il abhorre. On ne l'y reprendrait donc jamais plus.

Salinger a tenu parole et c'est ainsi qu'à trente-quatre ans, indifférent à la gloriole, il s'est retranché du monde. Au risque de passer pour un drôle de bonhomme. Irréductible, farouche, d'une authenticité jamais prise en défaut. En cela, il ressemble à l'adolescent de *L'Attrape-cœurs*, Holden Caulfield, dont, par bien des côtés, il est le reflet.

Son aspiration à vivre en paix relevait d'une exigence qui n'avait rien d'une coquetterie. Aussi, que quiconque s'avisât de violer son intimité, il pouvait se montrer désagréable. Car son choix de se faire de plus en plus rare

1. Notre traduction. Joyce Maynard, *At Home in the World*, New York, Picador, 1998. L'ouvrage est paru en France en 2011 aux éditions Philippe Rey sous le titre *Et devant moi, le monde*, traduit de l'anglais (États-Unis) par Pascale Haas.

tourna bientôt au paradoxe classique : moins il se montrait, plus il suscitait la curiosité.

Des petits malins ont tenté l'impossible pour s'aventurer jusqu'à Cornish afin de l'entrapercevoir. Par défi, bravoure, audace, ou tout simplement pour savoir à quoi il ressemblait. Sans que leur démarche fût forcément couronnée de succès, journalistes, photographes, simples admirateurs l'ont pisté, traqué même. C'était à qui serait le premier à lui parler et, sait-on jamais, à obtenir qu'il consente quelques confidences. Nul n'étant parvenu à l'approcher autrement que par surprise et moins encore à recueillir sa parole, sauf par ruse, spéculations et phantasmes allaient bon train lorsqu'il s'agissait d'expliquer les raisons de cette réclusion à laquelle, jusqu'à la fin, l'œil vif, toujours aussi aigu et pénétrant qu'à vingt ans, il n'a pas dérogé.

Pour autant, Salinger ne saurait être comparé à un ours mal léché. Il voyait de (rares) amis, mais refusait de faire la moindre concession à la société. Le personnage, qui a toujours affiché une très haute idée de lui-même, fut une énigme en réalisant le tour de force de traverser les quarante dernières années de sa vie sans publier de nouveau livre. Pourtant, il écrivait chaque jour, si l'on en croit certains de ceux qui l'ont côtoyé et surtout ce que lui-même rapporte dans sa correspondance. À quelle fin noircissait-il des pages et des pages ? Difficile d'apporter une réponse catégorique et de dire avec certitude s'il les destinait à une publication posthume, ses archives personnelles étant jusqu'à présent demeurées inaccessibles.

Sur les rayons d'une bibliothèque, sa bibliographie tient peu de place en mètre linéaire, comparée à celle de romanciers comme Balzac, Dickens, Tolstoï. Ou Dostoïevski, un auteur qu'il aimait entre tous. De son vivant n'ont paru que quatre ouvrages dont un seul roman, *L'Attrape-cœurs*, qu'il a mis dix ans à écrire. Il continue de captiver des générations. Aux États-Unis bien sûr et ailleurs dans le monde, en France en particulier. Il n'y a pas si longtemps, rue des Écoles à Paris, dans le Ve arrondissement, une adolescente, sagement assise dans le bus 63, était absorbée dans sa lecture des aventures d'Holden Caulfield. Une scène qui, à n'en pas douter, aurait attendri Salinger.

Sa production littéraire compte par ailleurs trois recueils de nouvelles d'inégale longueur : *Nouvelles* paru en 1953[1], *Franny et Zooey* en 1961[2], *Dressez haut la poutre maîtresse, charpentiers*, suivi de *Seymour, une introduction*[3] en 1963. Sa prose, régulièrement rééditée, a continué de lui assurer de très confortables revenus et une notoriété jamais démentie. Les ventes de *L'Attrape-cœurs* avaient dépassé en 2010, année de sa disparition, les trente-cinq millions d'exemplaires[4], lui permettant de vivre sans crainte du lendemain et de contribuer à ce qu'il appelait sa « bonne fortune » laquelle ne l'a « jamais quitté ». Ce qui est « vraiment merveilleux[5] », reconnaissait-il sur le tard.

Avec les éditeurs dont il appréciait peu les pratiques commerciales parfois brutales, il était intraitable. Intransigeant, il rechignait à la publication de ses textes, de

1. Titre original *Nine Stories*, *op. cit.*

2. Titre original *Franny and Zooey*. *Franny et Zooey*, traduit de l'anglais (États-Unis) par Bernard Willerval, Robert Laffont, 1962, 2015.

3. Titres originaux *Raise High the Roof Beam, Carpenters* et *Seymour : An Introduction*. *Dressez haut la poutre maîtresse, charpentiers* et *Seymour, une introduction*, traduit de l'anglais (États-Unis) par Bernard Willerval, Robert Laffont, 1964, 2010.

4. Selon son agent littéraire Phyllis Westberg lors d'un entretien avec l'auteur, le 12 avril 2017.

5. Lettre inédite adressée à Donald Hartog, du 11 avril 1991. « *My good luck* » (notre traduction). « *What's really wonderful is that my earnings on my old work have made me solvent enough to let me do what I do without having to publish unnecessarily or prematurely, or even prehumously, il it seems a sound idea not to.* »

sorte que des pans entiers de son œuvre n'ont jamais été traduits à l'étranger. De même, il s'est toujours opposé à la réédition en livres de ses nouvelles parues à ses débuts dans des revues et des magazines américains. Soit qu'il les trouvât datées, soit inabouties. Y a-t-il une chance qu'elles le soient un jour ? La réponse appartient désormais à la Fondation Salinger représentée par sa veuve et son fils, tous deux chargés de défendre ses intérêts. Sauf à passer outre à ses volontés et à se livrer à un piratage, comme certains s'y étaient risqués de son vivant et continuent de le faire sur Internet.

Parmi les nombreux curieux qui ont essayé de pénétrer dans l'intimité de Salinger, Ted Russell, un photographe de *Life*[1], le grand magazine américain d'après-guerre, réussit l'exploit de surprendre sa haute silhouette pensive de bûcheron en manches de chemise, dans l'enclos de sa propriété de Cornish, en septembre 1961. Le photographe, âgé de quatre-vingt-six ans, dévoile dans quelles circonstances : « J'étais posté juste en face de la maison. Cela faisait trois jours que j'attendais, caché dans la forêt et les buissons, l'appareil dissimulé dans un sac à commissions, quand, le troisième jour, il est sorti promener son chien, un bâton à la main. Ce devait être en fin d'après-midi. J'étais à environ une centaine de mètres de lui. C'était tellement rapide que je n'ai eu que le temps de prendre deux ou trois prises de vue et je ne saurais dire quelle était l'expression de son visage. Heureusement, le chien n'a pas aboyé[2]. »

Nouvelle séquence en 1988, plus rude. Deux paparazzis, Paul Adoa et Steve Connolly, missionnés par le *New York Post*, le surprennent à sa sortie du bureau de

1. « The Search for the Mysterious J.D. Salinger », *Life*, 3 novembre 1961 (En quête du mystérieux J.D. Salinger).
2. Entretien avec l'auteur, le 7 juillet 2016.

poste de Windsor. Le crépitement des appareils attire l'attention de l'écrivain qui proteste avec véhémence.

Trois jours plus tard, alors qu'il fait tranquillement ses courses à Lebanon (New Hampshire), les mêmes le coincent sur le parking d'un supermarché après avoir entravé sa voiture avec la leur. Dès qu'ils le voient, ils appuient sur le déclencheur pour le mitrailler. Salinger ne goûte guère cette audace ressentie comme une agression. On le voit sur l'instantané, telle une bête traquée, le visage déformé par la colère. Âgé déjà, chenu, les traits burinés, il montre le poing. Sollicité pour les besoins de ce livre, Paul Adoa n'a pas souhaité commenter les conditions dans lesquelles il a réalisé cette « prise » de vue. Dommage.

Salinger intrigue. À plusieurs reprises, des audacieux ont tenté de cerner le personnage et de mieux comprendre comment et pourquoi il a un jour décidé de se réfugier dans sa thébaïde et de ne plus rien publier. Avec le courage des pionniers, le poète et journaliste anglais Ian Hamilton, le premier, s'y est essayé. Grâce lui soit rendue. Son livre *À la recherche de J.D. Salinger*[1] a eu l'avantage insigne d'ouvrir la voie et de contraindre l'auteur de *L'Attrape-cœurs* à sortir de son mutisme. Ian Hamilton avait voulu vérifier auprès de lui certains faits, Salinger lui intenta un procès, s'exposant à plaider sa cause devant un tribunal et à apparaître en public, pour la première fois depuis longtemps. Non sans déplaisir, assurément.

Puis sa fille, Margaret Salinger, emboîta le pas au biographe, dans un étrange ouvrage relevant plus de la catharsis et de l'autoanalyse que de l'exégèse ou de la

1. Ian Hamilton, *In Search of J.D. Salinger*, New York, Random House, 1988. *À la recherche de J.D. Salinger*, traduit de l'anglais (États-Unis) par Sophie Foltz, Paris, L'Olivier, 1996.

biographie d'un père ô combien admiré. Le livre *L'Attrape-rêves*[1] a le mérite d'exister. D'autres témoignages et des études universitaires ont suivi, parcellaires, subjectifs, plus ou moins éclairants.

Car enfin, quel homme était donc Salinger ? Se prenait-il pour un dieu vivant, distant, voire misanthrope, ainsi que certains ont pu l'insinuer ? Ou bien était-il un homme ordinaire, aspirant à une vie simple et tranquille ?

Cette biographie « française » a pris un parti, celui de s'approcher au plus près de l'écrivain, de son état d'esprit et du regard qu'il portait sur le monde et ses contemporains, afin de le montrer tel qu'en lui-même, acteur de sa propre vie. Cela à travers une abondante correspondance en partie exploitée et dont un pan entier était jusque-là inédit. L'œuvre, miroir pas toujours déformant de la réalité, jette également un éclairage cru sur les étapes les plus saillantes de son existence, ses désillusions et ses tourments.

Ce livre, faut-il le souligner, ne prétend pas à l'exhaustivité. Ce n'est que le résultat d'une enquête au long cours, très personnelle, commencée en novembre 2005. Salinger demeure un sujet de curiosité et d'étude inépuisable, aujourd'hui comme hier et encore pour des générations. Il le doit à son œuvre unique par son originalité et sa concision sur la difficulté d'être et de grandir quand on a dix-sept ans et que l'âge adulte s'apprête à vous rattraper, inévitablement. Pour le meilleur et pour le pire.

---

1. Margaret Salinger, *Dream Catcher*, New York, Washington Square Press-Pocket Books, 2000. *L'Attrape-rêves*, traduit de l'anglais (États-Unis) par Claude-Christine Farny, Michèle Garène et Viviane Mikhalkov, Paris, NiL, 2002.

1

Baby Salinger

Salinger n'était pas du genre à raconter sa vie. Pas de façon linéaire en tout cas. Romancier dans l'âme, c'est sur un mode majeur qu'il mêle le réel et la fiction. Des biographes ? Il en pense pis que pendre et souscrit à la formule de son compatriote, le poète Ralph Waldo Emerson, selon laquelle « c'est la part la plus grande d'un homme qui reste impénétrable[1] ». Quant à la forme biographique, elle lui inspire une sainte horreur, ainsi qu'il l'écrit en 1949. La revue américaine *Harper's* lui avait demandé des éléments d'informations sur lui, en vue de la publication de sa nouvelle *Down at the Dinghy*[2].

Voici ce qu'il avait répondu avec hauteur : « D'abord, si j'étais directeur d'un magazine, jamais je ne consacrerais une colonne à publier des notices biographiques sur les auteurs ayant collaboré au numéro en question », note-t-il en préambule. « Je me soucie en général assez peu de savoir le lieu de naissance d'un écrivain, le prénom de ses enfants, ses horaires de travail, la date de son arrestation pour avoir passé des armes en contrebande aux rebelles irlandais (le valeureux coquin !) », ironise Salinger. « L'écrivain qui accepte de vous raconter tout

1. « *It is the largest part of a man that is not inventoried.* »
2. « En bas, sur le canot ». Une des neuf nouvelles parues dans le recueil sobrement intitulé *Nine Stories*, traduit en français *Nouvelles*, *op. cit.*

cela, se fait très probablement photographier en chemise à col ouvert, le profil certainement de trois quarts, et l'air tragique[1] », ajoute-t-il. Le trait d'esprit peut se comprendre comme une pointe d'autodérision prophétique puisque, trois ans plus tard, le 20 novembre 1952, à l'occasion de la présentation de *L'Attrape-cœurs* à Brooklyn, il consentait à se laisser photographier sous un profil avantageux, en bras de chemise, et qui plus est « le col ouvert », l'air moins « tragique » que satisfait de lui-même.

Les biographes resteront sa bête noire. La preuve, cette lettre du 22 juin 1962 adressée à Gloria Murray, la fille de sa vieille amie Elizabeth Murray, une femme de plus de vingt ans son aînée, qui, lorsqu'il avait tout juste vingt ans et la rage de devenir un écrivain reconnu, lui prodigua, avec constance, de fervents encouragements. Dans ce document, Salinger affirme mener « une guerre sans fin » contre « ces chiens galeux » de biographes et autres « fouille-merde » (*scavengers*) qui avec leur « beau langage », se contentent de recueillir les « commérages du voisinage sous le prétexte fallacieux de recherches universitaires[2] ». Et pan !

Lorsqu'il débute dans la profession, il est de tradition que les revues littéraires américaines agrémentent la publication de nouvelles d'une notice biographique sommaire de l'auteur, laissée à sa discrétion quant au contenu. Inconnu du public, Salinger n'y coupe pas. En 1949 encore, sur les instances de *Harper's*, il se plie à l'exercice, prenant soin de préciser : « J'ai rédigé en mon temps des notices biographiques pour un certain

1. *Harper's*, avril 1949. Notre traduction.
2. Lettre à Gloria Murray du 22 juin 1962, Harry Ransom Center, Austin, Texas. Notre traduction.

nombre de magazines, et je ne crois pas avoir jamais écrit dedans quoi que ce soit qui fût vrai[1]. »

Une manière de brouiller les pistes et de se moquer? Non, plutôt la fantaisie potache d'un esprit fort qui refuse de s'en laisser conter, car vérifications faites aux meilleures sources – son état civil et sa correspondance –, il s'en tient rigoureusement aux éléments factuels de sa vie. Comme d'ailleurs dans la toute première notice biographique qu'il rédige au printemps 1940 – à la troisième personne – pour *Story*, une revue littéraire new-yorkaise des plus prestigieuses. Spécialisée dans la publication de nouvelles, elle constitue un vivier d'auteurs appelés à figurer au panthéon des grands noms de la littérature américaine du XXe siècle : William Faulkner, Pearl Buck, Norman Mailer, Robert Frost, John Updike, Tennessee Williams, Truman Capote comptent, au fil des numéros, parmi ses contributeurs.

Le premier texte de Salinger, *The Young Folks,* paraît dans l'édition de mars-avril 1940 accompagné de ces quelques lignes : «J.D. Salinger, qui est âgé de vingt et un ans, est né à New York. Il a fréquenté l'école primaire publique, une académie militaire et trois collèges, et il a passé une année en Europe. Il s'intéresse particulièrement à l'écriture de pièces de théâtre[2]. » Là encore, rien de plus vrai. Plus les années passent, plus il en étoffe le contenu. Sans jamais tricher, un trait prédominant de son caractère.

Jerome David Salinger voit le jour le 1er janvier 1919 à la New York Nursery and Child's Hospital, un établissement aujourd'hui disparu qui se dressait au 161 W de la 61e Rue. Le père, Sol – diminutif de Solomon – est un

1. *Ibid.*
2. Notice rédigée par J.D. Salinger. Elle a paru dans *Story*, à l'occasion de la publication de sa première nouvelle *The Young Folks.* Notre traduction.

juif non pratiquant quoique très attaché à la tradition hébraïque. La mère, Marie, une catholique élevée selon le rite apostolique.

Dans une lettre inédite adressée à un vieil ami britannique Donald Hartog, Salinger, alors d'un âge avancé, s'amuse de ce que sa date d'anniversaire tombe le même jour que celle de deux «types» connus pour «jouer cartes sur table au grand jour[1]», en l'occurrence John Edgar Hoover[2], l'intrigant patron du FBI pendant près de cinquante ans, et Kim Philby[3], le brillant sujet de Sa Royale Majesté Élisabeth II d'Angleterre devenu agent double au profit de l'URSS. Deux héros de la guerre froide, passés maîtres dans l'art de la fourberie et des coups tordus, auxquels tout l'oppose.

On ignore à quel moment précis ses parents lui donnèrent un prénom. Ce ne fut, en tout cas, pas après son vagissement comme l'attestent les archives officielles. Le registre d'état civil indique juste que «Baby Salinger» a été enregistré sous le numéro 564. En revanche, dans la case réservée à la couleur de peau, il est mentionné qu'elle est «blanche».

Le père, «négociant en fromage», a trente et un ans, la mère, femme au foyer, vingt-neuf. Nés l'un et l'autre aux États-Unis, ce sont des enfants d'immigrés, un facteur qui se révélera déterminant dans la volonté d'assimilation du couple, et ensuite de celle des enfants.

1. Lettre à Donald Hartog du 9 février 1989, Salinger Letters, bibliothèque de l'université d'East Anglia à Norwich, Royaume-Uni (désormais : Salinger Letters, UEA).

2. John Edgar Hoover. Né le 1er janvier 1895 aux États-Unis, il a dirigé le Federal Bureau of Investigation (FBI) d'une poigne de fer pendant près d'un demi-siècle, du 10 mai 1924 à sa mort, le 2 mai 1972.

3. Kim Philby naît le 1er janvier 1922. Issu de la *gentry*, cet ancien élève de Cambridge, devenu membre des services secrets britanniques, le M 16, était un agent double. À la solde du KGB, la police secrète soviétique, il fit défection en URSS en novembre 1962, en pleine guerre froide.

Peu avant son mariage, sa mère, catholique, née Jillich, a changé de prénom pour s'appeler Miriam, comme la sœur de Moïse et la femme de Joseph, un signe qui témoigne du poids patriarcal dans le foyer. On ne sache cependant pas que Sol, son mari, ait fait pression pour qu'elle se convertisse au judaïsme. Issue d'une famille chrétienne venue d'Irlande et d'Écosse, elle n'a guère eu le loisir de pratiquer sa religion. Longtemps, du reste, ses enfants, qui ne fréquenteront ni l'église ni la synagogue, ignoreront quelle était sa véritable confession. Quand ils le découvriront à l'adolescence, ce sera pour eux un choc.

Jerome, bientôt surnommé affectueusement « Sonny » (fiston), a une sœur, Doris, son aînée de cinq ans. Enfance lisse, milieu bourgeois, sans accroc notable à signaler. La famille connaît une relative prospérité. Le père, employé dans une société d'import-export de jambon et de fromage produits en Europe de l'Est, J.-S. Hoffman and Co., dont le siège est à Chicago, connaît une ascension remarquable. La direction d'une succursale à New York lui est bientôt confiée. Les Salinger habitaient auparavant à l'extrême nord de la ville, au 3681 Broadway, à Harlem, un quartier alors populaire et fantomatique. Ils déménagent l'année de la naissance de leur fils, pour un appartement plus proche du cœur battant de Manhattan et des théâtres. L'immeuble de caractère, situé au coin de la 113e Rue et de Riverside Drive, non loin du bâtiment en briques ocre de l'université Columbia, donne sur l'Hudson River. L'enfant est couvé par sa mère. Petit garçon, il joue aux billes et grandit dans l'affection des siens, assez peu enclins aux effusions. L'heure de la rentrée des classes ayant sonné, à l'école primaire, Sonny manifeste de réelles capacités d'écoute et d'apprentissage, bien que n'étant pas d'un tempérament à se tuer à la tâche. Son quotient intellectuel est légèrement au-dessus de la moyenne, 104, d'après un test d'évaluation[1]. Or les notes ne suivent pas, en particulier en mathématiques. La matière le rebute et il peine à se signaler par des prouesses algébriques. La conduite générale n'égale pas zéro, mais c'est tout comme. Ses maîtres déplorent la médiocrité de ses résultats car il bénéficie de sérieux atouts. À savoir la stabilité au sein du foyer familial et une attention maternelle de chaque instant.

Sa mère est si proche de lui que sa sœur Doris en conçoit une certaine souffrance. Elle se sent exclue d'une relation mère-fils presque fusionnelle et exclusive, du moins très privilégiée. Margaret Salinger, la fille de l'écrivain, rapporte qu'un jour qu'elle parlait de l'éducation de son propre fils avec sa tante Doris, alors employée chez Bloomingdale, un grand magasin new-yorkais, celle-ci lui fit le commentaire suivant : « Ne le laisse pas devenir le centre de ta vie. Cela ne donne rien de bon. Maman a vécu à travers ses enfants. » Puis soulignant qu'elle avait eu « beaucoup de chance que Sonny réussisse aussi bien », la sœur de Salinger ajouta : « C'était toujours Sonny et Maman, Maman et Sonny. Papa n'a jamais eu le beau rôle. Il n'a jamais eu droit à la reconnaissance qu'il méritait[2]. »

Jusqu'à la mort de sa mère, restée sa vie durant dans l'ombre de son époux, Sonny a été entouré d'un amour maternel indéfectible. Ce qui explique sans doute la dédicace de *L'Attrape-cœurs* : « À ma mère. »

Cependant, le père suit de près l'éducation du rejeton. À l'image d'un grand nombre de fils de bonne famille de son âge, il est envoyé en colonies de vacances à la fin de

1. Archives *Story*, bibliothèque Firestone de l'université de Princeton, New Jersey (désormais : Archives *Story*, BFP).

2. Margaret Salinger, *L'Attrape-rêves*, *op. cit.*

l'année scolaire. À l'été 1930, le jeune Salinger, âgé de onze ans, goûte au grand air de la campagne dans le camp de Wigwam à Harrison, dans le Maine. Il se montre bon joueur de tennis, « sociable » – un adjectif qui revient constamment dans la bouche de ceux qui l'ont côtoyé à un moment donné de ses apprentissages, y compris à l'armée. À l'occasion de la création d'un spectacle, il se découvre un penchant pour l'art dramatique. S'étant distingué dans le registre de la comédie, il repart chez ses parents auréolé du titre d'acteur le plus apprécié du groupe. Des débuts prometteurs donc, à même de lui faire aimer ce mode d'expression qui, de son propre aveu, l'a toujours passionné. Un temps, il envisageait même d'en faire son métier.

Lorsque l'on dévide le fil de ses jeunes années, Salinger présente toutes les caractéristiques d'un enfant choyé, si ce n'est ultra-gâté. Adulte, il lui en est resté quelque chose. Le romancier William Maxwell, qui l'a bien connu dès les années 1950 pour avoir édité plusieurs de ses nouvelles au *New Yorker*, le laisse d'ailleurs clairement entendre dans un texte destiné à la prestigieuse collection du Club des Nouveautés du livre du mois, publié en 1951, lors de la sortie de *L'Attrape-cœurs* aux États-Unis. Tout en saluant le talent de Salinger qui « travaille comme Flaubert » avec « un infini labeur, une infinie patience et une infinie pensée pour les aspects techniques de ce qu'il écrit », William Maxwell le dépeint en citadin, sinon élevé dans l'opulence, du moins n'ayant jamais manqué de rien. Il en veut pour preuve que les grands magasins Macy's et Gimbel's, emblèmes de « l'apothéose » du commerce new-yorkais de bon standing, signifient « encore pour lui le magasin de jouets de Noël ». Même observation concernant Park Avenue, le quartier résidentiel « chicissime » où Salinger a longtemps vécu chez papa et maman, et qui, selon ses codes, se résume à « prendre un taxi pour la gare de Grand Central au commencement des vacances ». « Enfant, écrit William Maxwell, Jerry Salinger jouait sur les marches des édifices publics qu'un non-natif reconnaîtrait immédiatement et dont il n'a jamais su le nom. Il a fait du vélo dans Central Park. Il est tombé dans le lac. »

L'ironie de ce qui se voulait un hommage spirituel aurait pu être perçue comme une légère perfidie. Mais William Maxwell avait tempéré son propos en expliquant que ce n'était qu'une étude sociologique sur la « différence » entre « ceux qui sont arrivés en ville à l'âge adulte et ceux qui y sont nés et ont grandi là, car une enfance à New York constitue une expérience particulière[1] ».

À l'automne 1932, Salinger rejoint la McBurney School, un établissement scolaire privé pour garçons à l'architecture italianisante situé au 5 W de la 63e Rue, entre Broadway et Central Park. Le Muséum d'histoire naturelle, tout proche, qui donne sur les pelouses arborées du parc, lui est un lieu de prédilection. Gamin, il adorait traîner ses guêtres dans les salles d'exposition consacrées à la civilisation amérindienne. Des années plus tard, il se souviendra du bruit que faisait sur le sol du musée le rebond des billes de marbre et de verre qu'il laissait tomber de ses poches.

Salinger fait son entrée à la McBurney School l'année de ses treize ans, le 26 septembre. Le programme scolaire est alors encore imprégné des préceptes chrétiens du scoutisme que dispensait, au XIXe siècle, le premier secrétaire de la YMCA[2], Robert Ross McBurney. Au sein de ce bâtiment de style néolombard, en briques rouges

1. Notre traduction.
2. Young Men's Christian Association (YMCA, Association chrétienne pour jeunes garçons).

et doté en façade d'une terrasse crénelée, l'étude et la discipline sont strictement encadrées, suivant la devise gravée dans la pierre « Esprit, Mémoire, Corps », toujours visible à l'extérieur de l'édifice. L'intérieur tient davantage du collège anglais huppé avec ses tomettes vernissées terre de Sienne, ses cabochons pastel, vert, ocre, brique, ses poutres renaissance ripolinées, sa haute cheminée de marbre noir. Sans parler de la chapelle Kingsley. À l'époque où Salinger était écolier, les garçons entraient par le numéro 7 de la rue, flanquée de deux colonnes de marbre de couleur ornées de sculptures d'animaux et d'un pénitent en tenue d'Adam. Au milieu des années 1980, l'instruction a été sacrifiée à la spéculation, le prix du foncier a flambé et le bâtiment a été transformé en appartements, d'un meilleur rapport, pour et par la YMCA.

À la McBurney School où il a passé deux ans, Salinger est loin d'avoir ébloui ses maîtres. De piètres résultats lui permettent de se maintenir péniblement dans la moyenne. Sauf dans les activités extrascolaires, le domaine qu'il préfère et dans lequel il excelle. Tel que s'improviser reporter pour le journal de l'école ou diriger l'équipe de fleuret.

Gagné par le démon du théâtre, il n'a pas peur du travestissement. À deux reprises, il interprète un personnage féminin. Dans la pièce *Mary's Ankle*, il incarne Mme Burns et dans *Jonesy*, le rôle-titre de la mère. Ce qui lui vaut l'appréciation louangeuse de ses maîtres : « Très bon en art dramatique ». Et « bon » en éloquence. Mais dans les autres matières, Salinger est à la peine. D'une année sur l'autre, les notes baissent ; en anglais il chute d'un honorable 80 à un maigre 72, et en latin la dégringolade est tout aussi patente. Classé quinzième sur dix-huit en algèbre la première année, il se voit tancer d'un « pourrait mieux faire ». En biologie, il arrive à la cinquième place sur douze. Au regard des exigences de l'établissement, l'ensemble s'avère nettement insuffisant. Malgré un stage de rattrapage à la Manhasset School au cours de l'été, l'éviction lui pend au nez. Au grand dam de son père qui tenait à ce qu'il poursuive ses études à la McBurney School. En juin 1934, la décision tombe, sans appel : Salinger, en situation d'échec, est prié d'aller voir ailleurs. Qu'il ait toutes les aptitudes pour réussir, ses maîtres en conviennent volontiers, mais ils regrettent que le sens du mot « effort » lui soit étranger. Bémol toutefois dans les appréciations. Eu égard à son caractère, observent-ils sur le certificat de scolarité, il paraît avoir été « plutôt touché de plein fouet par l'adolescence » lors de sa dernière année dans l'établissement[1].

C'est précisément à ce moment-là que ses parents lui ont révélé, ainsi qu'à sa sœur Doris, que le vrai prénom de leur mère était Marie et non pas Miriam. Bien que née et élevée dans le dogme catholique le plus strict, elle avait, après son mariage, fait croire qu'elle était de confession juive. Il est probable que la volonté d'assimilation du père, fils d'un médecin, Simon, par ailleurs rabbin d'une congrégation à Louisville dans le Kentucky, a incité le couple à entretenir cette fiction.

Le jeune Salinger en est d'autant plus ébranlé qu'en janvier 1933, date de l'accession au pouvoir d'Hitler en Allemagne, faut-il le rappeler, il vient de fêter ses quatorze ans et sa bar-mitzva. La cachotterie de ses parents le hantera longtemps. Devenu écrivain, il soulignera, en un exercice d'identification, le caractère « à moitié juif » de ses personnages. « Parce que c'est ce qu'il connaît de

1. Archives *Story*, BFP ; pour tout ce qui concerne les bulletins scolaires de Salinger à la McBurney School.

mieux[1] », rapporte sa fille qui affirme qu'il lui a concédé cet aveu.

Qu'importe aux yeux du père les raisons des médiocres résultats scolaires de Sonny. S'il veut que son fils, qu'il souhaiterait voir un jour assurer la relève dans le commerce, quitte la mauvaise pente, un tour de vis s'impose. Un endroit tout indiqué lui paraît à même d'opérer cette reprise en mains, l'académie militaire de Valley Forge. L'établissement, propice à l'édification des jeunes gens de la trempe de Salinger, se situe à Wayne, une petite ville alanguie au cœur d'une campagne vallonnée, à deux bonnes heures de route de Philadelphie, la principale métropole de l'État de Pennsylvanie. Sol Salinger étant retenu à New York par son négoce, il confie à son épouse le soin d'aller sur place remplir les formalités d'inscription. Une fois n'est pas coutume, car il ne délègue pas facilement son autorité. La fiche administrative conservée dans les archives de l'institution le mentionne d'ailleurs comme étant le seul responsable parental de « Jerome D. Salinger », dont la résidence principale est « 1133 Park Avenue », à New York. Au chapitre affiliation à une religion, une seule mention figure, là encore : juif. Celle du père.

La rentrée des classes est fixée au samedi 22 septembre 1934. Deux jours avant, le père de Salinger adresse à l'aumônier militaire, le major Waldemar Ivan Rutan, une lettre manuscrite accompagnée d'un chèque de cinquante dollars pour les frais de dossier, dans laquelle il entend s'assurer que tout est en règle et que Jerome doit effectivement être présent à Valley Forge le samedi matin suivant.

1. Margaret Salinger, *L'Attrape-rêves*, *op. cit.*

Mon cher major Rutan, écrit Sol Salinger. *Si pour une raison ou une autre, je suis dans l'erreur, soyez assez aimable de me contacter soit par téléphone soit par télégramme, à mes frais.*

S'il y a quoi que ce soit que j'ai oublié ou que vous désirez d'avantages informations, n'hésitez pas à me prévenir.

Je voulais vous remercier pour la courtoisie avec laquelle vous avez reçu et traité Mme Salinger, ma fille et mon fils lorsqu'ils vous ont rendu visite mardi dernier et je dois ajouter qu'ils en sont repartis très impressionnés.

Et en *pater familias* soucieux de voir son fiston sur de bons rails, il conclut :

Je ne doute pas que Jerome se conduira très correctement et je suis sûr que vous le trouverez dans un excellent état d'esprit scolaire[1].

L'uniforme bleu-gris boutonné jusqu'au col, le cheveu ras qui lui fait, par contraste, de grandes oreilles, le front dégagé, Salinger a une drôle de tête sur la photo prise à son arrivée à l'académie militaire de Valley Forge à l'automne 1934. Plus proche de celle du réprouvé que du rebelle. C'est encore un gamin. Enregistré sous le numéro 234, il fait ses classes chez les cadets dont il a dû lire les préceptes et le règlement interne du corps, un passage obligé pour se former à la discipline soldatesque et acquérir, si besoin était, les rudiments du patriotisme, dont il se montre bientôt un ardent partisan. La règle non écrite de l'établissement, consistant à favoriser le conditionnement psychologique, a pour objectif de réduire en lambeaux les vieilles habitudes des jeunes recrues, leur confort, leurs petites manies – leurs

1. Archives *Story*, BFP. Notre traduction.

« idiosyncrasies » afin d'en faire des « hommes neufs », des « marines », conformément à la devise de Valley Forge : « Courage, honneur, conquête. »

Droite, gauche, droite, gauche, en avant toute ! La formation initiale se résume à marcher au pas cadencé, le port de tête bien droit, le regard porté vers l'horizon, sous l'œil inflexible d'un officier supérieur, le lieutenant E.G.S. Stern. Affecté à la compagnie d'infanterie « B », Salinger apprend à manier le fusil, un Springfield de fabrication américaine. Les matinées sont consacrées à l'étude, les après-midi aux activités physiques – exercices d'entraînement, longues marches... Cela après le déjeuner à heure fixe, servi au mess. Une fois ou deux par semaine, les troupes sont passées en revue, comme à la parade. Assister aux offices religieux célébrés dans la chapelle Saint Cornelius the Centurion permet de se faire bien voir par le commandement.

L'ambiance, virile, laisse peu de place aux divagations et à la rêverie. Réveillé chaque jour au son du clairon à six heures du matin suivant le régime strict des casernes, Salinger est tenu de faire son lit, d'être douché, rasé et tiré à quatre épingles – les souliers lustrés, les boutons d'uniforme astiqués. La chambre doit être impeccablement rangée. Le soir, l'extinction des feux a lieu à dix heures. Parfois, comme il sait y faire, quitte à braver le règlement, avec un copain, le sergent Alton P. McCloskey, ils font le mur, se faufilent le long de la route qui borde le Saint-Davids Country Club et vont boire une bière au débit de boissons du coin, le Four Corners. Une manière de rompre avec la routine. Les élèves ayant peu de temps pour eux-mêmes, les congés sont bienvenus car ils permettent de se délester provisoirement de l'uniforme.

À Valley Forge, comme dans les précédents établissements qu'il a fréquentés, Salinger se taille auprès de ses condisciples une réputation de garçon sociable, mais non dénué de caractère. Ceux qui peinent à le cerner ou à trouver le mot juste pour le décrire, le voient comme un « personnage » un peu à part. N'étant pas par nature grégaire, il a un comportement qui dénote une petite tendance à dédaigner la compagnie des autres cadets. À l'exception toutefois d'un cercle restreint d'amis sur lesquels il sait pouvoir compter. Parmi eux, l'instructeur d'anglais qui, à l'occasion, l'invite les après-midi à prendre le thé avec son épouse.

L'académie militaire a ses rituels. Chaque année, elle édite une revue relativement luxueuse et abondamment illustrée, *Crossed Sabres* (Les sabres croisés), qui vante les vertus de l'institution et tous les bienfaits qu'on peut en tirer. « Jerome D. Salinger » en est le rédacteur littéraire. Les élèves les plus méritants ont droit à la reproduction de leur photo avec en légende la liste des disciplines suivies et les hobbies auxquels ils s'adonnent. Une mine d'informations quand on cherche à retracer son itinéraire ces années-là. La brochure, datée 1935-1936, indique qu'il a gagné ses galons de caporal et qu'il s'est livré à une multitude d'activités des plus variées – de l'athlétisme en salle à la chorale et du club d'aviation aux cours de français. Membre de la troupe de théâtre The Mask and Spur (Le masque et l'éperon), il s'est aussi pas mal investi dans le choix des pièces en un acte jouées sur le campus, notamment celles de Dorothy Parker[1] et Percival Wilde[2]. N'ayant pas le profil du parfait « militaire », il s'est également improvisé rédacteur littéraire de la revue de Valley Forge ;

1. Dorothy Parker, née Dorothy Rothschild (1893-1967). Poète, critique et scénariste pour Hollywood, elle brillait par ses mots d'esprit et sa causticité.

2. Percival Wilde (1887-1953). Auteur de nouvelles, de romans policiers et de romans fantastiques, il a écrit de nombreuses pièces de théâtre entre 1914 et 1922.

avec succès, cela va sans dire. Quand Salinger sera devenu l'écrivain que l'on sait, d'anciens condisciples rapporteront qu'il manifestait un intérêt marqué pour la littérature et le théâtre et qu'après l'extinction des feux, il avait l'habitude de se cacher sous l'oreiller pour écrire. De quoi conforter le mythe de l'écrivain précoce.

Dans cet environnement militaire exclusivement mâle et où règne l'esprit de corps, la présence, même passagère, d'une femme est suffisamment rare pour constituer en soi un événement et retenir l'attention des jeunes recrues. Un jour, la mère de Salinger est venue lui rendre visite. Longtemps après, des condisciples la revoient encore. « Je l'ai rencontrée brièvement à l'académie, rapporte le caporal Richard P. Gonder. J'ai le souvenir d'une femme attrayante et gracieuse qui, cela crevait les yeux, adorait son fils, le seul qu'elle ait eu. Jerry prenait un immense plaisir à lire à haute voix les lettres qu'il lui envoyait et dans lesquelles il lui racontait la vie à Valley Forge[1]. » Quant à savoir ce que sont devenues ces lettres, mystère et boule de gomme.

Le sergent Guy Woodward ajoute : « Sa mère m'a grandement impressionné. Je la trouvais jolie, distinguée et bien habillée. C'était une personne d'un contact facile. » La suite témoigne, pour qui en aurait douté, de ce qu'elle choyait son fils. « Pour autant que je me rappelle, ajoute le sergent Woodward, elle est venue dans une grande voiture de luxe, qui était récente, pour lui apporter des cookies. Sa famille avait l'air pour le moins bien lotie[2]. »

Ces deux regards portés sur la mère sont d'autant plus précieux qu'ils sont les seuls émanant de personnes étrangères à la famille.

1. Archives *Story*, BFP.
2. *Ibid.*

À l'académie militaire, les disparités sociales s'estompent avec le port de l'uniforme. Dans de grands bâtiments d'un seul bloc, tout le monde est logé à la même enseigne. L'alignement des dortoirs, de part et d'autre d'un couloir sans fin éclairé au néon, ajoute à l'austérité du cadre. Les cadets sont logés par deux dans des cellules exiguës. Salinger a longtemps partagé la même chambre avec un dénommé Alfred Sanelli dont on sait peu de chose. Les sommiers rudimentaires sont en fer, comme les armoires de rangement. Au réfectoire, la nourriture est la même pour tous. Malgré la rigueur spartiate du décor et des conditions de vie à l'académie, ces deux années de régime militaire de base semblent avoir assez peu pesé sur le moral de Salinger à en juger par les paroles de la chanson qu'il a rédigées avant de sortir diplômé de l'établissement en juin 1936. « Ne cache pas tes larmes[1] » est depuis devenu l'hymne de l'institution, qu'année après année les élèves des promotions qui se succèdent entonnent, non sans fierté, au terme de leur scolarité. Les paroles disent littéralement ceci :

Ne cache pas tes larmes en ce dernier jour
N'aie pas honte de ton chagrin :
De ne plus défiler parmi les rangées de gris[2]*,*
Et de ne plus jouer à ce jeu-là. [...]

Et encore ceci :

Les feux pâlissent, sonne le clairon
Jamais nous n'en oublierons les notes.
Groupe de gars souriants à présent :

1. Archives de l'académie militaire de Valley Forge, Wayne, Pennsylvanie. Notre traduction littérale.
2. La couleur de l'uniforme.

Nous partons remplis de regrets.
On se dit au revoir, nous allons de l'avant
Chercher le succès.
Nous avons quitté Valley Forge
Laissant nos cœurs derrière nous...

La nostalgie exprimée dans ces couplets reflète-t-elle l'état d'esprit de Salinger à l'époque, lui seul aurait pu le dire. Jamais vraiment disert, il s'en est toujours tenu à un rappel plus ou moins factuel de cette expérience. En revanche, il est indéniable que son passage à l'académie militaire l'a marqué. À l'heure d'écrire *L'Attrape-cœurs*, il s'en sert comme toile de fond pour raconter Pencey Prep, l'école préparatoire aux grandes écoles, d'où est renvoyé son héros Holden Caulfield. À la différence que, dans le roman, l'établissement scolaire en question est dépeint sous un jour beaucoup plus sinistre que dans la chanson. Distorsion du réel ou mise à nu de douleurs enfouies ? La vérité est sans doute à mi-chemin.

Salinger quitte l'uniforme de Valley Forge en juin 1936. Il regagne New York, et l'appartement familial cossu du 1133 Park Avenue, à l'angle sud-est de l'avenue et de la 91e Rue Est. Possible qu'à l'époque il ait eu quelques prises de bec avec son père, qui ne voit désormais d'autre issue pour son fils que de retrousser ses manches et de se jeter dans la vie active. Le commerce international de bouche apparaît, sur le plan matériel, comme le moyen le plus sûr de lui garantir un avenir, à défaut de satisfaire son idéal. Une bonne formation et le tour sera joué. Le père en est convaincu. Mais le rejeton se montre rétif, comme en témoignera plus tard Margaret Salinger. « Petite, je n'ai guère entendu parler de l'entreprise familiale sinon comme d'une vaste plaisanterie dans laquelle son imbécile de père l'avait fourré[1] », assure la fille de l'écrivain. Jerome parvient à faire accepter son point de vue puisque dès l'automne, il remplit une demande d'inscription à l'université de New York. Nul ne sait vraiment s'il a jamais assisté aux cours, aucune trace de son passage n'ayant été retrouvée dans les archives de la faculté.

En revanche, Salinger se cherche, comme le montre sa correspondance. Il se verrait bien en chroniqueur redouté du *New Yorker*, le *nec plus ultra* en matière de revue intellectuelle ; sauf que n'ayant encore rien écrit, il lui reste tout à prouver. Le théâtre le tente. Brûler les planches, affronter le public ne serait pas pour lui déplaire, mais l'expérience qu'il en a eue jusque-là se résume à celle d'un honorable amateur. Il a écumé les salles de théâtre à la recherche d'un emploi – pas forcément de comédie, son domaine chéri – mais hélas pour lui, rien de probant n'en est sorti.

1. Margaret Salinger, *L'Attrape-rêves, op. cit.*.

2

Vienne 1937, un séjour inoubliable

À l'automne 1937, sur les instances de son père, Salinger s'embarque pour un voyage de plusieurs mois en Europe, qui le conduit de Vienne à Bydgoszcz, au fin fond de la Pologne, puis de nouveau à Vienne, avant de retourner à New York, via Berne, Paris et Londres.

À quelle date précisément arrive-t-il dans la capitale autrichienne? Combien de temps y séjourne-t-il? La réponse ne va pas de soi. Ian Hamilton, son premier biographe, parle de cinq mois. Dans un bref entretien accordé en novembre 1953 à une lycéenne de Windsor, dans le Vermont, Shirlie Blaney, celle-ci eut la malice – couronnée de succès – de lui proposer de répondre à quelques questions, il évoque un périple européen de dix mois.

Une dizaine d'années plus tôt, en novembre 1944 très exactement, dans une notice biographique adressée au directeur de la revue littéraire *Story*, Whit Burnett, mais jamais publiée dans son intégralité, Salinger avait écrit : « Ai passé un an en Europe quand j'avais dix-huit et dix-neuf ans, la plupart du temps à Vienne[1]. » Dix mois à Vienne et deux à Bydgoszcz, le compte y est.

1. Notice rédigée par J.D. Salinger pour la revue *Story* à l'occasion de la parution de sa nouvelle *Once a Week Won't Kill You* dans le numéro de novembre-décembre 1944.

Au cours de ce séjour dont il se souviendra toute sa vie, il fait la connaissance d'un jeune homme de son âge, Donald Hartog, un sujet britannique, juif comme lui par son père, qui est un ami du sien, Sol Salinger. L'abondante correspondance qu'ils ont entretenue pendant des années, et dont il n'avait été jusque-là jamais fait état, en fait foi. Ils avaient tous deux été envoyés à Vienne pour apprendre l'allemand et les rudiments du négoce de viande, dans lequel travaillaient leurs pères respectifs. « J'imagine qu'ils pensaient que leurs fils en feraient autant et que l'allemand leur serait utile, témoigne Frances Hartog, la fille de Donald Hartog, rencontrée dans un pub londonien du côté du British Museum. Mon père a effectivement suivi cette voie, mais manifestement pas Jerry[1] », le surnom donné à J.D. Salinger au sortir de l'adolescence.

Ce moment, que fut la découverte d'une Europe finissante et troublée, a laissé une trace impérissable dans la mémoire de l'écrivain. À l'époque, Dieu que Vienne, scintillante de ses derniers feux, était belle et comme tout leur semblait possible ! Ils avaient l'un et l'autre dans les dix-huit ans, la jeunesse pour eux. « Comme c'était bien[2] », s'extasie Salinger à l'approche de ses soixante-dix ans. Les deux compères formaient une bonne et joyeuse bande avec Frances Robinson, une jeune fille de leur âge pleine d'allant – une force de la nature, une « survivante, si jamais il y en eut une », concède-t-il, énigmatique. Sans doute connut-elle de sérieux déboires, car elle faisait son admiration pour sa « résilience », cette capacité extraordinaire à surmonter les épreuves.

1. Entretien avec l'auteur, le 1er avril 2011.
2. Lettre inédite à Donald Hartog du 29 juin 1989, Salinger Letters, UEA. Notre traduction.

Encore que, les années passant, Salinger qui en avait lui-même traversé pas mal pendant la guerre, n'était pas toujours très sûr de ce qu'il devait penser des « survivants[1] » dont il était. Comme si on pouvait pavoiser d'avoir survécu à l'horreur.

Il y avait aussi dans le lot Bibi Safir, un gamin de quatorze ans d'origine juive, inoubliable dans son costume traditionnel : il portait une culotte tyrolienne. Salinger logeait chez les parents de Bibi, des connaissances de son père. L'appartement, situé au dernier étage d'un immeuble avec balcon, donnait sur une colline couverte de conifères. Ce séjour dans la capitale autrichienne, loin de la tutelle paternelle, lui a laissé le souvenir de joies simples quand, avec son ami Donald, ils allaient baguenauder dans le parc près du kiosque à musique, à la patinoire municipale – le *Eislaufverein* –, voir des films au Schweden Kino ou quand, tout bonnement, ils rentraient chez les Safir prendre un repas. Une époque bénie. Pendant des années à Cornish, Salinger a souvent acheté de la *kacha*, ces graines de sarrasin décortiquées servant à confectionner un mets populaire traditionnel des pays de l'Est. Mais à son grand regret, lorsqu'il la faisait cuire, jamais il n'est parvenu à retrouver la consistance et la saveur de celle que préparaient ses hôtes.

À l'aube de l'année 1938, Hitler et ses hordes n'avaient pas encore déferlé dans les rues de Vienne que déjà le malaise était perceptible. Un désastre se profilait, Salinger le pressentait, même s'il était bien incapable d'en définir les contours. Cependant quelque chose dans l'air lui laissait présager les transports de joie

1. Lettre inédite à Donald Hartog du 9 novembre 1986, Salinger Letters, UEA.

– « prévisibles » – que les Viennois si « charmants[1] » en apparence réserveraient aux soldats de la Wehrmacht lors de l'Anschluss, en mars de cette année-là. L'annexion de l'Autriche a été un tournant de l'histoire. Il y aurait désormais un avant et un après. En tout cas pour Salinger qui en avait vécu les prémices, et dont l'évocation de cette époque revient sous sa plume d'épistolier comme un leitmotiv. C'est ainsi qu'après-guerre, à l'heure des retrouvailles avec l'ami Donald, il se fera un plaisir d'égrener les noms des places, des cafés, des salles de cinéma « d'avant l'Anschluss » dont, dit-il, « personne, à part nous, n'aura jamais entendu parler[2] ». C'était le côté agréable de ces années-là.

Quant aux atrocités qui allaient bientôt être perpétrées dans Vienne occupée, il en aurait la confirmation, là encore après coup, une fois la paix revenue. Comme du reste des actes de trahison dont il n'aurait alors pas soupçonné la bassesse. Un jour à New York, à la faveur d'une rencontre fortuite avec Bibi Safir, homme d'un certain âge désormais employé dans la distribution de films, le cheveu rare, plus du tout le gamin exubérant qu'il avait été, ils évoquèrent le passé. Bibi lui relata dans quelles circonstances sa famille avait dû quitter précipitamment l'Autriche. Tout cela parce qu'une vieille servante de confiance, Rezi, à la fois leur cuisinière, leur suivante et leur domestique, les avait dénoncés. Avait-elle agi « dans un mouvement de panique ou parce que sa vraie nature s'était tout d'un coup révélée[3] », selon la formule qu'il avait employée ? Bibi ne savait pas vraiment.

1. Lettre inédite à Donald Hartog du 22 octobre 1986, Salinger Letters, UEA.
2. Lettre inédite à Donald Hartog du 9 février 1989, Salinger Letters, UEA.
3. Lettre inédite à Donald Hartog du 9 novembre 1986, Salinger Letters, UEA.

Toujours est-il qu'ils n'eurent que le temps de déguerpir pour aller se réfugier à Tel Aviv et avoir ainsi la vie sauve.

Salinger a revu de loin en loin des membres de la famille Safir qu'il n'a jamais complètement oubliée. Il a aussi plusieurs fois entendu des récits de ce genre, lesquels l'ont assez vite conduit à la conclusion qu'il y a eu « beaucoup, beaucoup d'autres choses comme ça qui se sont passées[1] ». Raison pour laquelle après-guerre, il est resté des lustres sans remettre les pieds dans la capitale autrichienne et s'il y est retourné dans les années 1980, ce fut uniquement pour la faire découvrir à son fils Matthew.

Son séjour à Vienne « d'avant l'Anschluss » l'a tellement marqué qu'il s'en inspira au moment d'écrire *A Girl I Knew*[2]. Mais sur le moment, il l'a vécu comme un intermède agréable, à en juger par la notice biographique qu'il a rédigée en novembre 1944 pour la revue *Story*.

« La meilleure danseuse de valse à Vienne était une plantureuse Anglaise de plus d'un mètre quatre-vingts, observe-t-il. Elle allait toujours trouver le chef d'orchestre pour lui demander, dans un anglais impeccable, en s'égosillant : "Je disais que je voulais savoir si vous pouviez jouer 'Vienne, Vienne, tu es la ville de mes rêves', autrement dit *Wien, Wien, nur du allein*[3]". »

Salinger parle en expert. Dans une lettre à son vieux copain et compagnon de bal « Don », ainsi qu'il appelle Donald Hartog, il se remémore l'insistance avec laquelle la jeune femme l'avait prié de lui accorder une danse. Il y en eut une deuxième, puis une troisième, puis d'autres encore. Le smoking qu'il avait apporté des États-Unis,

1. *Ibid.*
2. « Une fille que j'ai connue ». Nouvelle publiée en février 1948 dans la revue *Good Housekeeping* et jamais traduite.
3. Archives *Story*, BFP.

un peu trop grand pour sa taille et presque jamais porté, était « rembourré aux épaulettes[1] », mais sans que sa prestance eût à en souffrir. Il se trouvait même fière allure, et se revoyait la guidant sur la piste. Un détail pourtant lui avait échappé : « Quel était son nom déjà ? » Il posa la question à son ami Don qui lui rafraîchit la mémoire. Elle s'appelait Betty Stronach.

Salinger a oublié le nom de sa cavalière et ne sait plus très bien au juste combien de temps son séjour là-bas a duré. En revanche, il a gardé à l'esprit que c'est sur les instances de son père qu'il a été expédié à Vienne pour suivre des cours d'allemand et qu'il est allé en Pologne où il a appris des rudiments de polonais, d'abord pour se familiariser avec le négoce du jambon.

À Paris, une étape éclair, il a à peine eu le temps de parfaire son français. De ce périple, il a rapporté des impressions fortes, ainsi que l'a noté le romancier William Maxwell. À Vienne, Salinger a vécu dans une famille autrichienne, souligne-t-il, ajoutant qu'il a appris « un peu d'allemand et pas mal sur la nature humaine, à défaut du négoce à l'exportation[2] ».

Des années plus tard, égal à lui-même, Salinger restituera l'intermède polonais avec une distance mêlée de désinvolture. « Ils m'ont finalement traîné jusqu'à Bydgoszcz pour environ deux mois, où j'ai saigné des cochons, avant de les transporter par wagons dans la neige en compagnie du grand maître égorgeur, lequel voulait à tout prix me distraire en tirant des coups de feu sur les moineaux, les ampoules électriques et les autres employés[3]. »

1. Lettre inédite à Donald Hartog du 17 juillet 1995, Salinger Letters, UEA. Notre traduction.

2. Texte de William Maxwell, paru au Club des Nouveautés du livre du mois, juillet 1951.

3. Notice (auto)biographique de J. D. Salinger, parue dans *Story* de novembre-décembre 1944.

Réminiscences et restitution de choses vues quand, à peu près à la même époque, il transposera, dans la nouvelle *Pour Esme, avec amour et abjection*[1], cette scène de violence assez pitoyable d'un camarade de régiment qui se vante d'avoir « abattu cette saleté de chat qui avait sauté sur le capot de la Jeep, pendant qu'on était planqués dans un trou ».

Salinger débarque à Bydgoszcz à l'hiver 1937. Dans cette ville commerçante et bourgeoise d'un autre siècle, au bord de la Vistule, les femmes, en bottines et chapeau, portent de longues robes noires, et, les édifices monumentaux, de style néoclassique, l'empreinte de l'occupation prussienne au XIXe siècle. Les Allemands, dont la présence remonte à plus de cent cinquante ans, constituent une communauté à part, homogène et soudée, sur une population de plus de 130 000 habitants. Ils parlent leur langue et participent activement à la vie politique, économique et culturelle de la cité. Certains d'entre eux, séduits par les discours nationalistes et bellicistes d'Hitler, se comportent en maîtres, ne se gênant pas pour bafouer les lois polonaises. Mais ce qui frappe au premier regard, c'est la largeur des rues, minérales et désertes, traversées par les rails du tramway et sillonnées de voitures hippomobiles. De grandes places, élégantes et majestueuses, en complètent la topographie avec le théâtre et l'imposante synagogue que les Allemands raseront en 1940. Le registre municipal est formel : l'année où Salinger, descendant d'une famille d'immigrés juifs d'Europe de l'Est côté paternel, y a séjourné, la ville comptait 2 076 juifs. Une bonne partie d'entre eux, immigrés de fraîche date, avaient fui l'Allemagne nazie.

1. *Nouvelles, op. cit.* Traduite une première fois en (1961) sous le titre *Pour Esme, avec amour et abjection*, elle l'a été une seconde fois en 2017 sous le titre *Pour Esme, avec toute mon abjection.*

Mais ils furent, là encore, traités comme des parias. En butte à la ségrégation, ils n'avaient ni école, ni lycée à eux, d'où l'obligation qui leur était faite de fréquenter les établissements scolaires polonais ou allemand. Selon une tradition datant de l'occupation prussienne, les familles incapables de justifier de revenus supérieurs à mille thalers par mois – environ six cents euros actuels –, étaient reléguées hors les murs, à Fordon, une petite commune située à une quinzaine de kilomètres de Bydgoszcz.

Au cœur de la ville, non loin d'un canal sinueux, le Brda, les abattoirs forment une forteresse hérissée d'un mur d'enceinte de briques rouges. À l'intérieur de cette ville dans la ville, chaque jour, des animaux sont égorgés par centaines pour le compte de la société Bacon Export. En majorité des porcs engraissés dans les porcheries de la plate campagne environnante, mais aussi des veaux, des agneaux et des volailles. Une industrie prospère. La capacité d'abattage quotidien s'élevait à l'époque à sept cent cinquante têtes de bétail. Une odeur de sang a longtemps infesté l'air de la ville, laquelle ne s'est dissipée qu'après la destruction partielle des bâtiments au tournant de l'an 2000. C'est cette même odeur âcre que respirait Salinger qui, certains jours dès quatre heures du matin, se devait d'être sur pied pour assister « un négociant dans l'achat et la vente des porcs[1] », une occupation qu'il a « haïe », aux dires de William Maxwell, le dépositaire de ses confidences au début des années 1950. On peut le croire.

Les carcasses des bestiaux étaient acheminées par wagonnets jusqu'au reposoir où elles étaient suspendues à des crochets le temps que la viande s'attendrisse. Une fois rassise, celle-ci était débitée pour être transformée

1. William Maxwell, *op. cit.*

en jambons et en saucissons, ou bien conditionnée en boîtes de conserve. Cette activité était alors en plein essor, grâce aux débouchés à l'exportation vers les États-Unis. Un mot sur Bacon Export. La société qui possédait plusieurs unités de production en Pologne et à Varsovie des bureaux, un point de vente et des entrepôts, fabriquait aussi d'énormes pains de glace destinés à la conservation de la viande, ainsi que de la farine animale. Les graisses, poils et cornes des animaux étaient également traités en vue d'être commercialisés.

Salinger ne s'est pas retrouvé à Bydgoszcz par hasard. Son père l'avait envoyé là, car un petit village distant d'une quinzaine de kilomètres, Essin, était en fait le lointain berceau de la famille. Il lui avait, en outre, été d'autant plus facile de décrocher une place pour son fils que le propriétaire des abattoirs polonais n'était autre qu'Oscar Robinson, le grand ponte des abattoirs de Chicago, où Sol Salinger avait lui-même travaillé avant de se voir confier l'antenne commerciale de New York. Comme il avait du métier et du savoir-faire, le père du futur écrivain acquit la reconnaissance de ses pairs, si bien que sa contribution à l'expansion de l'entreprise lui valut d'être admis au comité de direction en tant que directeur général, puis, plus tard, au sein du puissant syndicat des patrons de l'import-export ès jambons et fromages qu'il a présidé sans discontinuer de 1947 à 1954.

D'après les registres d'état civil des archives municipales de Bydgoszcz, tout laisse à penser que J.D. Salinger logeait dans une maison en forme de longère aux murs d'un jaune défraîchi, située au 44 de la Wilhemstrasse, l'actuelle Jagiellońska, juste en face de l'entrée principale des abattoirs, flanquée d'un beffroi. La bâtisse qu'il occupait a plutôt bien résisté aux vicissitudes du temps.

Pour se rendre à son travail, il n'avait que la rue à traverser. Mais sa tâche ne se limitait pas à occire les bêtes. Étant donné son niveau d'études, il rédigeait aussi des réclames pour l'entreprise.

Au terme de ces deux mois d'apprentissage en Pologne, il décida de regagner Vienne. Son séjour s'achevait. Le 12 mars 1938, les troupes d'Hitler envahissaient l'Autriche sous les vivats de la population. Le quartier juif de Vienne était mis à sac. Les nazis, déchaînés, se livrèrent à un pogrom. Salinger n'en fut pas le témoin. Il avait pris le train du retour quelques jours plus tôt. À destination de Berne en Suisse, puis de Paris pour une courte halte. À Londres, dernière étape de son périple européen, il eut le loisir d'aller au théâtre applaudir Laurence Olivier dans *Othello* de Shakespeare à l'Old Vic, avant d'embarquer sur le paquebot *L'Île-de-France* pour New York, trois jours « avant l'Anschluss ».

Le meilleur moyen d'appréhender l'humeur de Salinger en ces heures tragiques, les rapports qu'il entretient avec ses parents, le regard qu'il porte sur l'expansionnisme de l'Allemagne hitlérienne ou le sort réservé aux juifs, est de se reporter à l'œuvre, constamment irriguée de sa propre expérience, des rencontres qu'il a faites et, par la voix de ses personnages, de sa perception des choses et des enseignements qu'il en a tirés. Par exemple, cette nouvelle publiée en février 1948 dans *Good Housekeeping*, un magazine américain pour ménagères éduquées de l'immédiat après-guerre dont la préoccupation était les soins de beauté et la mode dernier cri. Inédite en France, *A Girl I Knew*, dont le titre original « Vienna, Vienna » était on ne peut plus explicite, procède davantage du récit autobiographique que de l'œuvre de fiction, étant donné la mise en lumière de la situation matérielle de Salinger et de ses préoccupations. Le narrateur raconte à la première personne comment après qu'il a raté son année de collège, son père, lassé de ses échecs, a décidé de mettre fin à ses études et de l'initier aux arcanes du commerce. Le rejeton est expédié en Europe – Vienne et Paris – pour apprendre l'allemand et le français, deux langues considérées comme un gage de réussite en affaires. Salinger brouille à peine les pistes. Il joue sur les dates, mais tout le reste – les gens, les lieux, les places, les dialogues même – renvoie à ce qu'il a vécu en 1937-1938 lors de son expédition en Europe. Une Europe qu'il devait retrouver sous l'uniforme de GI, meurtrie à la fin de la Seconde Guerre mondiale. John, le héros de *A Girl I Knew*, qui est son portrait craché, prend trois heures de leçons d'allemand par jour. On apprend incidemment qu'il s'est acheté trois chapeaux tyroliens en laine vierge, qu'il a prêté de l'argent à un « type paraissant très distingué » au bar de l'hôtel Bristol, et qu'il est un as des dancings. Amateur de patin à glace et de ski, il écoute Dorothy Lamour[1] et Connie Boswell[2], deux vieilles gloires américaines des années 1930 et 1940, le genre musical qu'adore Salinger. Enfin, l'autoportrait serait incomplet s'il n'était précisé qu'à l'occasion, il s'essaie à l'écriture de pièces de théâtre.

De la fenêtre de l'appartement qu'il occupe, le narrateur, âgé de vingt-deux ans, aperçoit, juste au-dessous de chez lui, penchée à son balcon, une adolescente de seize ans, Leah, la fille d'une famille juive viennoise. Elle parle

1. Dorothy Lamour (1914-1996). Élue Miss New Orleans à dix-sept ans, elle est remarquée par la Paramount Pictures en 1936. Actrice et chanteuse, elle sera la partenaire de Bing Crosby et Bob Hope dans la célèbre série de films *En route vers... Singapour, Zanzibar, le Maroc*, etc.

2. Connie ou Connee Boswell (1907-1976). Vocaliste de jazz, elle forme dans les années 1930 avec ses sœurs Martha et Helvetia le groupe des Boswell Sisters. Partenaire de Bing Crosby, elle triomphe en solo avec *Moonlight Mood* en 1942.

un anglais approximatif, lui se débrouille tant bien que mal en allemand. Ils sympathisent. Sa beauté « trop grande pour la taille de sa chambre » le transporte. Mais elle a un fiancé et envisage de se marier dès ses dix-sept ans. Quelque chose entre eux cependant se noue qui n'ira jamais plus loin qu'une étreinte furtive « dans l'étroit encadrement de la porte de son salon ». Puis adieu Vienne. Son séjour s'achève, le temps pour lui est venu « d'aller à Paris maîtriser une seconde langue européenne » avant le retour aux États-Unis. Il avait promis de lui envoyer *Autant en emporte le vent*, l'épopée sentimentalo-romanesque de Margaret Mitchell. Il n'en a rien fait. Leah, en revanche, lui a écrit pour lui dire qu'elle s'était mariée, mais il ne peut pas lui répondre, elle n'a mentionné ni son nom d'épouse ni son adresse. Comme souvent chez Salinger dont les personnages collectionnent les occasions manquées.

Le ton désabusé de la nouvelle est celui d'un jeune homme, un peu gosse de riche à la vie facile, l'insouciance en sautoir, comme un terrible contrepoint à ce qui va suivre : les troupes d'Hitler ont marché sur Vienne. « Pendant les semaines et les mois qui ont suivi l'occupation de Vienne par les Allemands, j'ai souvent pensé à Leah », écrit Salinger. « Penser à elle n'était quelquefois pas suffisant. Quand, par exemple, je regardais dans les journaux les plus récents les photos de juives viennoises à quatre pattes sur le trottoir en train de le décaper, je fonçais dans ma chambre à travers le dortoir, j'ouvrais un tiroir de bureau, je prenais un automatique que je glissais dans ma poche, puis, sans faire de bruit, je me faufilais dans la rue, par la fenêtre. » « Je ne suis pas du genre à rester les bras croisés[1] », lance, froidement déterminé, Salinger, un homme de caractère que le défi

1. Notre traduction, *A Girl I Knew* étant inédite en France.

n'effraie pas et qui se garde de parler à tort et à travers. Puisant alors à la lettre dans sa propre vie, il ajoute : « Pendant la guerre en Europe, j'avais un boulot dans les services de renseignement au sein d'un régiment dans une division d'infanterie. Mon travail m'obligeait à avoir pas mal de discussions avec les civils et les prisonniers de la Wehrmacht. » Le narrateur retourne à Vienne en vainqueur quelques mois plus tard avec les armées alliées. À l'instar de Salinger lui-même. Un sous-officier local lui apprend que « les juifs de Vienne ont subi des choses terribles ». À la recherche de Leah, il découvre « qu'elle et sa famille ont péri brûlées dans un four crématoire ». Il insiste pour revoir le garni qu'il louait avant-guerre et de sa fenêtre le balcon où Leah se tenait quand il l'a vue pour la première fois, image furtive d'une rencontre inachevée. Puis il redescend l'escalier et repart sans demander son reste.

3

Ses débuts de chroniqueur

Salinger a roulé sa bosse. Il a traversé l'océan. Il a parcouru l'Europe. De retour chez papa maman dans l'appartement cossu de Park Avenue au début du printemps de 1938, il s'abandonne à l'oisiveté. Au grand déplaisir de son père qui, jugeant que l'académie militaire de Valley Forge et le grand air de la campagne lui ont si bien réussi, le renvoie en Pennsylvanie, à Ursinus College cette fois, toujours dans un cadre champêtre, afin qu'il reprenne ses études. Il a maintenant dix-neuf ans. C'est un jeune homme long et maigre aux yeux noirs captivants qui sourit rarement mais qui a pris de l'assurance. Le regard, intense, vient de l'intérieur. Quand Richard P. Gonder, un de ses anciens camarades de Valley Forge, le rencontre, alors qu'ils ne s'étaient pas revus depuis la remise des diplômes, environ deux ans plus tôt, il le trouve métamorphosé. « Il avait beaucoup d'esprit et d'humour et il balançait sans arrêt des bons mots », se souvient-il. Il est surpris de voir combien il a changé physiquement en si peu de temps. « Il n'avait plus du tout l'air de l'adolescent de dix-sept ans que j'avais connu, dit-il. C'était devenu un étudiant mûr d'un mètre quatre-vingt-cinq, aux traits sombres avec de grands yeux expressifs sous d'épais sourcils[1]. »

1. Archives *Story*, BFP.

Lorsqu'à l'automne, nouveau pensionnaire d'Ursinus à Collegeville, un village provincial, situé à une demi-heure de Valley Forge, Salinger, le teint halé, pose son sac dans le vestibule Curtis du collège, il fait sensation, en particulier auprès d'une jeune fille, Frances Thieroff. Les garçons ne sont pas aussi attentifs à sa personne. Les élèves étudiants plus avisés notent toutefois qu'il se ronge les ongles et que le bout des doigts, longs et sensibles, est maculé de nicotine. Salinger donne le sentiment (fondé) d'avoir vu du pays. Il est le seul étudiant cette année-là sur le campus à venir de New York, comme l'atteste le bulletin trimestriel de l'établissement édité en janvier 1939, lequel précise, en outre, qu'il sort de l'université de New York où aucune trace de sa présence n'a, à ce jour, été retrouvée. Une chambre individuelle lui est attribuée, la 302, donnant sur le bâtiment en pierre bleue de Pennsylvanie hébergeant le département des Sciences Pfahler[1]. Il s'inscrit aux cours de littérature anglaise et de composition, ainsi qu'en première année de biologie et d'histoire, et en deuxième année de français et de mathématiques. La maturité qu'il affiche alors manque à la plupart de ses condisciples dont la moitié seulement a été à New York. Salinger sympathise avec Frances Thieroff, qui se souvient du « beau gars gentil, d'une sophistication toute new-yorkaise, avec son manteau noir Chesterfield rehaussé d'un col en velours[2] ». Ils se lient d'amitié. Puis elle se marie avec un autre que lui et prend le nom de Frances Glassmoyer. Un patronyme qui a pu l'inspirer lorsqu'il a donné à Franny et Zooey celui de Glass.

1. Du nom du Dr George Edward Pfahler (1874-1957), né à Numidia, en Pennsylvanie. Physicien spécialiste en radiologie, il a été membre du comité de direction du collège Ursinus fréquenté par Salinger.

2. Archives d'Ursinus College à Collegeville, Pennsylvanie.

À Ursinus, jamais avare d'une bonne blague, Salinger lui propose de l'accompagner avec son mari en lune de miel et suggère qu'elle appelle son premier enfant, si c'est un garçon, Sawyer Glassmoyer, un clin d'œil au héros de Mark Twain, Tom Sawyer. « On a ri comme ce n'était pas permis[1] », se souvient-elle. Pendant quarante ans, ils restent en contact. Salinger cessera toute relation avec elle après avoir découvert qu'elle avait prêté son concours au poète et journaliste anglais Ian Hamilton. Il l'avait sollicitée pour sa biographie *À la recherche de Salinger*. Furieux de cette indiscrétion, il provoqua la rupture, alors qu'elle avait agi sans penser à mal et en toute bonne foi.

Quoi qu'il en soit, à Ursinus, Frances lui trouve de l'allure, un humour « acerbe et mordant » qui amuse la galerie, et une détermination inébranlable à écrire en vue d'être publié. Salinger n'en fait pas mystère qui contribue chaque semaine au journal de l'université, *The Ursinus Weekly*. « Ses chroniques dévastatrices étaient, dit-elle, hilarantes. Il tapait toujours dans le mille[2]. »

Elles paraissent tous les lundis, sous le titre « Rêveries d'un étudiant sociable de seconde année ». La première, datée du lundi 17 octobre 1938, est une adresse à sa mère, en forme de saillies, courtes, légères et troussées. Il y met, en filigrane, beaucoup de lui-même, s'amusant de sa propre situation et de ses rapports avec ses parents.

« Chère mère », attaque-t-il dans une « lettre » qui tient en quelques lignes. « Toi et ton mari avez échoué à m'élever correctement. » Il déplore, dans un jeu de mots doublé d'une allitération sonore intraduisible, de ne pas pouvoir interpréter *Begin the Beguine*, la mélodie formidablement

1. Archives *Story*, BFP.
2. Archives d'Ursinus College.

dansante de Cole Porter, ni identifier la trompette « torride » de Joe Oglemurphey. « La vie de collège pour moi manque de jus – Votre, tristement. Phoebé Phrosh[1]. »

Sous l'étudiant aspirant à la vie d'artiste perce déjà l'écrivain. Dans une autre chronique, il fait référence à une tante Phoebé, un prénom qu'il affectionne puisqu'il le donnera plus tard à la petite sœur de Holden Caulfield, dans *L'Attrape-cœurs*. Ce sont là autant d'indices des préoccupations littéraires du romancier en gestation.

Sous le titre « Histoire », il raconte ensuite, en mode mineur, un conte de fées moderne et particulièrement autobiographique : « Il était une fois un jeune homme fatigué d'essayer de se laisser pousser la moustache. Ce même jeune homme ne voulait pas aller travailler pour des gens comme son père – ni pour toute autre personne déraisonnable. Si bien que le jeune homme retourna à l'université[2]. » Une manière aimablement irrévérencieuse de décrire ses relations avec son géniteur et de se dépeindre tel qu'il est, un blanc-bec désinvolte, en révolte douce. Quant à la moustache, il la portera toujours bien taillée pendant la guerre.

Dès la semaine suivante à Ursinus, à la rubrique désormais baptisée « Le diplôme manqué de J.D.S.[3] », un rendez-vous personnalisé avec les lecteurs, il chahute les Roosevelt. Salinger imagine en trois actes et un épilogue un dialogue gentiment moqueur ponctué de marmonnements entre Franklin, le président des États-Unis, et Eleanor, son épouse, sur leur haine supposée de la guerre.

À chaque fois, l'impertinence est de mise. Qu'il se livre à une critique de théâtre, de cinéma, ou d'une émission

1. Archives d'Ursinus College.
2. Archives d'Ursinus College. Notre traduction.
3. « J.D. S's the skipped diploma », *The Ursinus Weekly*, archives d'Ursinus College.

de radio, son registre s'inscrit dans le genre rosse ou farce. Margaret Mitchell se voit conseiller de portraiturer Scarlett O'Hara, l'héroïne de son best-seller *Autant en emporte le vent*, avec « un léger strabisme » et « des dents de lapin » ou chaussant du quarante-deux.

Ailleurs, quelque peu condescendant, il titille Ernest Hemingway, espérant que sa première grande pièce de théâtre sera à la hauteur du talent qu'il a su manifester dans le passé. « Nous avons l'impression que depuis *Le soleil se lève aussi*, *Les Tueurs* et *L'Adieu aux armes*, Ernest n'a pas travaillé assez et qu'il radote trop », écrit l'insolent. Ses sentiments pour le baroudeur des lettres seront en réalité plus ambivalents. Adolescent, il le traite avec la familiarité de l'étudiant qui refuse de se laisser intimider par le grand homme. En même temps, il éprouve une certaine fascination pour l'auteur à succès, reporter de guerre, rescapé de la Première Guerre mondiale et de la guerre d'Espagne qu'il s'empressera d'aller voir au Ritz au moment de la libération de Paris, trop content de recueillir son approbation sur les nouvelles qu'il a publiées dans des revues.

Salinger n'aura jamais de telles préventions envers Francis Scott Fitzgerald qu'il relira toujours avec un infini plaisir. « Dieu, que j'aime cet homme[1] », lâche-t-il sans ambages dans une lettre à son amie Elizabeth Murray. Dans ce même courrier, il déplore que ces « satanés idiots de critiques » qualifient toujours des écrivains de « génie » en raison de leurs petites manies stylistiques... Ernest Hemingway pour ses dialogues retenus, Thomas Wolfe[2] pour son énergie gargantuesque. À ses yeux, la seule

1. Lettre à Elizabeth Murray du 2 octobre 1941, Harry Ransom Center, Austin, Texas (désormais : HRC).

2. Thomas Wolfe (1900-1938). Poète et auteur de romans-fleuves, notamment *De la mort au matin*, il a inspiré des écrivains comme Jack Kerouac et Jerzy Kosinki.

particularité de style de Francis Scott Fitzgerald tient dans son coloris pur.

Dans le jeu de massacre de bon aloi auquel il se livre chaque semaine à Ursinus, Salinger fait une exception à la règle : le dramaturge français Jean Giraudoux[1] dont il recommande d'aller voir la pièce *Amphitryon 38*, une transposition réussie, selon lui, de la grandeur de l'Antiquité à l'époque contemporaine. Au cinéma, ses coups de cœur sont réservés aux Marx Brothers, malgré des réserves pour leur film *Room Service*, ainsi qu'à Spencer Tracy et Mickey Rooney, deux monstres sacrés des productions hollywoodiennes en noir et blanc.

Dans son *Dictionnaire de campus*, inspiré du *Dictionnaire des idées reçues*[2] de Gustave Flaubert, Salinger brocarde également la vie à l'université. Il assimile la « liste du doyen » à « un très petit groupe de personnes qui dorment huit heures par nuit » et voit dans tout « examen écrit » un « désagrément qui provoque des callosités à la première phalange du majeur ». Un humour en mode mineur. Quant à la « salle de récréation », il la perçoit comme « un endroit fréquenté par des gens qui aiment transpirer pour rien et marcher sur les pieds des autres ». Et ainsi de suite... On le voit, il y a là du bon et du moins bon. Deux semaines plus tôt, au chapitre « Rayon livres », il dressait, moqueur, un inventaire des lectures obligées du programme scolaire. « Les livres suivants nous ont été très vivement recommandés : *L'Évolution de la civilisation européenne*, *Précis de grammaire et de composition française*, *La Littérature anglaise*, *L'Art de l'exposé* et *L'Univers physique*

1. Jean Giraudoux (1882-1944). Écrivain et auteur dramatique français. Il a notamment écrit *Siegfried et le Limousin*, *La guerre de Troie n'aura pas lieu*, ou encore *La Folle de Chaillot*.

2. Gustave Flaubert, *Dictionnaire des idées reçues*, Paris, Louis Conard, 1913; Le Livre de poche, 1997.

de l'homme. » « Et vous, dites-nous ce que vous en pensez », apostrophe-t-il crânement, en conclusion.

L'intérêt majeur de ces chroniques réside moins dans ce qu'elles traduisent des goûts et des occupations estudiantines et artistiques de Salinger, que de la sûreté de son jugement dans ses premiers écrits imprimés. Y compris lorsqu'il fait la critique de *Lady of Letters*, une farce en trois actes d'un dénommé Turner Bullock[1] jouée sur le campus par les étudiants de troisième et de dernière année. Dans cet article, signé « Jerome Salinger '41[2] », et publié en une du journal, il souligne la « tentative courageuse » des acteurs amateurs de sauver ce qui peut l'être de l'humour « quelque peu faible » de l'auteur, et ce malgré un manque « coupable » de répétitions. Hommage est rendu à chacun des interprètes. Il témoigne pour eux d'une réelle sympathie et d'une compréhension de chaque instant en raison de la difficulté de l'entreprise. Ce compte rendu sera le dernier. Sans que l'on sache au juste pourquoi, Salinger met brusquement un terme à sa collaboration à l'*Ursinus Weekly* et quitte le collège, un trimestre seulement après y être entré, le temps sans doute de comprendre qu'il n'y avait pas sa place. Ce passage météorique lui laissera malgré tout un souvenir agréable. « C'est avec beaucoup de plaisir que je repense aux jours que j'ai passés à Ursinus », écrit-il des années plus tard. Ces amabilités de circonstance, il les formulera à l'occasion d'une demande d'informations sur les conditions d'admission, adressée à l'établissement pour le compte d'une jeune femme qui s'occupait de ses enfants. La lettre est conservée dans les archives d'Ursinus College.

1. Turner Bullock (1909-1959). Il a été l'auteur de plusieurs séries télévisées sans prétention.

2. *The Ursinus Weekly* du 12 décembre 1938, en bas de première page.

4

Première nouvelle publiée

Salinger a d'autres aspirations. Ce n'est un secret pour personne, pas même pour ses parents. Il veut se consacrer à plein temps à l'écriture et vivre de sa plume. À l'université Columbia, à New York, il s'inscrit au cours de Whit Burnett, une figure respectée des lettres qui depuis trois ans pilote un atelier d'écriture au sein duquel il enseigne la technique permettant de rédiger des nouvelles. Ce dernier dirige par ailleurs une revue littéraire très prisée des gens de lettres, *Story*, avec le concours de sa fidèle et dévouée assistante qu'il a épousée, Martha Foley – « une perle », de l'avis de Salinger.

L'écrivain Norman Mailer y a publié ses premiers textes sous son nom complet : Norman K. Mailer. « La revue s'était bâti sa propre légende », assure l'auteur de *Les Nus et les Morts*[1]. Et, poursuit-il, « de la fin des années 1930 et pendant toutes celles de la Seconde Guerre mondiale, les jeunes écrivains rêvaient d'être publiés dans ses pages[2] ». Précisément parce que le périodique, au format d'un livre standard, était à l'écoute des auteurs. À l'affût

1. Norman Mailer, *The Naked and the Dead*, 1948 ; *Les Nus et les Morts*, traduit de l'anglais (États-Unis) par Jean Malaquais, Paris, Albin Michel, [1950], 2007.
2. Archives *Story*, BFP.

de ce qui se faisait de mieux dans le milieu littéraire et avide de se voir publier, Salinger n'en ignorait rien.

Début 1939, il adresse à Whit Burnett une lettre des plus singulières, dans laquelle il exprime sa gratitude à son professeur et se livre à un numéro d'autosatisfaction, brossant de lui-même un portrait à la fois ironique et avantageux. Le document, qui présente toutes les caractéristiques d'un courrier classique, a-t-il été rédigé en réponse à une commande de Whit Burnett à ses étudiants ? Ou était-ce une initiative personnelle de Salinger désireux de tester sa capacité de persuasion, en se posant en littérateur sûr de son fait ? Les archives de *Story* ne le précisent pas. Mais l'exercice de style est éloquent. Dans ce morceau d'anthologie, Salinger se décrit comme étant « grand » et « brun », avant de préciser que du point de vue vestimentaire, il alterne entre le « coquet » et le « débraillé[1] ». Côté personnalité, même rythme binaire. Il se définit comme étant tour à tour « sceptique » et « confiant », « heureux » et « chagrin », « affectueux » et « indifférent ». Affirmant avoir écrit une « merveilleuse » pièce de théâtre, il dit ne pas pouvoir attendre plus longtemps pour commencer à jeter sur le papier les deux actes suivants. Le ton primesautier du préambule, dans lequel il indique avoir pris la plume « en proie au frisson » du débutant et s'être adressé à la revue par la formule « Chère *Story* », les « deux mains moites de sueur », peut laisser penser qu'il s'agit d'un canular. Pas si sûr. À l'époque, Salinger piaffe d'être publié, et il ne serait pas étonnant que, n'ayant rien à perdre et tout à gagner, il ait voulu jouer son va-tout, en lançant cette bouteille à la mer. D'autant qu'il a de l'estime pour Whit Burnett, un homme féru de littérature, qui a compté dans sa vie plus qu'on ne saurait le dire.

1. Lettre à Whit Burnett du 15 janvier 1939, archives *Story*, BFP.

Né en 1899, de vingt ans plus vieux que lui. Une tête d'universitaire classique : une moustache et une barbichette à la Léon Trotski, en beaucoup plus replet, le regard clair d'un mystique des lettres, un large front dégagé : les cheveux sont coiffés en arrière. Il est souvent vêtu de blanc, l'ordinaire d'un dandy. Les conseils qu'il dispense à ses jeunes élèves à Columbia et les encouragements qu'il a prodigués à Salinger alors qu'il n'était qu'un étudiant ambitieux, allaient se révéler utiles et déterminants. Quelle que soit la coquetterie qu'il mettra plus tard à évoquer le souvenir de son professeur ou les relatives divergences qui, au fil des ans, les éloigneront, il reconnaîtra toujours les qualités de ce fin lettré et la fière chandelle qu'il lui devait pour avoir été le premier à croire sans réserves en son talent. À cet égard, Salinger ne se montrera pas ingrat.

En 1975, trois ans après la mort de Whit Burnett, voici ce qu'il écrit : « Permettez-moi de dire brièvement combien l'année passée à Columbia a été pour moi, à tous points de vue, bonne, instructive et profitable. » L'hommage, d'une sobriété qui le caractérise, est des plus laudateurs. Salinger sait ce qu'il lui doit. Non seulement Whit Burnett l'a publié avant tout le monde dans sa prestigieuse revue littéraire *Story*, mais il l'a aussi encouragé à se tourner vers des magazines grand public. C'est encore lui qui, très tôt et avec une constance sans faille, l'a incité à s'attaquer à l'écriture d'un roman. Salinger lui reconnaît ce mérite, parmi beaucoup d'autres.

L'hommage posthume qu'il lui a rendu jette en outre un éclairage précieux sur le déroulement des cours. Typique du style de l'auteur de *L'Attrape-cœurs*, il permet de comprendre pourquoi « Salinger, Jerome », domicilié

1133 Park Avenue et inscrit en « e[1] », c'est-à-dire en « cours universitaires » classiques à la date du 28 octobre 1939, a apprécié la façon originale de Whit Burnett de transmettre avec flamme et sobriété son amour de l'art plutôt que de se livrer à un cours magistral et pompeux.

« M. Burnett dirigeait un cours de nouvelles simplement et intelligemment, manifestant toujours un réel engagement envers tout le monde », souligne Salinger. Et de poursuivre, une pique d'humour en prime : « Il arrivait généralement en retard au cours – qu'il en soit loué –, et il se débrouillait pour s'éclipser le plus tôt possible. Parfois, je doute qu'un professeur censé apprendre à écrire des nouvelles aux étudiants, aussi bon et consciencieux soit-il, puisse humainement faire mieux. Sauf que M. Burnett, lui, y parvenait. Comment et pourquoi ? J'ai ma petite idée là-dessus. Mais la seule chose digne d'être signalée ici est qu'il était passionné par ce qu'il faisait et que rien ne le ravissait plus qu'une bonne nouvelle bien écrite. Pendant le cours, cela sautait clairement aux yeux », ajoute-t-il. Sa façon de faire aimer la littérature l'a frappé. « Il était évident pour nous tous qu'il adorait s'emparer d'une nouvelle excellente de n'importe qui – Bounine ou Saroyan[2], Maupassant ou Dean Fales[3], Tess Slessinger[4] (*sic*) ou Hemingway, Dorothy Parker ou Clarence Day[5], d'autres encore, sans aucune préférence et sans préjugé de mode. »

---

1. Annuaire des étudiants de l'université Columbia, année 1939-1940.
2. Ivan Bounine (1870-1953). Écrivain russe, lauréat du prix Nobel de littérature en 1933. William Saroyan (1908-1981). Écrivain arméno-américain, auteur de pièces de théâtre et de nouvelles, dont *L'Audacieux Jeune Homme au trapèze volant*.
3. Dean Fales, auteur de la nouvelle *Solo on the Comet* (Seul sur la comète).
4. Tess Slesinger (1905-1945). Romancière et scénariste. Sa nouvelle *Missis Flinders* a paru dans *Story* en décembre 1932.
5. Clarence Day (1874-1935). Longtemps contributeur du *New Yorker*, il s'était fait une spécialité des livres centrés sur la vie de famille aux titres évocateurs : *Mon père et nous, Ma mère et nous, Nous, les singes, Mon père et Dieu.*

Salinger estimait ce professeur si peu académique, pour sa singularité, et surtout pour sa façon de se mettre « au service de la Nouvelle[1] », écrit-il. Et aussi parce qu'il ne cherchait pas à se servir de la littérature pour grimper dans la hiérarchie universitaire ou pour se pousser du col dans les revues littéraires. Salinger se souvenait d'un épisode qu'il évoque avec admiration.

Un soir en cours, Whit Burnett avait entrepris de lire à voix haute une nouvelle de William Faulkner, *Soleil couchant*[2]. D'une voix de basse, il avait attaqué la lecture, sans une once d'emphase. Il avait poursuivi d'un ton monocorde, sans chercher à produire un effet de chaire, en murmurant, comme s'il avait voulu s'effacer derrière le verbe de l'écrivain. Salinger en avait été soufflé, ainsi qu'il le relate : « Quiconque ou presque pris au hasard dans un wagon de métro bondé, en aurait donné une interprétation plus dramatique ou “meilleure”. » À la faveur de cet hommage posthume, l'écrivain vitupère l'époque, folle et mercantile dans laquelle se vautrent ses contemporains, et stigmatise les parasites qui, à longueur de temps, sur les ondes, les podiums et à la télévision, lisent des nouvelles – « à merveille », s'agace-t-il.

Or c'est précisément ce qu'évitait de faire Whit Burnett et ce qui plaît tant à Salinger. « La nouvelle de Faulkner sortait, brute de décoffrage, note-t-il. Pas une seule fois, durant la lecture, il n'a cherché à s'immiscer entre l'auteur et moi, son lecteur silencieux et admiratif. » Salinger a émis le regret de n'avoir jamais rencontré William Faulkner, bien qu'il ait quelquefois songé à lui écrire pour lui faire part de ce souvenir de cours, la manière dont Whit Burnett avait réalisé ce tour de force,

1. Archives *Story*, BFP.
2. *That Evening Sun Go Down.*

et l'impression que lui avait laissée cette lecture « unique » de *Soleil couchant*.

Salinger tranchait parmi les étudiants, si on se fonde sur l'aperçu que Whit Burnett en a donné en 1961 au magazine américain *Time*. « Au cours de son premier semestre à Columbia, Salinger se contenta de regarder par la fenêtre. Au début du deuxième semestre, il continua de regarder par la fenêtre. Ce n'est qu'à la fin de ce trimestre qu'il me remit une histoire qu'il avait écrite, puis deux autres... Il était du genre à se laisser aller à une lente maturation ; quand c'était fini, il s'amenait avec quelque chose de très travaillé, prêt à être édité[1]. »

Salinger n'était pas en cours depuis six mois que déjà il aspirait à placer ses nouvelles auprès des revues spécialisées et des magazines en vue d'une publication. Il en avait plusieurs sous le coude, ayant très tôt commencé à écrire. À quel âge exactement ? Là encore les déclarations de Salinger varient. « J'écris depuis que j'ai quinze ans environ », confie-t-il en 1945, dans une notice biographique au magazine *Esquire*[2]. Or cinq ans plus tôt dans une correspondance à *Story*, il indiquait qu'écrire avait été important pour lui dès l'âge de « dix-sept ans ». Au cas où sa parole serait mise en doute, il ajoutait même, bravache, qu'il était prêt à faire citer n'importe quel « joli cœur[3] » capable de corroborer ses dires. Du pur Salinger.

À Columbia, en tout cas, Whit Burnett l'incite à aller de l'avant. Il lui sert à la fois de marchepied et de caution morale auprès des magazines de renom de l'époque comme *Collier's*, *Esquire* et d'autres, dont le lectorat raffole de nouvelles. La constance sans faille avec laquelle il l'oriente et l'invite à lui soumettre ses textes déroute

1. *Time Magazine*, 1961.
2. « J.D. Salinger. Backstage with "Esquire" », *Esquire* du 24 octobre 1945.
3. « *Pretty faces* ».

Salinger. Car il est conscient d'avoir eu en cours un comportement de tire-au-flanc plutôt que d'élève appliqué. Aussi la sollicitude que lui exprime son professeur le met mal à l'aise. Il s'en sent indigne et, navré de son ingratitude, le lui dit dans une lettre d'une rare gravité. Pareil à un gosse pris en faute, il reconnaît avoir honte de ne pas jouer franc jeu en cours, n'ayant pas, la plupart du temps, lu les nouvelles qu'il recommandait à ses étudiants. Parce que « trop paresseux » ou « trop prisonnier de [son] propre ego[1] », Salinger s'en veut de lui avoir envoyé au précédent semestre la fameuse lettre libellée « Chère *Story* », un texte autobiographique qu'il juge être un pur tissu d'exhibitionnisme insignifiant. En proie à une étrange distorsion de son ego, il avoue avoir été inhibé, voire complexé. Mais, connaissant la bonté d'âme de Whit Burnett, il lui parle en confiance, car il sait qu'il comprend cela – « bon sang ! » –, les tourments de l'adolescence. Là n'est pas la moindre des qualités de son professeur qui ne lui tiendra jamais rigueur de ses petits manquements et de ses absences.

En cours, Salinger qui en plaisanterait avec lui plus tard, se laissait aussi distraire par la présence d'une jeune fille qu'il trouvait sympathique et gentille et pour laquelle il avait sinon un faible, du moins une certaine tendresse : Mlle Sterling. Répondant au prénom de Grace Watson, elle habitait Brooklyn et, à l'université, elle était assise à côté lui[2]. Son souvenir éveillera chez lui une nostalgie moqueuse empreinte d'émoi, car il aurait pu la frôler s'il l'avait voulu. D'ailleurs ne se penchait-elle pas sur son épaule avec une grâce incroyable dès que

1. Lettre à Whit Burnett du 21 novembre 1939, archives *Story*, BFP.
2. Annuaire des étudiants de l'université Columbia, année 1939-1940.

l'occasion se présentait pour lui murmurer à l'oreille de doux reproches du genre : « Tu fumes trop. »

Demoiselle au grand cœur, gracile et romantique, Grace Sterling était passionnée de botanique mais elle avait un petit défaut, celui d'écrire presque exclusivement sur les forsythias et, qui plus est, « très mal », de l'avis de Salinger, jamais à court d'une rosserie. Quant aux autres étudiants qu'il se faisait un point d'honneur d'ignorer avec superbe, bon nombre étaient des garçons intelligents. Il aurait pu s'entendre avec eux si son sentiment de supériorité ne s'était mué en une détestation farouche que jamais, au grand jamais, il n'aurait osé leur exprimer, en raison de l'abîme d'incompréhension qui les séparait. Savoir que ses condisciples le prenaient pour un vague artisan des lettres, hautain et besogneux, le faisait enrager, lui qui se voyait en génie sauvage, indiscipliné, supérieur. « Bon Dieu », grondait-il en son for intérieur, « moi Salinger, un artisan ! »

Avec Whit Burnett, la relation est tout autre. Il lui reconnaît la capacité de s'effacer devant un auteur et souscrit pleinement à ses thèses sur la littérature. Tous deux sont convaincus qu'une nouvelle « de qualité » rencontre forcément un lecteur, lui aussi, « de qualité ». C'est *a priori* aussi simple que cela. Encore faut-il que ce lecteur « de qualité » soit en mesure d'apprécier ce qu'il n'est pas toujours capable d'expliquer. Il peut ainsi prendre en considération ce qui est concevable, rejeter ce qui procède du « paquet-cadeau » ou en d'autres termes du trucage – la sempiternelle obsession de Salinger –, et aimer ce qui semble rarement digne de l'être. Enfin, sa seule exigence est celle du « mot juste[1] »,

1. En français dans le texte. Lettre à Whit Burnett du 21 novembre 1939, archives *Story*, BFP.

la grande affaire de Gustave Flaubert, une quête permanente chez Salinger résolu à adresser une nouvelle à son professeur.

La réponse se faisait attendre. Mais dans une lettre du 17 janvier 1940, Whit Burnett lui annonce avec retard, ce dont il prie de l'excuser, qu'il a finalement accepté sa « charmante[1] » nouvelle, *The Young Folks*[2]. L'œuvre n'a jamais été traduite à l'étranger comme un grand nombre de celles parues dans les magazines américains au cours de la décennie. Ajoutant qu'il espère la publier dans la prochaine livraison de sa revue, il précise que le tarif habituel est de vingt-cinq dollars versés à la parution. Une somme symbolique, mais les affaires sont les affaires. Six mois ayant passé et aucun chèque ne lui étant parvenu, Salinger s'en émeut au hasard d'un courrier. Whit Burnett s'étonne de ce contretemps, et afin de se faire pardonner, espère qu'il lui servira à acheter « quelques bonnes bouteilles ».

The Young Folks paraît finalement dans le numéro de mars-avril 1940, entièrement consacré à des « histoires d'amour ». Celle de Salinger, concise et principalement composée de dialogues ciselés, n'est ni à l'eau de rose, ni dans le registre passionnel.

Elle relate plutôt une occasion manquée entre deux « jeunes gens ». Au cours d'une soirée, un groupe de collégiens s'évertue à tuer le temps, les uns en grillant des cigarettes, les autres en sirotant des alcools forts, d'autres encore en draguant vaguement. Lucille Henderson, la (jeune) maîtresse de maison affairée, superficielle et déjà horriblement mondaine, présente une jeune fille, Edna, à un jeune garçon, William Jameson. Entre eux, un semblant

1. Archives *Story*, BFP.
2. « Les jeunes gens ».

de conversation s'instaure. Ils se parlent mais, prisonniers d'eux-mêmes, leurs paroles s'envolent et quand ils se répondent, c'est hors sujet. On pense, toutes proportions gardées, à Anton Tchekhov, pour qui Salinger a la plus grande admiration et qu'il tient pour un très grand auteur de nouvelles. Le ton est là, les personnages aussi, qui, sur la corde raide, se frôlent, disent des choses banales et profondes à la fois, la profondeur jaillissant quelquefois de la banalité. Seul le décor change. Les mots ne sont pas non plus ceux du dramaturge russe, les aspirations des protagonistes pas davantage. De ce climat général naît une impossibilité de communiquer.

Les héros de Salinger ont pour eux la jeunesse. Mais un ennui implacable suinte. Emprunté, Jameson, qui a une dissertation à faire pour le lendemain sur le critique d'art anglais John Ruskin – ce « rat » (*dixit* Edna) –, ne songe pour l'heure qu'à mettre la main sur un scotch. Conquérante, Edna, qui entre deux bouffées de cigarette, tue le temps à lancer des « hello » à la cantonade, voudrait bien l'entraîner sur le balcon. Le ciel ce soir-là étant étoilé, elle aimerait le lui faire partager. Manque de chance, l'échange est d'une pesanteur si tangible, que le flirt, maladroit et à peine esquissé, tourne court. Elle regagne le fauteuil rouge où elle s'était échouée en début de soirée, tandis que lui parvient, bon gré mal gré, à s'emparer d'un verre de scotch. Un abîme d'incompréhension les séparait, le combler s'est avéré impossible. Ainsi va la vie.

5

Son rêve : vedette à Hollywood

La perspective de la publication de *The Young Folks* rend Salinger fou de joie. Il le clame à qui veut l'entendre. «Je suis content que *Story* existe[1] », écrit-il à Whit Burnett. À son épouse Martha Foley, il confie que ses parents ayant déserté l'appartement familial de Park Avenue le temps d'un week-end, il s'est abandonné à une fabuleuse griserie. Livré à lui-même, il allait, étourdi, d'une pièce à l'autre, sa machine à écrire dans les bras, sans but précis. Il a aussi écouté des disques sur le phonographe, lu des nouvelles à haute voix, avalé de la bière et déclamé les *Pensées* de Marc Aurèle. Salinger avait l'impression bizarre que désormais ce serait Noël tous les soirs ou quelque chose comme ça.

Ne tenant plus en place, il a, dans l'euphorie, décidé de larguer les amarres pour se consacrer à l'écriture. Un mois d'absence à ne rien faire d'autre que s'appartenir, quel luxe. Il regrette d'avance d'avoir à manquer les cours du lundi soir de Whit Burnett, mais se moque du qu'en-dira-t-on. Qu'importe que ses condisciples colportent des commérages et se gaussent de son instabilité scolaire, qu'ils ricanent de ses ambitions littéraires et se moquent de la qualité de ses écrits ou de son impatience

1. Lettre à Whit Burnett du 17 avril 1940, archives *Story*, BFP.

à vouloir être publié. N'en a-t-il pas entendu un, un jour, marmonner d'un air dégoûté : « Il est en partie juif, tu sais. Il ne l'admettra pas. Mais mon père connaît son père[1]. » À l'imbécillité de tels propos, Salinger ne saurait opposer qu'une superbe indifférence, la forme suprême du mépris.

Le numéro de *Story* étant sorti des presses, Whit Burnett croise les doigts. Il espère que son auteur y jettera un œil critique bienveillant et qu'il acceptera l'invitation à dîner du club des écrivains. Le repas était fixé au 15 mai. Salinger y consent, mais entre-temps, il voudrait bien placer une autre nouvelle, histoire de ne pas être celui qui n'a publié qu'un seul texte. Sans quoi, il craint de passer pour l'invité en quête de respectabilité. De surcroît, cela le dispenserait de faire un discours du style « Comment ne pas vendre votre seconde nouvelle » – un comble quand on prétend au métier d'écrivain. C'est un Salinger mi-figue mi-raisin qui le confesse à Whit Burnett.

« Mon histoire a l'air magnifique dans le magazine, exulte-t-il à la réception de la revue. Je suis à la fois content et triste que ce soit fait[2] », confie-t-il à son éditeur. Aussi il donne le change. Sachant cette « chère Mademoiselle » Foley souffrante, il suggère que son mari lui lise à haute voix la nouvelle de Faulkner *Soleil couchant*, comme au bon vieux temps de la faculté. Ce serait là un bon moyen de favoriser son rétablissement. « Vous m'avez arraché à ma torpeur le soir où vous l'avez lue en cours, et je l'ai lue plusieurs fois depuis », jubile-t-il.

Voilà Salinger lancé dans le monde des lettres. Les débuts s'annoncent prometteurs. Un agent littéraire,

---

1. Lettre à Whit Burnett du 28 janvier 1940, archives *Story*, BFP.
2. Lettre à Whit Burnett du 1er mars 1940, archives *Story*, BFP.

Jacques Chambrun, enthousiaste à la lecture de la nouvelle, lui fait des offres de service. Les éloges qu'il lui adresse sont si appuyés que, flatté, le romancier en herbe ne résiste pas à l'envie de lui envoyer un échantillonnage de sa production littéraire. L'échange de correspondance, cependant, en restera là. Peu de temps s'écoulera avant que Salinger ne signe avec l'agence new-yorkaise de Harold Ober, qui était aussi celle de Francis Scott Fitzgerald, et à laquelle il restera fidèle sa vie durant.

Un épisode, par lui-même relaté, montre qu'il n'est pas peu fier d'avoir décroché ses premiers galons d'auteur publié. Sa mère faisait des emplettes chez Sak's, le grand magasin à la mode sur la Cinquième Avenue, quand, au moment de payer, une vendeuse lui demanda de décliner son nom. « N'auriez-vous pas par hasard un lien de parenté avec J.D. Salinger, *l'écrivain* ? » lui dit-elle, après qu'elle se fut exécutée. Rayonnante de contentement, Miriam Salinger répondit qu'elle était en effet la mère du grand homme. « Biiien !..., nota la jeune fille tressaillant de joie. Jerry et moi suivions le cours de Whit Burnett à Columbia[1]. » La mère, sur le point de défaillir, quitta le magasin sans plus de commentaires, mais lorsqu'elle rapporta la scène à son fils, la description qu'elle lui fit de la vendeuse n'était pas des plus flatteuses. Ce qui l'amusa, la sachant ultra-protectrice.

C'est à cette époque que l'écrivain décida de publier sous ses initiales : J.D. Salinger. Jerome, pensait-il, était un prénom si moche qu'il valait mieux l'abréger et puis un Jerome ressemblant tellement à un autre, il aurait pu y avoir confusion. D'ailleurs, il voulait, à toutes fins utiles, éviter qu'on le confonde avec un autre écrivain contemporain un petit peu en vogue, Jerome Faith Baldwin, aujourd'hui au fin fond des oubliettes de

1. Lettre à Whit Burnett du 6 septembre 1940, archives *Story*, BFP.

l'édition. Quant à se faire appeler «Jerry», diminutif donné par les intimes, c'était hors de question parce que trop familier.

Avec Whit Burnett, les relations, à ce moment-là, se resserrent. Ils échangent une correspondance étroite et très régulière, où se lisent l'estime et le respect mutuels. Les premiers temps, Salinger lui témoigne une certaine déférence car il n'oublie pas qu'il a été le premier à lui tendre la main. Il se réjouit de leurs conversations et se dit honoré qu'il lui ait présenté sa (seconde) épouse Hallie, qui n'était autre qu'une de ses étudiantes. Celle-ci lui a tellement plu qu'il s'est juré d'écrire une histoire qu'elle «aimera», à n'en pas douter, «infiniment[1]». Salinger est content, il a l'enthousiasme d'un enfant. Il échafaude des plans sans nombre, dont deux portent sur l'écriture de scripts pour la radio. Travailler ne lui fait pas peur, bien au contraire, cela le stimule. Il trouve «merveilleux» d'être ainsi occupé – «C'est le problème avec moi[2]», plastronne-t-il dans un élan spontané d'autosatisfaction.

Il adresse une note à Whit Burnett dans laquelle il lui propose d'autres textes, dont une nouvelle *The Survivors* (Les survivants), aujourd'hui disparue. Elle dormait dans le tiroir du bas d'une commode d'où il l'avait exhumée. Pris d'une soudaine fièvre créatrice, il l'avait en grande partie réécrite en une nuit afin de lui trouver un épilogue qui tienne la route, avant de la lui soumettre. Réflexion faite, il se dit qu'elle aurait peut-être gagné à rester au fond du tiroir. «Peu importe, je voudrais votre opinion», lui écrit Salinger. Le directeur de *Story* la refusera.

1. Lettre à Whit Burnett du 16 mai 1940, archives *Story*, BFP.
2. *Ibid.*

Dans le même temps, *Go See Eddie*[1], une nouvelle se déroulant dans le milieu de la pègre sur fond d'arrière-salle de spectacle et de mœurs dissolues, a du mal à trouver preneur. C'est l'histoire d'une artiste de seconde zone que son frère, un maître chanteur à la manque, entend maintenir sous sa coupe. Il voulait à tout prix qu'elle cède aux avances d'un producteur, mais contre toute attente, elle tient tête, se rebiffe. Tension psychologique, menaces, violence larvée... Salinger est à son affaire.

Pourtant, Whit Burnett renonce, là encore, à la publier. Sous prétexte qu'il croule sous les offres « jusqu'à la garde », il l'informe qu'il est dans l'incapacité de prendre le moindre texte pour « un petit moment[2] ». Salinger s'en dit désolé mais dans cet univers impitoyable, il se console de ce que son mentor dit avoir aimé son récit. Nonobstant ce refus, il en éprouve presque de la satisfaction car il ne saurait douter de sa sincérité. Non seulement Whit Burnett lui a souhaité « bonne chance » pour l'avenir, mais il lui a en plus suggéré d'envoyer sa nouvelle au magazine *Esquire*, en y joignant une lettre de recommandation de sa part à l'intention de la direction.

Salinger s'exécute mais, comble de malchance, il essuie un second refus en des termes qui le froissent. Le rédacteur en chef d'*Esquire*, Arnold Gingrich, ne met pas en cause la « compétence » de l'auteur, juste le « traitement » de la nouvelle qui ne répond pas, soutient-il, aux attentes de son lectorat. Il déplore qu'il ne l'ait pas rédigée sous l'angle de la femme qui en est l'héroïne, et que l'intrigue pèche par sa faiblesse. Salinger en est d'autant plus vexé qu'il attendait beaucoup de cet homme, auréolé du prestige d'avoir soutenu Francis Scott Fitzgerald

1. « Va voir Eddie ». Non traduite.
2. Archives *Story*, BFP.

durant les dernières années de sa vie et d'avoir publié des esquisses d'Ernest Hemingway sur Cuba dans les années 1930.

Les motifs invoqués lui paraissent fallacieux. Il aurait préféré qu'on lui dise que son travail ne valait rien plutôt que de s'abriter derrière des formules creuses et désobligeantes sur le « traitement » du récit par l'auteur. Des remarques tout ce qu'il y a de déprimant. Sûr de son fait, il fulmine d'être traité de la sorte, comme si on l'avait comparé à une jeune fille dont on dirait « Vous savez, elle est jolie, à l'exception de son visage » ; ou bien à un alcoolique invétéré dont on reconnaîtrait que « c'est un gars gentil... quand il est sobre[1] ». Quand l'hypocrisie le dispute à l'absurdité, Salinger écume. Comme souvent, à son habitude, avec causticité.

La fureur passée, d'un seul coup d'un seul, il s'est ressaisi. N'étant pas de nature à baisser les bras, il s'est mis en tête d'entreprendre une carrière au théâtre, un rêve qu'il a toujours plus ou moins caressé. Il en parle à Whit Burnett, celui-ci lui ayant un jour suggéré de le présenter à un agent artistique de ses connaissances. En quête d'un coup de pouce, il voudrait que sa proposition soit mise à exécution. Une introduction serait la bienvenue. Car, au risque de paraître présomptueux, Salinger se dit persuadé qu'il a quelque chose à apporter au théâtre, non seulement de nouveau, mais de différent, et plus important peut-être, de dramatique dans un registre inédit – celui de l'adolescence. Ni plus, ni moins.

Avide de mener à bien ce projet, Salinger a d'ailleurs l'intention d'adapter *The Young Folks* et d'endosser le principal rôle masculin, celui de son héros William Jameson. Non pas parce que le côté glamour de l'affiche

1. Lettre à Whit Burnett du 3 mai 1940, archives *Story*, BFP.

le fascine, mais tout simplement parce qu'il est convaincu de pouvoir incarner mieux que quiconque le personnage qu'il a créé. Les répétitions ont du reste commencé avant même qu'il ait trouvé une fille capable de jouer Edna. Il tire à présent des plans sur la comète, son premier objectif étant de gagner de l'argent, et le plus rapidement possible. S'il n'y parvient pas, il n'exclut pas de se lancer dans la comédie musicale ; après tout il sait chanter, il s'en sent du moins tout à fait capable. En outre, en cas d'échec, la vie de funambule en valant bien d'autres, il pourrait toujours essayer de marcher sur une corde raide. Salinger ne doute pas de ses capacités d'artiste ; mais croit-il sincèrement à ses chimères, lui qui se rit de ses propres audaces et sait, en son for intérieur, qu'écrire est sa planche de salut la plus sûre et la plus crédible ?

6

Passage à vide

Son moral en a pris un coup. Les revers l'ont douché. L'euphorie du premier succès retombée, il se sent soudain vulnérable, beaucoup plus en tout cas qu'il ne le pensait. Il n'a que vingt et un ans et se voit, sans rire, déjà en *has been,* auteur d'un seul texte publié à son actif. Le doute a repris le dessus et le mine. Il traverse un passage à vide, quitte New York et part en voyage. À Cape Cod, dans le Massachusetts, il va respirer l'air du large, et à Murray Bay au Québec où il passe une partie de l'été, les embruns le fouettent. Cette villégiature lui est salutaire. Il s'est attaqué à l'écriture d'une nouvelle d'une longueur inhabituelle, dont l'histoire se déroule dans le décor d'un hôtel canadien luxueux exploité par la compagnie des bateaux à vapeur, Le manoir Richelieu. « L'endroit où je n'habite pas[1] », précise-t-il. Les mardis soir, il joue au bingo, une manière comme une autre de tenter la chance au jeu de hasard et de se refaire une santé. À son retour en septembre, Salinger est regonflé à bloc. Il a repris confiance en lui, une confiance qui le rend certains jours invincible. L'ego démesuré qui le caractérise déborde à nouveau. Ce don de la nature n'appartient qu'à lui, et il s'en réjouit.

1. Carte postale à Whit Burnett du 8 août 1940, archives *Story*, BFP.

Whit Burnett, de son côté, n'a pas renoncé à leur collaboration. Croyant dur comme fer au talent de son protégé, il le pousse à écrire un roman et non pas à se limiter aux nouvelles. «J'espère qu'il est en route[1]», le presse-t-il. À la suite d'un de leurs nombreux tête-à-tête, Salinger lui avait avoué du bout des lèvres qu'il pensait à se lancer dans le grand bain de l'écriture. De quoi s'agit-il au juste ? Quelle veine littéraire voudrait-il attaquer ? Ce sera, à n'en pas douter, « quelque chose de nouveau », du jamais vu en littérature. Quant au genre qu'il entend donner à la forme du roman qui le tarabuste depuis un moment, il relève clairement de l'« autobiographie ». Là-dessus, Salinger est formel.

Mais il n'est pas certain de le mener à bien ; s'il y parvient cependant, Whit Burnett peut être sûr qu'il sera parmi les premiers à compter au nombre des destinataires, sa confiance en lui demeurant inaltérable. Les échanges épistolaires de Salinger avec son ancien professeur de Columbia constituent une mine d'informations sur son rapport à l'écriture et plus largement à la littérature, à la fois sur le style, les classiques ou encore ses contemporains. Jamais en peine d'une vacherie, il sait ménager ses effets pour asticoter un auteur. À la veille de publier dans *Story* une nouvelle d'une dénommée Frances Eisenberg, Whit Burnett lui demande s'il se souvient d'avoir été en cours avec elle à l'université. Cela aurait pu être le cas, fanfaronne Salinger en retour, mais il avoue avoir séché tellement de cours qu'il n'a pas eu l'occasion de la côtoyer. La seule chose qu'il sache d'elle, en revanche, est qu'elle élevait des chevaux dans son appartement... Et de conclure d'un trait lapidaire : « J'espère que le roman est bon. »

1. Lettre de Whit Burnett à J.D. Salinger du 5 septembre 1940, archives *Story*, BFP.

En vingt ans de correspondance avec Whit Burnett, Salinger a beaucoup parlé de lui, de ses anciens condisciples, de ce qu'ils sont advenus, de littérature aussi et de son processus de créativité, de ses goûts et de ses dégoûts enfin. Plus rarement, le voit-on commenter la politique ces années-là.

Exception notable, toutefois, à l'automne 1940, veille de l'élection présidentielle américaine de novembre. Le président sortant Franklin Delano Roosevelt briguait un troisième mandat. Quoique sans illusion excessive sur les acteurs de la vie publique et les intentions affichées des candidats, Salinger se dit résolu à voter pour lui. Moins parce qu'il adhère aux idéaux du promoteur du New Deal, cette politique interventionniste instaurée pour permettre à l'État de corriger les effets de la crise économique de 1929 sur le plan social, que parce que entre deux maux, il préfère choisir le moindre.

Salinger n'est pas un écrivain engagé au sens d'un John Steinbeck ou d'un John Dos Passos. La défense des classes laborieuses a toujours été le cadet de ses soucis. Si lui, qui se considère au-dessus du lot, émet en l'occurrence un avis, c'est uniquement parce qu'il trouve que Wendell Willkie, l'adversaire républicain du candidat démocrate a tout du « faux-jeton[1] » (*phoney*). Or ce genre d'individus qu'il qualifie tour à tour de « truqueurs » et de « fumistes » l'horripile, de la même façon qu'ils horripilent jusqu'à l'obsession Holden Caulfield, dans *L'Attrape-cœurs.* À ses yeux, Wendell Willkie présente tous les travers du type imbu de lui-même. Salinger a pu en juger en le voyant dans un film d'actualités cinématographiques. Aux questions qui lui étaient posées, il assénait des réponses d'une « débilité éclatante », donnant

1. Lettre à Elizabeth Murray du 13 avril 1940, HRC.

l'impression que sa femme lui avait préparé des pense-bêtes sur commande. Quant à Thomas Edmund Dewey[1], candidat malheureux aux primaires du parti républicain face, justement, à Wendell Willkie, il le qualifie sans ambages d'« imbécile[2] »...

Pour autant, le côté madré de Roosevelt ne lui a pas échappé. Dès l'automne 1938, au collège Ursinus, il l'avait brocardé dans sa chronique hebdomadaire. « Je hais la guerre[3] », lui faisait-il dire sur un ton de cabotin répétant devant son miroir. « Mm-hmmm... », marmonnait-il avec suffisance, avant d'ajouter à l'adresse de son épouse : « Qu'est-ce que tu penses de ça, Eleonor ? » Roosevelt est un roué qui a du métier, et Salinger n'est pas dupe. Il n'oublie pas non plus, en la circonstance, son ascendance juive. Durant son séjour en Europe, il a pu mesurer le péril que le nazisme faisait planer sur la paix. À tout prendre, il préfère voter pour un président comme Roosevelt qui feint de mener une politique de non-engagement et qui, le moment venu, saura se montrer à la hauteur des enjeux, qu'opter pour un candidat borné, arc-bouté sur une ligne strictement non interventionniste. Le chaos déjà se profile. Salinger le pressent, et, sans renoncer à l'action, le déplore auprès de Whit Burnett avec des accents shakespeariens : « Oh, quel monde bancal[4] ! »

1. Thomas Edmund Dewey (1902-1971). Gouverneur de l'État de New York de 1943 à 1955, il a été candidat républicain – malheureux – aux élections présidentielles de 1944 et 1948.
2. Lettre à Elizabeth Murray du 13 avril 1940, HRC.
3. Chronique parue dans l'*Ursinus Weekly* du lundi 18 octobre 1938.
4. Lettre à Whit Burnett du 6 septembre 1940, archives *Story*, BFP. Notre traduction.

7

Ambianceur sur un paquebot

Les mois passaient, l'année 1940 allait s'achever, Salinger ne savait plus très bien à quel saint se vouer pour placer sa nouvelle *Go See Eddie*. La ténacité finit par payer. En décembre, une petite publication, *The University of Kansas City Review*, offre de la faire paraître. Pour lui, la consolation est réelle, aussi mince soit-elle, car la diffusion de ce périodique reste tout de même très confidentielle.

L'aubaine se révèle de courte durée car, d'un point de vue éditorial, 1941 a démarré sous les pires auspices. Whit Burnett a invoqué une programmation encombrée pour s'abstenir de prendre ses nouvelles. Il se réjouit néanmoins de ce que Salinger a rencontré, cette année-là, une oreille attentive à *Esquire* et que des perspectives se dessinent au *New Yorker*. Ces refus réitérés auraient pu entamer leurs relations. Au contraire.

On sent à travers leur correspondance que Salinger peu à peu s'émancipe de la relative tutelle dans laquelle il se trouvait, *de facto*, en tant qu'étudiant. Whit Burnett lui donne à présent du « Jerry » et non plus du « Monsieur Salinger » tandis qu'il le gratifie bientôt en retour de « cher Whit ».

Que le patron de *Story* le publie ou non, son avis sur ce qu'il écrit lui importe. Sitôt qu'il s'essaie à un nouveau genre d'écriture, il le lui signale, dans l'espoir qu'il lui fera part de ses observations avec sa sincérité habituelle. Les dialogues ciselés et plus vrais que nature étaient jusque-là sa spécialité.

Au cours de l'année 1941, Salinger s'essaie à la rédaction de récits qui en sont pratiquement dénués, un exercice pour lequel il a longtemps cru qu'il n'était pas fait. *The Hang of It*[1] est à mi-chemin entre deux genres d'écriture : la narration et le dialogue que, cette fois, il alterne. Le magazine américain *Collier's* la publie[2] sur une page, assortie d'une illustration qui en résume l'esprit au premier coup d'œil. On voit deux soldats, un appelé à la peine, gaffeur et pas dégourdi pour deux sous en train de crapahuter pour « attraper le coup de main » – à savoir marcher au pas, tirer au fusil, etc., sous l'œil rogue de son supérieur galonné. Un univers auquel Salinger a pu se frotter à Valley Forge et qu'il a su reproduire avec acuité. Ayant réussi une percée dans la presse populaire à grand tirage, il a toutes les raisons de crier victoire, quand bien même il aurait cédé au thème de la soldatesque, dans l'air du temps. Et pour cause...

La guerre faisait rage en Europe quand sa nouvelle est parue. Aux États-Unis, la mobilisation avait été décrétée. Un million quatre cent mille hommes avaient rejoint les forces armées américaines, soit huit fois plus qu'un an plus tôt; ce qui montre que « pour un jeune homme de vingt-deux ans, Salinger avait un sens remarquable du goût du public », persifle Ian Hamilton, dans *À la recherche de J.D. Salinger*[3]. À la lecture de *Collier's* qui représente en gros plan sur la couverture le bombardier B-19, « le plus gros avion de guerre jamais construit » aux couleurs des États-Unis, il est clair que la simple publication de sa

1. « Attraper le coup de main ». Non traduite.
2. *Collier's* du 12 juillet 1941.
3. Ian Hamilton, *À la recherche de J.D. Salinger, op. cit.*

nouvelle dans le magazine relève de l'acte militant. Certes les États-Unis se maintiennent encore en dehors du conflit, mais plus pour longtemps, chaque jour de nouveaux signes avant-coureurs prouvent que l'entrée en guerre est imminente.

Salinger tient enfin sa revanche, le succès éditorial d'envergure lui sourit. En septembre 1941, *Esquire*, qui avait invoqué, l'année précédente, l'inadéquation des textes de l'écrivain avec la ligne du journal, lui achète une satire désopilante, *The Heart of a Broken Story*[1]. La nouvelle, illustrée, est accompagnée d'une notice biographique dans laquelle il se targue d'avoir été distingué à Vienne pour sa facilité à lever sa chope de bière, et de sa photo où il apparaît cravaté, bien coiffé, le visage qu'on croirait fardé tourné aux trois quarts vers l'objectif. L'histoire relate une rencontre complètement loufoque entre une jeune femme et un homme de onze ans plus âgé qu'elle, dans le bus de la Troisième Avenue. Elle lisait une publicité sur les cosmétiques, bouche ouverte, la mâchoire légèrement relâchée. Tombé instantanément amoureux, il veut à tout prix obtenir son adresse. Salinger imagine un tas d'événements, tous plus abracadabrants et tragi-comiques les uns que les autres, jusqu'à l'épilogue où le lecteur découvre qu'ils n'ont, en réalité, pas fait connaissance, elle étant descendue avant qu'il ait eu l'audace de lui dire un mot. Du burlesque grinçant à la Marx Brothers.

Deux nouvelles, même vendues un bon prix, ne sauraient assurer des revenus suffisants. Salinger a besoin d'argent, un problème chronique. Certes, l'appartement cossu des parents qu'il habite toujours sur Park Avenue le met à l'abri. Mais il a vingt-deux ans et, bien que

1. « Le cœur d'une histoire brisée ». Non traduite.

n'ayant jamais eu à tirer le diable par la queue, il aspire à gagner sa vie, ne serait-ce que pour affirmer son indépendance et impressionner favorablement son père.

C'est à ce moment que pour boucler ses fins de mois, il se fait embaucher, le 14 février 1941, comme « ambianceur » sur un paquebot de croisière de grand luxe. Direction les Caraïbes, le soleil et les mers opale à bord du *M.S. Kungsholm*, dont l'intérieur Art déco rappelle le style architectural de l'Empire State Building. Un camarade de classe de Valley Forge, Herbert Kauffman, qu'il appelle par son diminutif Herb', embarque avec lui.

La mission de Salinger, amateur de musique de jazz et mordu des rengaines américaines des années 1930, l'âge d'or du music-hall, consiste à faire danser les rombières et les jolies femmes. Beau gosse bien bâti, beau parleur, le regard ténébreux et les bonnes manières, il présente le profil idéal pour distraire les rentiers, les rentières et en général les passagers fortunés. L'organisation de parties de ping-pong et autres menus divertissements relève également de ses attributions. L'aventure a duré dix-neuf jours. Elle se révélerait avoir été un poste d'observation unique sur la vie à bord, le désœuvrement et les (pré)occupations des croisiéristes. De ces tranches de vie, source d'inspiration sans pareille, Salinger fait son miel. Il en tire bien vite deux nouvelles, *A Young Girl in 1941 with no Waist at all*[1] et *Teddy*, parue dans le recueil intitulé *Nouvelles*[2].

Dans le premier texte, le *Kungsholm*, cantonné dans les eaux du port de La Havane, celle des casinos et d'avant

1. « Une jeune fille en 1941 qui n'avait pas du tout de tour de taille ». Nouvelle parue en mai 1947 dans le magazine américain *Mademoiselle* et jamais traduite.

2. J.D. Salinger, *Nouvelles, op. cit.*

Castro, sert de décor au huis clos. Le héros de Salinger, Ray Kinsella, « un membre du comité junior d'animation du paquebot », n'est ni plus ni moins qu'un autre lui-même, appelé à rejoindre l'armée, une fois de retour à quai. C'est le sort qui l'attend lui aussi, il le sait. Car la guerre est partout : en Europe, sur terre, sur mer ; aux États-Unis, ce sera pour bientôt. Elle est aussi et surtout déjà dans les têtes, de quoi assombrir la croisière. Devant le désastre qui pointe, il y a donc urgence à vivre et à s'étourdir. Tandis que l'orchestre joue, sur la piste, on danse la rumba.

Ray, à l'image de Salinger, veut « se marier », sous-entendu « ne pas mourir puceau ». Il était dans la salle de jeu de pelote basque lorsqu'il a croisé Barbara, dix-huit ans, un peu triste mais piquante, et déjà promise : sa future belle-mère partage sa cabine. Entre eux, l'étincelle a jailli au premier coup d'œil. La galanterie et l'empressement mesuré qu'il a su lui manifester l'ont troublée. Ils ont échangé un baiser, puis deux, puis trois, puis ils n'ont eu de cesse de s'embrasser, au point qu'elle en a, écrit-il, les lèvres « un peu gercées ».

Pour tromper l'angoisse du lendemain, Salinger, facétieux, s'amuse : « Il y a plusieurs choses que vous pouvez faire allongé sur un transat : manger des hors-d'œuvre chauds quand un serveur passe avec un plateau, lire un magazine ou un livre, montrer des photos de vos petits-enfants, tricoter, vous préoccuper d'argent, vous préoccuper d'un homme, vous préoccuper d'une femme, avoir le mal de mer, regarder les filles se diriger vers la piscine, regarder les poissons volants... Mais quand deux personnes sont chacune dans un transat, aussi proches soient-elles l'une de l'autre, elles ne peuvent s'embrasser très confortablement. Soit les montants du transat sont trop hauts, soit les personnes en question sont assises trop profondément[1]. »

Sur ces considérations, Barbara regagne sa cabine. Elle allait se coucher... Non, c'est décidé, elle n'épousera pas celui qu'on lui destinait. Elle enfile sa robe, ses chaussons et, en pleine nuit, retourne sur le pont. Livrée à elle-même, perdue dans ses réflexions, elle prend conscience qu'un cap est franchi : elle n'est plus désormais une adolescente docile et influençable, qui se laisserait dicter son destin. Elle entend assumer son libre arbitre.

Teddy est une autre histoire, celle d'un gamin raisonneur de dix ans à la science infuse. En croisière avec ses parents et sa petite sœur sur un transatlantique, qui ressemble furieusement au *Kungsholm* – pas nommé mais reconnaissable –, il fait enrager son père, tient chaque jour son journal, suscite la curiosité ambiguë d'un passager répondant au nom de Bob Nicholson, un enseignant d'une trentaine d'années. La conversation s'engage. Teddy évoque sa première expérience mystique à six ans. Quelque chose d'étrange, de savant, d'indéfinissable, flotte dans l'air. Ils parlent de la vie et de la précarité de celle-ci, de la mort et de la théorie « védântique[2] » de la réincarnation. Teddy ne peut s'attarder davantage, sa leçon de natation l'attend. Il disparaît. Soudain, un cri d'effroi déchire l'air, coup de théâtre, humour noir... Salinger tient le lecteur en haleine.

Ailleurs, le *Kungsholm* lui sert à filer la métaphore. Salinger a lu *Le Dernier Nabab* de Francis Scott Fitzgerald – « Quelle merveille de livre[3] ! » s'exclame-t-il. Il l'a cependant beaucoup moins aimé que *Gatsby le Magnifique*,

1. Notre traduction.
2. Notre traduction.
3. Lettre du 22 janvier 1942 à Whit Burnett, archives *Story*, BFP.

roman inégalable dans lequel son auteur se montre, selon lui, au sommet de son art et de son talent. Serait-ce parce que *Le Dernier Nabab* consacré à Hollywood est resté inachevé en raison de la mort du romancier en 1940 ? C'est « toujours brillant », note Salinger, mais Fitzgerald n'atteint pas à la qualité poétique, terrible et subtile, qui traverse *Gatsby*. Il souligne que Daisy, l'héroïne, et les autres protagonistes sont tous illuminés de l'intérieur comme « les hublots du *Kungsholm* » la nuit. D'autres classiques de la littérature l'ont ému, au premier chef *Anna Karénine* de Tolstoï et *Les Frères Karamazov* de Dostoïevski mais, parole de Salinger, pas un n'est aussi magistralement écrit que *Gatsby*. Il est vrai que des trois, c'est le seul qu'il ait lu dans sa langue d'origine, et qu'à ses débuts, lui-même se posait ouvertement en héritier putatif de Fitzgerald dont il apprécie le désenchantement.

8

L'appel de la patrie

Salinger n'est ni un pleutre ni une mauviette et il a en lui de la colère. Après l'attaque japonaise surprise contre la base navale de Pearl Harbor, le 7 décembre 1941, aux îles Hawaï, et les lourdes pertes infligées aux forces militaires américaines, lui dont la fibre patriotique avait été nourrie, entre autres, par son séjour à l'académie militaire de Valley Forge, veut absolument s'engager dans l'armée. Il avait été appelé sous les drapeaux, mais classé 1-B en raison d'un léger problème cardiaque, son aptitude pour le service militaire avait été mise en doute. L'armée l'avait exclu au même titre que les « autres estropiés et pédés[1] », avait grogné Salinger, écœuré et furieux.

N'ayant nulle intention de jouer les intellectuels en chaise longue, il entend se porter volontaire et servir son pays. Et il ne plaisante pas avec cela. « Je n'ai pas aimé ce bombardement sournois de dimanche dernier », maugrée-t-il quatre jours après le pilonnage de la marine américaine au mouillage par les chasseurs bombardiers de l'empereur Hirohito. Whit Burnett, son ancien professeur à Columbia, devenu au fil de leur correspondance un confident, est le premier à qui il fait part de son dépit. Le sentiment de rejet et d'inutilité qu'il éprouve est si vif

1. Lettre à Whit Burnett du 11 décembre 1941, archives *Story*, BFP.

que convaincu de pouvoir œuvrer, d'une manière ou d'une autre, à des opérations de défense, il n'hésite pas à lui demander si, dans ses relations, il ne connaîtrait pas quelqu'un ou une organisation susceptible d'avoir recours à ses services.

Salinger sollicite également les conseils éclairés et l'aide du colonel Milton G. Baker, le fondateur de Valley Forge en 1928. Superintendant d'un établissement hautement respecté, il a ses entrées chez les gradés. Dans une lettre datant du 12 décembre 1941, il lui relate brièvement qu'il a consacré les deux années écoulées à écrire des nouvelles dont certaines ont été publiées. Il l'invite du reste à lire la prochaine, censée sortir dans le numéro à paraître du *New Yorker*. Il espère, cela va de soi, qu'elle lui plaira. Le prestigieux hebdomadaire, à même de lui assurer la respectabilité vers laquelle il tend dans le monde des lettres, en avait accepté le principe. Mais la direction du magazine se ravise et sursoit à sa publication. Avec *Slight Rebellion off Madison* [1], le titre de la nouvelle, Salinger fait ses gammes. C'est une « petite comédie triste concernant un élève d'école préparatoire en vacances à Noël[2] », une ébauche, déjà parfaitement maîtrisée du point de vue du style, des dialogues et de la philosophie générale du roman à venir, *L'Attrape-cœurs*; une sorte de galop d'essai au même titre que *Jean Santeuil* préfigure *À la recherche du temps perdu* de Marcel Proust.

Holden Morrisey Caulfield, le personnage principal, est un collégien en rupture de ban, que tout ennuie : aller à l'école, attendre le bus à Madison Avenue, voir un film, prendre l'ascenseur, essayer un pantalon chez Brooks, vivre à New York, et même dire bonjour à un

1. « Légère rébellion du côté de Madison ». Non traduite.
2. Lettre à Elizabeth Murray du 31 octobre 1941. HRC.

copain de sa petite amie Sally, rencontré par hasard. Holden fourmille de projets un peu fous, en tout cas pas des plus réalistes ni vraiment des plus sages. Il veut vivre, tout simplement vivre, comme s'il était seul au monde et que rien d'autre n'existait que lui et Sally. Il s'est mis en tête de « taper » la voiture d'un copain et de tailler la route vers le nord, le Massachusetts ou le Vermont, peu importe. Mais il essuie un revers et prend une cuite à tout casser, une scène intégralement reprise dans le roman. « Le gosse ivre mort, assis au bar, c'était moi, une fois, et d'autres[1] », révèle-t-il, soutenant que c'est le seul passage jamais écrit qui soit, au moins dans l'esprit, autobiographique.

Un fabuleux vent de liberté, contrarié par les contingences et les pesanteurs de l'existence, souffle sur le récit, un appel du large, dans lequel le *New Yorker* ne semble avoir vu qu'une incitation à la fugue. Dans le contexte politique de l'époque, le magazine s'abstient de le publier, jugeant préférable de décourager ce type de comportement, afin de ne pas porter atteinte au moral des troupes mobilisées ou sur le point de l'être. Salinger, qui s'était imprudemment vanté auprès de ses proches de l'heureuse perspective d'être admis dans la cour des auteurs de renom, tempête contre ce revirement, justifié par un impérieux manque de place. Le texte a été finalement jugé trop long, un prétexte fallacieux. Mais le *New Yorker* le publiera après-guerre[2]. La nouvelle ne recelait pourtant rien qui puisse inciter à l'insubordination. Sally, la copine d'Holden, une fille rationnelle, les deux pieds sur terre, le dissuade de n'en faire qu'à sa tête. Elle jure qu'ils auront tout le temps, plus tard, quand ils seront adultes et mariés « et tout le

1. Lettre à Elizabeth Murray du 2 novembre 1942, HRC.
2. *Slight Rebellion off Madison.* Nouvelle non traduite parue dans le *New Yorker* du 21 décembre 1946.

reste » d'aller voir un « tas d'endroits merveilleux[1] ». Holden n'en croit rien, sachant pertinemment que ce ne sera alors plus pareil. L'innocence perdue, le conformisme les aura rattrapés. Ils seront devenus des gens comme tout le monde, obligés de dire au revoir à toute la famille avant de partir, de prendre l'ascenseur avec les valises et « tout le tintouin ». Une fois loin, ils seront aussi tenus d'envoyer des cartes postales de voyage. De surcroît, à n'en pas douter, lui devra travailler dans la boîte de son père, prendre le bus et lire le journal... Une vie balisée, sans plus de surprise, d'un ordinaire fastidieux, dont la perspective le désespère sérieusement. Holden se réfugie dans un bar, engloutit coup sur coup pour neuf dollars de scotch et soda, puis parvient, titubant, à se traîner jusqu'au coin de Madison Avenue pour attendre... le bus.

Bien décidé à rejoindre l'armée, Salinger a quelques atouts à faire valoir. Dans sa supplique au superintendant de Valley Forge, il rappelle qu'il a passé deux années dans le corps d'entraînement des officiers de réserve[2] et deux autres à l'université. L'agression japonaise contre Pearl Harbor, ressentie dans tout le pays comme un « jour d'infamie » – une expression du président Roosevelt –, l'a lui aussi ulcéré. Il n'en fait pas mystère, ayant comme jamais pris conscience de son attachement aux États-Unis. « J'ai mis six jours à réaliser ce que l'Amérique signifie pour moi[3] », note-t-il. Et de souhaiter au superintendant ainsi qu'à son épouse un Noël aussi joyeux que possible.

1. Notre traduction.
2. Reserve Officer Training Corps.
3. Archives *Story*, BFP.

À ce moment-là aux États-Unis, l'adhésion de la population à la guerre est totale et nul ne trouve à redire qu'un jeune volontaire désireux de faire acte de bravoure cherche l'appui des aînés. Pas plus Whit Burnett que le colonel Milton G. Baker, qui éprouvant l'un et l'autre une sincère estime pour Salinger, ne lui mégotent pas leur soutien. On ignore toutefois comment son cas a pu être reconsidéré et si ces intercessions ont été, en fin de compte, déterminantes. Toujours est-il que quatre mois et demi plus tard, le 27 avril 1942, Jerome David Salinger est appelé sous les drapeaux. Du camp d'entraînement d'infanterie de Fort Dix, dans le New Jersey, où il s'était présenté, il est transféré non loin de là à Fort Monmouth. Dès son arrivée, il est affecté à la première compagnie du corps armé des transmissions. Un stage de dix semaines à l'école de formation des officiers, premiers sergents et instructeurs l'attend. La période d'assimilation du message dispensé aux aspirants, à laquelle il s'applique, se déroule en deux temps. Le matin, il assiste scrupuleusement aux cours, et l'après-midi, sa mission consiste à instruire les nouvelles recrues. Sous la tente qu'il partage avec un groupe de camarades, il lui est impossible de lire et plus encore de noircir des pages. Certes ils sont sympathiques, le problème est qu'ils passent leur temps à écouter quantité de jeux radiophoniques à questions multiples, tout en mangeant des oranges. Une plaie intégrale. Si bien que depuis son incorporation, malgré sa bonne condition physique, il n'a pas trouvé le moyen d'écrire une ligne. Il regrette de ne pas avoir sa machine à écrire, d'autant que les stylos et crayons de papier se font rares. Cela aurait pu être pire, bien sûr. Salinger se veut philosophe. Tout de même, alors qu'il commençait à acquérir un petit statut d'écrivain, il a soudain le sentiment d'être stoppé net en plein élan. Et s'il venait à sombrer dans l'oubli ? La question l'effleure car après

9

Des amis qui croient en lui

Salinger a des textes en réserve. *The Long Debut of Lois Taggett*[1], écrite au cours de l'année 1941 et envoyée à son agent « avec les trois quarts de son meilleur sang[2] », en fait partie. Whit Burnett l'a beaucoup aimée et entend la publier contre un chèque de vingt-cinq dollars payable à la parution. Il en a informé l'agent de l'écrivain Harold Ober qui l'avait soumise à sa sagacité. Heureusement pour lui, car le *New Yorker* à qui elle avait été envoyée et *Harper's Bazaar* l'avaient coup sur coup refusée.

Histoire effarante de par la cruauté d'un des principaux protagonistes et la placide sottise des deux autres, cette nouvelle a ceci de particulier dans sa production littéraire qu'elle marque un point de rupture entre le Salinger en fin de cursus universitaire et celui qui va bientôt être incorporé dans l'armée. Une page de sa vie se tourne, reflet des mœurs d'une frange fortunée et désœuvrée de la société qu'il a côtoyée à New York.

Nonchalante gosse de riche écervelée, Lois Taggett est éprise d'un dénommé Bill qui a consenti à l'épouser. Le type, d'une bizarrerie inquiétante, finit par tomber amoureux d'elle, mais seulement après le mariage.

1. « Les débuts vraiment rudes de Lois Taggett ». Nouvelle, non traduite à l'étranger, parue dans le numéro de septembre-octobre 1942 de *Story*.
2. Lettre à Elizabeth Murray du 15 septembre 1941, *op. cit.*

Sauf qu'un matin au réveil, surprenant le visage de sa femme « écrasé contre l'oreiller, bouffi, déformé par le sommeil, la lèvre sèche[1] », il est pris d'une pulsion, aussi soudaine que sadique. Une brute épaisse se révèle en lui.

Un jour, par jeu, il lui brûle le dessus de la main avec une cigarette ; un autre, il essaie de lui écraser les doigts de pied avec une canne de golf, un sport qu'il lui enseigne dans l'appartement. Sans demander son reste, Lois retourne vivre chez ses parents, un couple de New-Yorkais plein aux as qui lui passent ses lubies. Mais l'ennui lui pèse, elle dont la principale occupation se résume à faire du shopping et à voir ses copines au bar du très sélect Stork Club.

Une amie l'ayant convaincue que Carl, qu'elle prenait pour un « raseur », était un « chic type », elle se remarie, sans savoir pourquoi. En outre, il présente une singularité : il souffre d'une allergie qui l'oblige à ne porter que des chaussettes blanches, celles de couleur lui donnant de l'eczéma. Une routine accablante s'installe bientôt dans le couple, puis un enfant paraît. Six mois après la naissance du petit Thomas Taggett, devenu le centre d'intérêt exclusif de leur existence oisive et morne, c'est la catastrophe : le bambin s'étouffe avec sa couverture de laine duveteuse. Les parents se retrouvent face à face, affalés dans un fauteuil, sans mot dire. Sursaut final d'une absurdité digne d'une pièce d'Eugène Ionesco : Lois enjoint à Carl de remettre ses chaussettes... blanches.

Salinger adore cette nouvelle. Il a pris tellement de plaisir à l'écrire qu'il l'a lue et relue avec une satisfaction non dissimulée. Car, une fois n'est pas coutume, il est convaincu d'être parvenu à un texte abouti. D'habitude, la difficulté à trouver une fin qui le satisfasse le plonge

1. Notre traduction.

dans un état de quasi-panique. D'où son appréhension à s'y replonger, comme s'il avait peur, dit-il, de ne pas avoir « bien nettoyé son nez pour le laisser propre[1] ». Ou quelque chose de cet ordre.

Il lui arrive quelquefois d'imaginer trois épilogues pour une même nouvelle et, au final, de ne pas savoir lequel est le plus judicieux. Non pas qu'il manque de confiance de lui. Quand il écrit, il se pose même en ardent admirateur de lui-même. Mais une fois le travail achevé, il apprécie les avis extérieurs. Pas n'importe lesquels, évidemment.

Les encouragements du directeur de *Story*, Whit Burnett, son ancien professeur à Columbia, lui sont un véritable viatique. Comme le sont ceux d'Elizabeth Murray, une femme d'exception, malheureuse en amour, que Salinger apprécie au plus haut point. Pas seulement parce qu'elle lui a présenté sa voisine du New Jersey, Oona O'Neill, un jour de l'été 1941 qu'ils s'étaient rendus chez la mère de cette dernière, Agnes Boulton, mais parce qu'elle est sa lectrice la plus sûre et la plus désintéressée.

Ils se sont connus par l'entremise de son plus jeune frère William avec qui Salinger était à Valley Forge. Tu restes mon « petit mais très distingué public[2] », lui dit-il. « J'apprécie sincèrement ta correspondance, adorable[3]. » Les premiers temps, dans ses lettres qu'il signe juste du mot « gaiement » ou de noms d'emprunt loufoques et jazzy tels que Sue et Chet Abernathy ou encore Cortez, Salinger se montre facétieux, tel un gosse désireux de tester son pouvoir de séduction stylistique, son humour et sa puissance créatrice. Il lui raconte des banalités, du

1. Lettre à Elizabeth Murray du 13 avril 1940, HRC. Notre traduction.
2. Lettre à Elizabeth Murray du 19 octobre 1941, HRC.
3. Lettre à Elizabeth Murray du 20 août 1941, HRC.

genre : « J'avais l'intention de passer la journée à travailler à ma dernière moisson de nouvelles, mais à la place, je me suis fait couper les cheveux[1]. » Il la complimente également sur sa mère dont il a été heureux de faire la connaissance avant même qu'elle dise qu'elle aimait, elle aussi, ses nouvelles, ainsi que sur sa fille. Quel que soit le destinataire, Salinger n'est pas le moindre des correspondants attentionnés. Il a toujours un mot pour les proches.

Avec Elizabeth Murray, que l'écrivain apostrophe bientôt sous les diminutifs affectueux de Liz et Eliz, ils s'écrivent et ils s'écriront pendant plus de vingt ans. « Chère fille en or[2] », l'a-t-il même gratifiée un jour. Il lui rédige de longues missives dans lesquelles il se livre avec pudeur et humour. Elle, en revanche, lui expédie de préférence des cartes postales, trop rarement d'après lui, et surtout trop courtes. Un jour, pour rire, il l'a même menacée de lui offrir un bloc de papier à lettres filigrané de chez Kresge, la première chaîne de grande distribution américaine à vendre des articles à un dollar. Son affection pour elle est si vive qu'il lui a fait un clin d'œil amical dans « Lois Taggett ».

Elizabeth Murray partageait sa vie entre Dongan Hills à Staten Island et Manasquan, un quartier résidentiel du New Jersey donnant sur l'Hudson River, où il lui rendait quelquefois visite avant-guerre.

Dans la nouvelle, Carl, le mari de son héroïne, a la fâcheuse habitude d'indiquer aux automobilistes d'autres directions que la route littorale pour aller à... Manasquan. Lois Taggett le dissuade de continuer à le faire, le chemin étant à tout le monde.

1. Lettre à Elizabeth Murray du 24 avril 1940, HRC.
2. Lettre à Elizabeth Murray du 31 octobre 1941, HRC.

Trois ans plus tard, autre attention touchante de Salinger pour son amie dans *A Boy in France*[1] dont le héros mobilisé sur le front lit des lettres postées de « Manasquan, New Jersey ». Sa confiance en elle est entière. Après qu'il a enregistré ses premiers « petits[2] » succès, elle l'invite à ne pas trop s'emballer, il suivra le conseil amical et désintéressé.

Elizabeth Murray a de la conversation, de l'esprit et du cœur. Et un jugement aiguisé. Il avait dix-neuf ans quand il l'a rencontrée. Elle était son aînée de plus de vingt ans. Elle avait déjà bien vécu. Son premier mari était mort dans le crash d'un avion pendant la Première Guerre mondiale, alors qu'elle était enceinte de son fils John. Le mariage suivant avec un Écossais, un grossier personnage, paraît-il, fut un échec, tout comme le troisième. Sa fille, Gloria, que Salinger prit en affection, souffrait d'agoraphobie et d'une anxiété paralysante. Pour payer les factures, précise son arrière-petite-fille, Sarah Norris[3], Elizabeth Murray travaillait par intermittence comme secrétaire, une « horreur[4] » d'après ce qu'elle lui en disait. L'argent ne l'intéressait pas. Ce qui ne l'empêchait pas d'avoir des amis fidèles, une vie sociale et intellectuelle active. Tout pour plaire à Salinger qui aime les gens « authentiques », pas les faiseurs.

Et puis il y a son agent littéraire, Dorothy Olding, chez Harold Ober. Il l'avait connue par l'entremise d'Herbert Kauffman, un autre larron de Valley Forge, pour qui il éprouvait des sentiments ambivalents. « Herb », un drôle

1. Nouvelle parue dans *The Saturday Evening Post* du 31 mars 1945. Non traduite.
2. Lettre à Elizabeth Murray du 29 mai 1941, HRC.
3. D'après un texte de Sarah Norris paru le 12 août 2011 dans « Chapter 16 », une communauté d'écrivains, de lecteurs et de « promeneurs » du Tennessee.
4. Lettre à Elizabeth Murray du 27 décembre 1942, HRC.

de numéro, gaffeur en diable, toujours à se plaindre, égotiste. Étudiant, il avait logé un certain temps chez les parents de Salinger. Ensemble, à dix-neuf ans, ils avaient vogué vers les Caraïbes sur le *Kungsholm*. La franche camaraderie ressentie les premières années pour cet « être d'exception[1] » avait fini par s'émousser. Sa suffisance, qu'il jugeait idiote, l'exaspérait. Au reste, jamais « Herb » ne le complimentait sur ses nouvelles. À croire qu'il ne les lisait pas. Aussi il ne le verrait bientôt plus qu'au hasard de rencontres fortuites dans les rues de New York.

Dorothy Olding avait commencé à le représenter auprès des éditeurs – c'était son métier – dès 1940, après la parution dans *Story* de sa première nouvelle *The Young Folks*. Il lui envoyait sa production, elle la soumettait à l'avis des directeurs de magazines en vue d'une publication, laquelle n'était pas systématique, tant s'en faut. Il a essuyé des refus, nombreux, qui avaient l'art de le chagriner, jamais de le décourager. Elle était entrée comme en religion à l'agence dont le catalogue comptait des écrivains aussi renommés que Francis Scott Fitzgerald, Dylan Thomas, William Faulkner ou Agatha Christie. Elle en devint la directrice, efficace, respectée, toute-puissante. « Un agent extraordinaire, une légende[2] », affirme Joanna Smith Rakoff.

Pas mariée, sans enfant, elle vouait sa vie entière à l'agence et était pour Salinger d'un dévouement sans pareil. Elle avait deviné l'animal qui, au fil des années et la renommée venue, se mua en une sorte de « maître invisible ». Ses désirs étaient des ordres qui pouvaient parfois être exécutés avec un zèle excessif. Tout, en matière d'édition et de lettres de lecteurs, passait par

1. Lettre à Elizabeth Murray du 13 avril 1940, HRC.
2. Joanna Smith Rakoff, *Mon année Salinger*, *op. cit.*

elle. Elle le protégeait des indiscrétions, des curieux et même de ses phobies.

Salinger avait en elle une confiance absolue, bien qu'il lui trouvât un côté « trop commercial » pour avoir une juste opinion de ses écrits, mais fort utile au moment de négocier les droits à venir de *L'Attrape-cœurs.*

Chaque fois qu'il la mentionne dans ses lettres, c'est sans affect et toujours comme son unique interlocutrice et intermédiaire. Il lui a néanmoins dédié son recueil intitulé *Nouvelles*[1], ainsi qu'à Gus Lobrano, un éditeur du *New Yorker.* Lui faisait-il des confidences comme à sa vieille amie Elizabeth Murray sur ses démêlés personnels ou ses angoisses existentielles, notamment pendant la guerre ? On ne le saura jamais, pour la bonne raison qu'un jour qu'il lui avait demandé de détruire leur correspondance, elle s'exécuta sans barguigner ! Au mépris de l'histoire de la littérature et de la compréhension du personnage pour les générations futures. Quand elle meurt nonagénaire, en 1997, elle est déjà retirée des affaires depuis un moment, après avoir été terrassée par une attaque cérébrale.

La période est aux vaches maigres en ce début des années 1940 sur le plan éditorial. Aussi, que Whit Burnett ait accepté de publier *The Long Debut of Lois Taggett* dans *Story* comble Salinger à un point que son ancien professeur ne saurait imaginer. Car il veut être lu, échapper à l'indifférence du public qui le guette à présent qu'il y a la guerre et que, par la force des choses, il lui est devenu impossible de se concentrer. Avoir une nouvelle imprimée est, à ses yeux, un bon moyen de se rappeler au souvenir des lecteurs, de leur dire en quelque sorte à mots couverts «je serai de retour dès que possible, une

1. J.D. Salinger, *Nouvelles, op. cit.*

fois la paix revenue» et, par-dessus le marché, de faire acte de patriotisme.

Sous-titré «Un petit conte ironique d'une débutante», *The Long Debut of Lois Taggett* paraît dans une édition de la revue promouvant une campagne de dons en faveur des soldats américains. Elle est organisée par un réseau national d'associations bénévoles, l'United Service Organizations (USO), fondé en avril 1941 pour venir en aide «aux hommes et aux femmes» enrôlés dans les forces armées. «Donnez à l'USO», interpelle un slogan. «La guerre ne se gagne pas uniquement dans les abris[1]», exhorte la revue dès la première page. Une photo, prise aux États-Unis dans un camp du corps armé des transmissions américaines, identique à celui de Salinger, montre quatre GI casqués, terrés au creux d'une tranchée. La guerre, insiste le magazine, «se gagne» en se battant pour une cause qui «mérite qu'on meure pour elle», un programme auquel Salinger semble avoir pleinement souscrit, du fait de son engagement. Avait-il d'ailleurs le choix sauf à passer pour un lâche ou un déserteur? Dans le même numéro, une notice biographique le présente comme un de «nos soldats parmi beaucoup d'autres qui font un travail remarquable et que nous encourageons tous». Il a alors vingt-trois ans.

1. Archives de la New York Public Library.

10

Coup de foudre pour Oona

La romance a fait jaser. À l'automne 1941, Salinger sort avec une adolescente mutine et racée, aux beaux yeux couleur café et à la démarche gracile de ballerine, Oona O'Neill, la fille du grand dramaturge américain Eugene O'Neill, qui deviendra bientôt la quatrième et dernière épouse de Charlie Chaplin. Jusqu'à son mariage le 16 juin 1943 avec le créateur de Charlot, cette beauté froide et classique à la peau translucide et au large sourire quelque peu mécanique est inséparable de deux héritières de son âge. Les demoiselles en question ne sont autres que Gloria Vanderbilt, la milliardaire des bijoux, et Carole Marcus, la future épouse de William Saroyan, la coqueluche de Broadway. Salinger en apprécie et le théâtre d'un optimisme increvable et les nouvelles parues, notamment dans *Story,* la première, *L'Audacieux Jeune Homme au trapèze volant,* l'ayant été en 1934. La chronique mondaine se régale des sorties de ce trio de débutantes, semblables aux grâces de Raphaël, par leur fraîcheur et la pâleur du visage. Du genre à essuyer leur rouge à lèvres avec un mouchoir en dentelle à cinquante dollars plutôt qu'avec un Kleenex, elles suivent la mode, se parent de maquillage, hantent les clubs en vue, tiennent leur rang dans un milieu assez superficiel et vain.

Leur quartier général, le Stork Club, est un endroit sélect, couru par les artistes, les hommes politiques, les têtes couronnées d'Europe, et où il est bon d'être vu quand on veut figurer dans les revues sur papier glacé. Salinger y a traîné ses guêtres. Il venait d'avoir vingt-deux ans quand il a fait la connaissance d'Oona, qui en avait seize. Elle lui a été présentée un jour d'été qu'il accompagnait son amie Elizabeth Murray chez la mère de la jeune fille à Point Pleasant dans le New Jersey.

L'idylle entre ce grand escogriffe et cette brindille affranchie a été immédiate. Un peu déséquilibrée aussi, à vrai dire. Salinger l'a trouvée « charmante ». Et qui plus est « éclatante, jolie, gâtée ». Il n'a rien contre les enfants gâtés, en particulier les filles. « Cela signifie juste que quelqu'un d'autre leur a porté de l'intérêt », philosophe-t-il. Comme il vit chez ses parents sur Park Avenue, il peut la recevoir sans avoir à rougir. Sauf que la première fois qu'elle lui a rendu visite à New York, c'était accompagnée de sa mère. De quoi le refroidir, mais il préfère en plaisanter : « Agnes est venue aussi, ironise-t-il. Que cela soit mon épitaphe : "Agnes est venue aussi[1]." »

Oona est le fruit d'une union entre Eugene O'Neill, gloire internationale du théâtre auréolée du prix Nobel de littérature depuis 1936, et Agnes Boulton, sa deuxième épouse. Son père a quitté le domicile conjugal, elle était encore au berceau. Depuis, sa mère la couve, autant que possible. Son drôle de prénom laisse Salinger perplexe, n'étant pas très sûr de l'orthographe à l'heure de lui écrire. Elle, très à l'aise en société, montre de prime abord assez peu d'empressement à le revoir. Cette façon de le laisser lanterner serait-elle une tactique pour mieux le ferrer ?

1. Lettre à Elizabeth Murray du 15 septembre 1941, HRC.

Comme elle se fait rare, cela lui pèse; suffisamment pour que, dans une lettre à Elizabeth Murray, il indique avec un pincement au cœur : « Pas vu Oona depuis qu'elle est à New York[1]. » Il n'est pas impossible qu'elle se laisse accaparer par la frénésie des mondanités. Près de trois semaines passeront avant le prochain rendez-vous. Salinger, qui bizarrement cherche depuis quelques années déjà à se marier, est mordu. Il a le béguin pour Oona, un béguin qu'il admet sans fard après l'avoir revue à une ou deux reprises au début octobre 1941. Son ascendance irlandaise aurait-elle consciemment ou non guidé son inclination ? Salinger ne cherche pas à savoir. « Elle est rudement mignonne et je l'aime[2] », confesse-t-il, épris. Leurs rencontres étant espacées, ils s'écrivent.

De leur échange épistolaire, on ne connaît que quelques bribes, éparses, tout juste bonnes à renseigner sur l'intensité de leur relation qui n'aura duré que quelques mois. Quelle était la teneur exacte de ces billets doux et la force de l'amour ? Difficile à dire, une majorité des héritiers du couple Chaplin ayant refusé d'en autoriser la lecture, afin de préserver la mémoire des parents.

Une petite consolation tout de même : ils ont concédé à l'auteur que le fonds d'archives personnelles de « Lady Chaplin » entreposé à Paris recèle en tout et pour tout quatorze lettres de Salinger à Oona, la plupart manuscrites. Une seule est tapée à la machine. Ce qui ne signifie pas pour autant que ce soient là les seules qui aient existé, certains courriers ont pu être égarés ou détruits par sa destinataire. Aucune des lettres conservées ne porte d'indication sur la date d'envoi.

1. Lettre à Elizabeth Murray du 2 octobre 1941, HRC.
2. Lettre à Elizabeth Murray du 19 octobre 1941, HRC.

De surcroît, les enveloppes ont disparu. Un renseignement précieux toutefois, l'adresse de l'expéditeur figurant sur certaines d'entre elles, permet d'établir qu'elles ont été écrites entre le 15 septembre 1941 et le mois de juillet 1942. Sur le lot, cinq lettres ne comportent ni date ni adresse et parmi les neuf autres, il y en a sept sur lesquelles Salinger a mentionné celle du domicile familial au 1133 Park Avenue à New York. Des indications décisives pour situer l'idylle dans le temps.

Il est probable que Salinger en a rédigé au cours de ses permissions, pendant qu'il faisait ses classes dans le New Jersey. Deux billets tendres ont été expédiés de l'École d'aviation de l'armée de l'air américaine à Bainbridge, Géorgie, où il a été affecté en juillet 1942 en tant qu'instructeur des élèves officiers. Il lui écrivait le plus souvent le soir, après la journée de formation et les exercices, ainsi qu'il l'indique dans ses lettres à Oona[1].

Sixième enfant (sur huit) du couple Oona-Chaplin, Jane Chaplin, qui a eu la curiosité de lire l'intégralité de la correspondance, se souvient qu'un soir des années 1970, dans la propriété familiale de Vevey, en Suisse, sa mère en fit la lecture à voix haute à trois de ses filles – elle-même Jane, Josephine et Annie. « Ne dites rien à votre père, il serait furieux que j'aie gardé ces lettres », les aurait mises en garde Oona, raconte Jane[2]. Chaplin, un vieillard à présent, somnolait dans une pièce annexe servant de bibliothèque, devant le poste de télévision allumé.

Jane Chaplin assure qu'aucune lettre n'est très longue. Dans l'une d'elles, « particulièrement courte, et ne faisant guère plus d'un grand paragraphe », Salinger raconte qu'il a imaginé une histoire d'adolescent qui

1. Archives Oona Chaplin, à Paris.
2. Entretien avec l'auteur le 26 octobre 2010.

plus tard s'avéra correspondre au héros de *L'Attrape-cœurs*. À en croire Jane Chaplin, la tonalité générale des missives laisse à penser que leur relation était « un peu comme une amitié amoureuse[1] ». « C'était de très, très, très belles lettres, exulte la fille de Charlie Chaplin. Ma mère ne les a pas seulement gardées pour leur côté sentimental, mais parce qu'elles étaient bien écrites. » Geraldine, l'aînée de la fratrie, ne se souvient pas, quant à elle, avoir jamais entendu sa mère parler de Salinger qu'elle précise n'avoir «jamais rencontré[2] ». Troisième de la lignée, Josephine, hostile à toute divulgation concernant cette liaison, affirme qu'« Oona n'a pas beaucoup parlé de Salinger, elle avait quinze ans ! ! ! Et Chaplin la comblait complètement[3] ! ! ! » Quant à Annie, la « petite » avant-dernière, elle jure que sa mère n'aimait « pas vraiment » Salinger et qu'il n'avait pas les moyens de la « sortir dans les boîtes ». Mais, un jour qu'elle lui faisait part de son admiration inconditionnelle pour l'écrivain, sa mère répliqua : « Il aurait pu être ton père[4]. »

Oona lui a fait tourner la tête, mais Salinger n'en a pas pour autant perdu l'esprit, à en juger par le contenu d'une de ces lettres, dévoilé lors d'un hommage rendu à l'écrivain[5] à la librairie parisienne Shakespeare and Company. « Tu ne dis pas la vérité. Tu es une menteuse,

1. *Ibid.*
2. Courriel de Geraldine Chaplin du 8 janvier 2015 à l'auteur.
3. Courriel de Josephine Chaplin du 8 janvier 2015 à l'auteur.
4. Entretien téléphonique avec l'auteur, le 5 janvier 2015. Annie est le prénom d'artiste d'Annette-Émilie Chaplin.
5. Le 12 décembre 2014, lors d'une soirée organisée pour la sortie du livre de l'écrivain français Frédéric Beigbeder, *Oona & Salinger* (Grasset, 2014), une nouvelle de Salinger *The Heart of a Broken Story*, inédite en France, a fait l'objet d'une lecture publique. Une initiative approuvée par Annie Chaplin, non par le reste de la famille, « très hostile à la divulgation de la correspondance » entre Oona et Salinger, a indiqué Kate Guyonvarch, la chargée du fonds Chaplin à Paris, le 5 janvier 2015 à l'auteur. Matthew Salinger, le fils de l'écrivain, a, lui aussi, désapprouvé cette manifestation.

lui écrit Salinger. Les menteuses ne vont pas au ciel. Seules les filles avec des bagues sur les dents vont au ciel. Et Rita Hayworth. » Et de poursuivre dans une veine aussi excentrique que surréaliste : « Dans l'avenir, je serai joyeux. Je paraderai de haut en bas et de bas en haut sur un cheval blanc dans Park Avenue, en jetant des bouteilles de champagne aux mendiants aveugles[1]. » Et de conclure : « De tout cœur. »

À Elizabeth Murray, la confidente de ses peines de cœur, Salinger se montre beaucoup plus direct. « Je suis fou d'elle[2] », lui écrit-il à propos d'Oona. Un écho qui renvoie aux tourments de son héros Holden Caulfield quand il lâche : « Les filles, nom de dieu. Elles peuvent vous rendre fous. Elles le peuvent vraiment. »

Salinger aurait-il l'impression de ne pas être payé de retour ? Il se démène pourtant comme un diable pour plaire à Oona. Il l'emmène au musée, au cinéma, et entre deux balades à Central Park, dans les cafés et les restaurants huppés. Un soir de novembre 1941 qu'il l'avait invitée au théâtre, ça s'était mal passé. « On n'a pas cessé de se disputer. » « La petite Oona est désespérément amoureuse d'elle-même..., constate-t-il, chagriné. Et comme nous le savons tous et le crions sur les toits à l'occasion, j'ai porté le flambeau pour moi-même ces vingt et quelques années... Ah, deux belles romances. (Quelque vérité en cela, mais davantage de foutaise. À vrai dire, je sais que je l'aime beaucoup[3].) »

Les sentiments qu'elle éprouve pour lui sont plus difficiles à cerner, faute d'un témoignage direct de l'intéressée. On ignore d'ailleurs ce qu'il est advenu des

1. Lettre de Salinger à Oona dont la lecture par Annie Chaplin a été diffusée sur YouTube. Elle a, par ailleurs, été partiellement reproduite dans *Le Figaro* du 15 décembre 2014.
2. Lettre à Elizabeth Murray du 31 octobre 1941, HRC.
3. Lettre à Elizabeth Murray du 5 décembre 1941, HRC.

lettres qu'elle lui a destinées et que Salinger dit avoir reçues. On sait donc peu de choses, à l'exception de quelques propos rapportés ici et là, des années après, par ses deux amies inséparables Carole Marcus et Gloria Vanderbilt, l'une et l'autre la langue bien pendue.

Un repère toutefois : le 13 avril 1942, à la veille de ses dix-sept ans, Oona est nommée débutante de l'année. Elle est encore à New York sous l'œil avide des photographes qui la mitraillent à qui mieux mieux, mais plus pour longtemps. Elle va bientôt prendre le large. Loin de Manhattan, du Stork Club... et de Salinger.

11

Un amour déçu

Les États-Unis sont entrés en guerre. Salinger a été enrôlé. Oona, elle, s'envole vers d'autres horizons. À l'automne 1942, elle se rend à San Francisco pour accompagner son amie Carole Marcus, une enfant dégourdie comme elle, que l'écrivain William Saroyan – Bill pour les intimes – entend épouser avant de rejoindre son régiment. Mobilisé à son corps défendant, il a peur de mourir et veut à toute fin avoir un héritier. Il s'en est ouvert à la mère de Carole, Rosheen Marcus, flattée de voir sa fille courtisée par un si beau parti. À leur arrivée, les deux adolescentes sont accueillies à bras ouverts. Une chambre leur a été réservée à l'hôtel Senator de Sacramento pour deux semaines.

Salinger dans tout ça ? Il est resté cantonné sur la côte Est. Lui qui n'est pas homme à se laisser décourager, soupire-t-il encore pour sa belle ? Carole Marcus l'affirme sans hésitation : « Oona recevait presque chaque jour de New York une lettre d'un certain Jerry : des lettres de quinze pages, parfois, dans lesquelles il faisait des commentaires pleins d'esprit sur tout un tas de choses. » D'où le stratagème qu'elle décide de mettre au point pour plaire à William Saroyan qui, consigné sur une base militaire de Sacramento, exige qu'elle lui écrive tous les jours des lettres enflammées. Or, pour son malheur,

Carole Marcus manque d'inspiration; en dehors des banalités, elle cherche ses mots. Aussi, de crainte de passer pour une idiote et redoutant que son soupirant renonce à convoler, elle demande à son amie Oona de lui venir en aide. Celle-ci accepte. « Elle souligna les passages les plus intelligents des lettres de Jerry et me laissa les recopier, comme s'ils étaient de moi, dans les lettres que j'adressais à Bill[1] », révèle Carole Marcus.

Les jeux de l'amour sont cruels, Salinger en est, malgré lui, l'objet et aussi la risée. Mais quelle foi accorder au témoignage de Carole Marcus recueilli bien après la guerre, alors que lui, l'écrivain désormais adulé, fait la fierté des États-Unis d'Amérique ? On le sait, la mémoire enjolive quelquefois les souvenirs. Or, à en juger par les lettres conservées dans le fonds Chaplin, Salinger ne semble pas s'être montré un épistolier amoureux très prolixe. Ses missives à Oona, d'après Jane Chaplin, se limitent le plus souvent à une page recto noircie d'une écriture ample, rapide et déliée, contrairement à celles qu'il adresse à ses bons amis Whit Burnett, Elizabeth Murray ou encore Donald Hartog...

Quelle que soit la force des sentiments de Salinger pour Oona, ceux qu'elle pouvait, pour sa part, exprimer n'étaient pas tout à fait à la hauteur de ce qu'il aurait pu espérer. L'humour quelque peu baroque dont il lui arrive de faire preuve, par exemple quand il lui écrit qu'il vient « juste d'envoyer [sa] machine à écrire à la blanchisserie[2] » ne suscite pas davantage de réactions. Lorsqu'elle lui répond, c'est pour dire qu'elle veut lui parler, qu'elle a envie d'entendre le son de sa voix ; l'ordinaire d'une relation amoureuse assez plate en somme.

1. Arthur et Barbara Gelb, *O'Neill*, New York, Harper and Row, 1962. Notre traduction.
2. Lawrence Lee and Barry Gifford, *Saroyan. A Biography*, Harper and Row Publishers, 1984.

Cette tiédeur relative n'entame pas pour autant la constance de Salinger.

«J'épouserais Oona demain, si elle avait voulu de moi», persiste-t-il à l'automne 1942. Dans une lettre à une autre destinataire[1], il indique qu'il était censé se marier pendant une permission, mais sa promise voulait que la noce ait lieu chez son père à Hollywood. Or, il se disait tout prêt à se rendre en Californie pour la retrouver. «J'aimerais pouvoir récupérer le peu d'argent que me doit *Collier's* et aller à Hollywood pour le lui dire[2].» Le magazine venait de lui acheter une nouvelle, *Personal Notes of an Infantryman*[3]. Une histoire de patriotisme contrarié, d'une intensité dramatique touchante et retenue, peu ou prou calquée sur sa propre expérience, au lendemain de l'attaque japonaise de Pearl Harbor.

Oona sortait d'une mauvaise passe. Ses relations épisodiques avec son père ayant toujours été tumultueuses, elle aurait voulu renouer avec lui. Le séjour en Californie lui en offrait l'occasion. Eugene O'Neill n'était pas un méchant homme, juste une de ces natures tourmentées qui noient leur mal-être dans l'alcool. Il avait épousé la mère d'Oona en deuxièmes noces, avant de la laisser choir avec les enfants pour une actrice, Carlotta Monterey, qui exerçait sur lui un puissant ascendant et ne se privait pas de débiner sa belle-fille. De ses fréquentations new-yorkaises au rouge vif de son vernis à ongles, tout était prétexte à réprobation.

Oona voulait devenir comédienne, les études la rebutaient. Insouciante, elle avait du goût pour les frivolités

1. Lettre à Marjorie Sheard du 2 novembre 1942, dossier Salinger, Morgan Library, New York.

2. Lettre à Elizabeth Murray du 2 novembre 1942», HRC.

3. «Notes personnelles d'un fantassin». Nouvelle non traduite, parue dans le numéro de *Collier's* du 12 décembre 1942.

et elle affichait un maintien qui pouvait passer pour de la classe. Pas seulement parce qu'elle portait les manteaux de fourrure, vison ou sconse, comme personne. Quand elle levait les yeux vers le ciel, les dents blanches joliment alignées dans un sourire, elle donnait l'illusion d'être gaie.

De son hôtel, elle écrivit à son père qui habitait une magnifique propriété, Tao House, juchée sur les collines de Danville, entre San Francisco et Sacramento, pour lui annoncer sa visite. La réponse tomba avec la violence d'un couperet.

« Tout ce que je sais de toi depuis que tu t'épanouis dans le vacarme des night-clubs, je le tiens de tes interviews dans les revues de presse, rugit le père O'Neill. Toute la publicité que tu te donnes est d'un type frelaté, à moins que tes ambitions soient de devenir une actrice de cinéma de seconde zone sans talent, et d'une espèce vulgaire, comme celles qui ont leur photo dans le journal pendant un ou deux ans avant de sombrer dans l'anonymat d'une vie tout ce qu'il y a de sotte et obscure. » Indigné, il lui fermait sa porte : « Je ne veux pas voir la sorte de fille que tu es devenue au cours de l'année passée[1] ! »

Oona eut du mal à encaisser l'admonestation. Des jours et des semaines s'écoulèrent avant qu'elle la surmonte si tant est qu'elle y soit parvenue. La rupture définitive entre le père et la fille fut, dès lors, consommée. Jamais plus ils ne se revirent.

Puis, le cours de la vie reprit ses droits. Son amie Carole repartie, elle prolongea son séjour sur la côte Pacifique. Comme elle était jeune, jolie, affable et qu'elle avait un nom, elle était invitée. À sortir, à parader, à souper. Un soir, elle fit la rencontre de Charlie Chaplin. Le génie du cinématographe a détaillé dans son

1. Arthur et Barbara Gelb, *O'Neill, op cit.* Notre traduction.

autobiographie[1] les circonstances dans lesquelles ils firent connaissance. À l'époque, il travaillait à l'écriture du film *Monsieur Verdoux*, mais un autre projet, *Shadow and Substance* (« Ombre et substance »), une adaptation d'une pièce du dramaturge irlandais Paul Vincent Carroll[2], dormait dans ses tiroirs, faute d'une interprète idéale pour le principal rôle féminin. Imprésario fameuse à Hollywood, Minna Wallis pensait avoir trouvé la perle rare en la personne d'Oona. Elle en informa Chaplin qui voulut s'en assurer et un dîner fut organisé.

Le jour dit, à peine introduit dans le salon, Chaplin tomba sur Oona, seule, assise près du feu. Sa beauté « lumineuse » et son charme « rare » le frappèrent instantanément. À table, il y avait un quatrième convive : Tim Durant, un acteur de second plan, qui était pour Chaplin aussi bien un partenaire sur les courts de tennis qu'un factotum. Au cours des agapes, la maîtresse de maison fit incidemment remarquer qu'Oona avait un petit peu plus de dix-sept ans, l'âge de la jeune héroïne du film. « J'en eus le cœur chaviré[3] », confesse le cinéaste. Mais le rôle exigeait une comédienne expérimentée. Quelques jours plus tard, Minna Wallis le rappela pour savoir s'il était disposé à faire quelque chose pour « Mlle O'Neill », la société de production Fox s'étant montrée intéressée. « À mesure que j'appris à connaître Oona, j'étais sans cesse surpris par son sens de l'humour et par sa tolérance. C'est pour cette raison et une quantité d'autres que je suis tombé amoureux d'elle », écrit-il. Chaplin, alors âgé de cinquante-trois ans, ajoute : « Elle venait

1. Charlie Chaplin, *My Autobiography*, New York, Simon and Schuster, 1964. Notre traduction. Voir également Charles Chaplin, *Histoire de ma vie*, traduit de l'anglais par Jean Rosenthal, Paris, Robert Laffont, 1964.
2. Également auteur de scénarios pour le cinéma et la télévision.
3. Charlie Chaplin, *My Autobiography*, *op. cit.*

d'avoir à ce moment-là dix-huit ans. Mais j'étais persuadé qu'elle n'était pas sujette aux caprices de son âge[1]. »

Un feu de cheminée, une table dressée, un regard croisé, quelques paroles échangées, un contrat à la clé, et deux vies ont tout à coup basculé. Les gazettes se délectèrent de cette liaison.

Salinger était passé par pertes et profits, son nom n'étant même pas mentionné dans les journaux. Il ne le serait que beaucoup plus tard, sa propre gloire venue. Oona l'aurait-elle laissé languir par pur et froid calcul lié à son manque de reconnaissance sociale ? Ou considérait-elle qu'en raison de sa jeunesse, il n'était pas en mesure de répondre à ses attentes affectives ? Certes il avait déjà publié quelques textes, mais sans atteindre à la notoriété du père, Eugene O'Neill. Il n'avait pas non plus le répondant pour lui garantir la sécurité matérielle à laquelle elle pouvait prétendre.

Salinger dut se résoudre à l'évidence : Oona lui avait échappé. Le mariage avec Chaplin ne tarderait plus. Le 16 juin 1943, au cours d'une cérémonie organisée à Carpinteria, près de Santa Barbara en Californie, Charlot lui passait la bague au doigt sous les flashs des photographes. Cette union signait le coup de grâce des illusions amoureuses de l'écrivain. Peine d'amour perdue.

En apparence, Salinger s'est montré stoïque dans l'épreuve. Mais quand son vieux copain de Valley Forge, Herbert Kauffman, a eu l'impudence de lui demander par écrit si l'annonce du mariage lui avait porté un coup au moral, pas du genre à verser dans les états d'âme larmoyants, il n'a eu qu'un mot de mépris : « Ridicule. »

1. *Ibid.*

Voilà « objectivement » quel était, en fait, le fond de sa pensée : « C'est une honte[1] ! »

Au début de l'été néanmoins, Salinger se sent passablement abattu. Non pas tant à cause de l'incertitude dans laquelle le maintient l'armée, lui qui vient tout juste d'être transféré sur une base militaire à Nashville dans le Tennessee, qu'en raison de ce que rapportent les journaux au sujet d'Oona. Le récit selon lequel elle aurait laissé traîner ses sous-vêtements dans tout l'appartement de Charlie Chaplin apporte la preuve éclatante, si besoin était, que leur romance est bel et bien sans espoir de retour.

Que l'anecdote relatée soit vraie ou fausse, au fond peu importe, il accuse le coup. À en perdre la notion des choses et du temps. Incapable de se souvenir de quoi que ce soit concernant le moindre événement présent, il ne sait plus très bien où il en est. Il peut se rappeler des faits vagues, des émotions vagabondes qu'il serait fin prêt à façonner pour en faire le cœur d'une nouvelle. Mais guère plus. «Je peux me rappeler le petit visage d'Oona et les gens bizarres et ennuyeux avec qui elle passait son temps à New York (à qui j'ai appris à jouer au gin-rummy), mais je ne peux pas me rappeler l'enfant elle-même, elle dans son ensemble, le piquant qui était le sien[2]. » Fallait-il qu'il l'ait aimée pour souffrir autant? Au fond, il en veut à Agnes Boulton, la mère d'Oona, à qui il ne serait pas mécontent de donner un « coup de savate dans le cul flapi[3] » ! À Chaplin aussi, cette « vieille glande prostatique[4] » ! Tout cela pour une histoire de lingerie fine.

1. Lettre à Elizabeth Murray du 20 juillet 1943, HRC.
2. Lettre à Elizabeth Murray du 11 juin 1943, HRC.
3. *Ibid.*
4. *Ibid.*

12

Chaplin, sa bête noire

Pour panser ses blessures d'amour-propre, Salinger écrit sans relâche. Plusieurs nouvelles, rédigées dans des genres différents, sont alors sur le point d'être achevées. Il y en a une assez commerciale dont il est en train de terminer l'intrigue, une autre concernant une jeune fille prénommée Bitsy, aujourd'hui introuvable, qu'il envisage d'envoyer à *Story* ou au *Saturday Evening Post.* La fin en est, paraît-il, sinistre. Il l'aime néanmoins beaucoup. Il y en a une troisième, intitulée « Paris », qu'il a soumise à *Harper's,* dans laquelle il a imaginé un type rêvant de ramener Hitler à Paris dans une malle, une toute petite malle. Texte ayant, lui aussi, apparemment sombré dans les oubliettes.

Il a par ailleurs mis le point final à une autre nouvelle, *Are You Banging Your Head Against the Wall*[1] ?, dont le personnage principal n'est autre que Holden Caulfield. Car l'artiste a du savoir-faire. Il sait mieux que personne adapter les thèmes de ses récits aux différents lectorats des magazines. Un périodique comme *Mademoiselle* n'aura pas les mêmes exigences que le *Saturday Evening Post* ou le *New Yorker,* la revue d'excellence de l'intelligentsia new-yorkaise qu'il ambitionne avec constance de conquérir. Pour ce périodique, il a d'ailleurs esquissé un texte sur l'armée,

1. « Est-ce que tu te cognes la tête contre le mur ? ».

mais il n'en est pas du tout satisfait. Il voudrait bien que le *Saturday Evening Post* lui achète régulièrement des nouvelles, il pourrait ainsi peu à peu l'amener à publier ce qu'il aime. Sans compter qu'ils lui ont promis d'augmenter substantiellement ses tarifs à chaque publication.

Depuis qu'il est à Nashville, une ville agréable dont il n'a strictement rien à faire, il écrit donc, à raison de deux nuits sur trois, le calme ambiant étant propice à l'inspiration. La troisième, il sort en ville.

La lecture lui sert aussi de refuge. Il a repris *Anna Karénine* de Tolstoï, à ses yeux le plus beau roman jamais écrit. L'énoncé du titre agit sur lui comme un sortilège. Certes, il aime Dostoïevski, son esprit aiguisé, plus aiguisé peut-être encore que celui de Tolstoï. Il le juge de portée plus universelle, mais il considère qu'il n'a pas le dixième de la capacité de pénétration de l'auteur de *Guerre et paix* pour dépeindre la beauté des caractères. Salinger trouve le personnage d'Aliocha Karamazov très beau, sans pour autant être complètement séduit quand il le compare à ceux de Tolstoï, beaucoup plus « vrais ». Parmi ses contemporains, il s'est plongé dans les nouvelles de John O'Hara[1]. Mais son style relâché le rase. Il aspire aussi à vendre une de ses histoires à Hollywood. Il prie même le ciel pour que les studios lui en achètent une. Et vite. Ce serait alors un bienfait salvateur.

Quant à oublier Oona, mieux vaut ne pas y penser. Salinger, qui met rarement son cœur à nu, sait, quand il le faut, se montrer sarcastique. Chaplin et belle-maman en prendront pour leur grade ! Dans une lettre à son amie de cœur Elizabeth Murray, cédant au dépit, il se déchaîne contre le couple de jeunes mariés. Il les imagine

1. John O'Hara (1905-1970). Auteur de nombreux romans dont *Appointment in Samarra*, 1934 (*Rendez-vous à Samarra*).

tous deux le soir chez eux, Chaplin, accroupi, grisonnant, et nu au-dessus de son chiffonnier, en train de faire tournoyer sa glande thyroïde autour de sa tête, à l'aide de sa canne en bambou, comme « un rat mort[1] » ; Oona dans une robe de soirée aigue-marine, applaudissant à tout rompre de la salle de bains. Agnes, sa mère, dans un maillot de bain de chez Jantzen, le chic du chic américain, allant de l'un à l'autre pour leur servir des cocktails.

Salinger a l'air de plaisanter ; la douleur, en réalité, est profonde. Voir une fille aussi jeune et adorable qu'Oona succomber aux avances d'un barbon, quand bien même génial, le révulse. Et le tyrannise. Au point qu'il dépeindra, presque mot pour mot, la même fresque grotesque à Whit Burnett, considérant, cinglant, que les photos du mariage parues dans les journaux sont un « crime[2] ».

Car, quoi ? N'avait-il pas secrètement caressé le projet chimérique de l'épouser ? À présent que ses desseins sont anéantis, il sent un cafard noir l'envahir. Le jour, trop occupé à des séances d'instruction militaire ou épuisé par les exercices d'entraînement, il ne trouve même pas la force de lui passer un coup de fil, là-bas, à l'autre bout du pays. Il est amorphe, incapable de rassembler les forces qu'il lui reste pour aller faire deux heures de queue devant la cabine téléphonique, à attendre que les autres GI la libèrent.

Heureusement, l'écriture lui sert de dérivatif puissant à l'heure où les grands magazines commencent à publier ses nouvelles. Elle lui permet en outre de prendre un peu de distance par rapport à cette blessure d'amour-propre. Peut-être même que la dérision le soulage, comme dans *Soft-Boiled Sergeant*[3] : une histoire de soldats, de mitraille, de larmes versées pour seules funérailles.

1. Lettre à Elizabeth Murray du 20 juillet 1943, HRC.
2. Lettre à Whit Burnett de juillet 1943, HRC.
3. « Un sergent pas très dur à cuire ». Nouvelle parue dans le *Saturday Evening Post* du 15 avril 1944. Notre traduction.

Avec, au passage, un clin d'œil vengeur à ses peines de cœur présentes.

«T'as déjà vu Charlie Chaplin?» demande Burke, un sergent d'encadrement de vingt-cinq ou vingt-six ans. «J'en ai entendu parler. C'est un gars qu'est dans le cinoche[1]», lui rétorque le narrateur, Philly Burns, engagé dans l'armée à seize ans. Sauf que sur le registre militaire, il a été marqué dix-huit ans. Comme le gamin n'en menait pas large, Burke l'a pris en sympathie. Il lui a prêté son lot de médailles militaires enveloppées dans un mouchoir, puis il l'a emmené au restaurant et au cinéma voir un film de Charlot. Burke est sorti avant la fin. «"Qu'est-ce qu'il y a, monsieur Burke? C'est que t'aimes pas Charlie Chaplin?" l'interroge Philly, une fois la séance achevée, alors qu'il en a eu mal aux côtes d'avoir trop ri. "Il est OK, réplique Burke. Simplement j'aime pas ces petits mecs pas drôles toujours poursuivis par des mecs balèzes. Ils n'arrivent jamais à dégoter de fille, le genre. Et à les garder, le genre[2]."»

Le «mec balèze», en l'occurrence, s'appelle Chaplin. Il avait réussi à lui ravir Oona, ne lui laissant plus, dès lors, que pour maigre consolation l'alcool où noyer son chagrin, qu'il lui arrivait de consommer quand le moral était au plus bas.

Sa liaison avec Oona a été éphémère. Sur le coup, elle n'a donné lieu à aucun commentaire. Il faudra que le succès littéraire rattrape Salinger pour que commères et compères, amateurs de cancans, s'en emparent. En premier lieu, Truman Capote, le mémorialiste de la chronique mondaine à la dent acérée. Un jour, à La Côte basque, un restaurant de grand standing à New York, situé

1. Notre traduction.
2. Notre traduction.

à quelques encablures de l'hôtel Saint Regis, il surprend, attablées à papoter, Carole, ex-Saroyan, et Gloria Vanderbilt, les amies d'Oona, vieillissantes et toutes deux remariées pour la énième fois. Le dialogue s'engage.

« Oona aurait fait une épouse merveilleuse pour n'importe quel homme, observe Gloria Vanderbilt.

— Ridicule. Avec Oona, seuls les génies peuvent s'aligner. Avant de rencontrer Charlie, elle voulait épouser Orson Welles... et elle n'avait pas dix-sept ans. C'est Orson qui l'a présentée à Charlie ; il lui a dit : "Je connais exactement le type qu'il te faut. Il est riche. C'est un génie, et il n'aime rien autant que servir de père à une fille jeune et obéissante." »

Et Carole Saroyan d'enchaîner : « Tu te souviens de l'histoire avec Salinger ? »

Gloria Vanderbilt réfléchit, fit la moue ; non, elle ne se souvenait pas.

« À l'époque nous habitions encore Brearley, dit Carole. Avant qu'Oona ait fait la connaissance d'Orson. Elle avait alors un mystérieux petit ami, tu sais, ce jeune juif avec une mère très Park Avenue, Jerry Salinger. Il rêvait de devenir écrivain et envoyait à Oona des lettres de dix pages pendant qu'il faisait son service de l'autre côté de l'océan. De vraies dissertations amoureuses. Très tendres. Plus tendres que Dieu lui-même. Donc trop tendres. Oona avait coutume de me les lire, et le jour où elle m'a demandé ce que j'en pensais, je lui ai dit que ce devait être un garçon qui pleurait très facilement. En fait, ce qu'elle voulait savoir, c'était si je le croyais brillant et doué, ou simplement ridicule. Les deux, lui répondis-je, les deux à la fois ! Et des années plus tard, quand j'ai lu *L'Attrape-cœurs* et réalisé que l'auteur en était le Jerry d'Oona, cela n'a fait que renforcer mon opinion.

— Je n'ai jamais entendu raconter d'histoire étrange à propos de Salinger, avoua Gloria Vanderbilt.

— Pour ma part, je n'ai jamais entendu à son sujet que des histoires étranges. Une chose certaine, c'est qu'il n'a rien, mais rien du jeune juif classique de Park Avenue. »

Truman Capote rapporte cette scène dans *Prières exaucées.* Greffier fidèle de propos de tables et autres conversations de salons, il affirme qu'il n'a « rien inventé[1] ». Mais il est permis de ne pas le croire sur parole.

Salinger en a vu d'autres et il connaît l'âme des gens, leur vantardise, leurs faiblesses, leur bêtise, et pour certains leur bon cœur. À l'égard d'Oona, pauvre petite fille riche qu'il a aimée, il n'éprouve pas de ressentiment. Il a pour elle de la compréhension et de la tendresse. La reprise en 1957 sur les scènes de théâtre des pièces d'Eugene O'Neill, mort quatre ans plus tôt, lui fait « vraiment chaud au cœur[2] ».

Replongeant dans ses souvenirs, il se remémore une lettre d'Oona, « drôle et super-enfantine », qu'elle lui avait envoyée après avoir vu, pour la première fois, la pièce de son père *Ah, solitude*[3] ! Elle maudissait la terre entière de crainte qu'elle ne soit pas bonne. Ou que le père de quelque demoiselle de Brearley, le collège huppé de New York pour jeunes filles de bonne famille qu'elle avait fréquenté, insinue d'autorité qu'elle ne l'était pas. Salinger rapportera à nouveau l'anecdote, deux ans plus tard, à un autre interlocuteur, à peu près dans les mêmes termes. Le manque de confiance d'Oona dans cette pièce le touchait. Il aurait voulu qu'elle acquière la certitude que le cœur « bon et brave » de son père battait pour elle, qu'enfin elle trouve la tranquillité.

1. Truman Capote, *Prières exaucées*, traduit de l'anglais (États-Unis) par Marie-Odile Fortier-Masek, Paris, Grasset, 1988.
2. Lettre à Elizabeth Murray du 6 juillet 1957, HRC.
3. *Ah, Wilderness!* Littéralement, « Ah, le désert ! ». Pièce d'Eugene O'Neill de 1933.

« Mon bonjour à Agnes, si tant est qu'elle se souvienne de moi », soulignait-il. Qu'elle transmette à Oona « mes affectueuses salutations[1] » quand elle lui écrira.

Deux ans plus tard, en 1959, la mère d'Oona, Agnes (Boulton)-O'Neill, ayant publié un recueil de souvenirs sur les deux premières années de son mariage avec le dramaturge, « Fragment d'une longue histoire[2] », Salinger redoute le grand déballage. Le livre qu'il survole stratégiquement est si laborieux que le lire en intégralité nécessiterait un courage qui lui fait défaut. Les passages susceptibles de l'intéresser lui suffisent. Plutôt que d'en blâmer l'auteur, il préfère lui accorder les circonstances atténuantes.

« Page après page, note-t-il, elle se contente plus ou moins d'observer plus ou moins la même chose, ce qui n'est guère de sa faute, étant donné qu'elle continue de vider bouteilles sur bouteilles. Mais ça ne rend pas sa vie d'épouse ayant porté sa croix, plus légère le moins du monde. » Salinger a de la peine pour elle, beaucoup. Pas tant à cause de l'alcoolisme qui la détruit, qu'en raison de son incapacité à trouver, durant toutes ces années, un endroit où « poser son ego[3] » alors qu'elle en aurait grand besoin. Il la sent très humaine. Comme du reste le père d'Oona, un homme sombre, mais tendre et très bon également.

Cette année-là au cours de l'été, coïncidence, Salinger reçoit une lettre au *New Yorker* d'un « drôle de coco[4] » disant travailler à un article sur Oona Chaplin pour le mensuel féminin *Redbook*, destiné à un public de jeunes adultes. L'ensemble doit être illustré de photos d'elle

1. Lettre à Elizabeth Murray du 6 juillet 1957, HRC.
2. Notre traduction. Titre original : *Part of a Long Story*, publié en 1958.
3. Lettre à Elizabeth Murray du 26 janvier 1959, HRC.
4. Lettre à Elizabeth Murray du 15 juillet 1959, HRC.

bébé, en petites chaussures blanches, etc., Agnes fournissant le matériau. C'est par Elizabeth Murray, certifie le journaliste, qu'il a appris que Salinger a connu Oona adolescente. L'écrivain ne tint pas immédiatement rigueur à sa vieille et fidèle amie de cette présumée indiscrétion tant le scénario de cette fable sonnait creux, mais leurs rapports perdirent en intensité. En conclusion de son courrier, le journaliste priait l'écrivain d'être assez aimable de lui adresser « rapidement » quelques notes sur les souvenirs qu'il avait gardés de sa dulcinée. Inutile de dire qu'il s'abstint de donner suite.

Oona était-elle ou non favorable à ce genre de confession vérité prisée par Agnes ? Salinger ne l'a jamais su, mais il pouvait aisément imaginer qu'elle ne l'était pas. « Et si elle l'est, elle ne devrait pas[1]. » *Redbook* parut. Des pages entières étaient consacrées à l'histoire d'Oona derrière le titre de une : « La vie de ma fille avec Charlie Chaplin[2] ». De quoi attiser la défiance et la colère froide de Salinger à l'encontre d'Agnes : « Quelle commère pathétique et stupide elle doit être[3] ! »

Par Elizabeth Murray qui était dans la confidence du voisinage, il savait aussi qu'Agnes, en mal de reconnaissance et afin de monnayer les secrets de famille, cherchait à placer un ou deux manuscrits. « Fais l'impossible pour l'en débarrasser, et puis déchire-les en petits morceaux », lui suggéra Salinger, qu'un tel commerce attristait. Lui-même ne souhaitait qu'une chose : qu'Oona soit dans les meilleurs termes avec sa mère, dont il disait à peine se souvenir. « Je suis sûr qu'elle se souvient encore moins de moi », assurait-il, se considérant simplement « comme un ami de passage de la famille[4] ».

1. *Ibid.*
2. « My Daughter's Life with Charlie Chaplin », *Redbook*, septembre 1959.
3. Lettre à Elizabeth Murray du 6 août 1959, HRC.
4. Lettre à Elizabeth Murray du 26 janvier 1959, HRC.

13

Sous les drapeaux

Retour à la vie civile à la mi-juillet 1942, le temps d'un week-end de permission. Il aurait bien voulu voir Whit Burnett, mais celui-ci n'était pas en ville. Il s'était mis au vert pour travailler. Afin de le tenir informé de ce qui se trame dans les milieux littéraires, Salinger peut compter sur sa mère qui lui garde les coupures de presse. Elle lui en avait envoyé une consacrée au directeur de *Story*, qu'elle avait découpée dans les pages culture du *Times* et annotée en marge de ces mots : « Ne s'agit-il pas de ton M. Burnett ? » L'article se référait à une anthologie de nouvelles parue sous le titre *This is my Best*[1] qu'il préparait d'arrache-pied et qui parut quelque temps plus tard. Sans un texte de Salinger qui, incapable de sélectionner sa nouvelle « préférée », lui avait justifié son refus sans autre forme d'explication qu'un lapidaire « Désolé, Whit, mais il n'y a guère de nouveau pour toi. À part ça, amicales salutations[2] ».

À l'école des officiers de Fort Monmouth où il est stationné, Salinger voudrait monter en grade. Il en a assez d'être, jour après jour, astreint à des tâches répétitives. Il veut changer d'air, grimper les échelons. La recherche

1. « Celles-ci sont mes préférées ». Notre traduction.
2. Propos rapportés par Whit Burnett dans sa préface de *This is my Best* (Cleveland, The World Publishing Co., 1942).

d'une nouvelle affectation lui paraît salutaire. Pour parvenir à ses fins, il sollicite des lettres de recommandation de personnes au-dessus de tout soupçon, à même de lui servir de caution morale, indiscutable. Une fois de plus, le premier vers lequel il se tourne n'est autre que Whit Burnett, son ancien professeur à l'université Columbia. Ayant été prié de libeller son attestation « à qui de droit », ce dernier témoigne que « Jerry Salinger est une personne intelligente », qui a « de l'imagination » et qui est « capable d'entreprendre une action rapide et décisive ». « C'est un individu responsable », ajoute-t-il, le jugeant à même d'être « un excellent officier », un rang auquel il peut prétendre « pour peu qu'il persévère dans cette voie[1] ».

Le colonel Milton G. Baker, fondateur de Valley Forge, avait, pour sa part, répondu presque un mois plus tôt sans tarir d'éloges. Dans l'attestation qu'il lui a envoyée, il affirme qu'ayant eu le privilège d'observer le « simple soldat Salinger » dans l'exercice de ses devoirs de septembre 1934 à juin 1936, il se dit convaincu que l'ancien cadet « présente tous les traits de caractère requis pour faire un soldat de grande valeur de l'armée américaine ». « Le simple soldat Salinger, insiste-t-il, a une personnalité très attachante, l'esprit vif et des capacités sportives supérieures à la moyenne. Appliqué dans son travail, il est fiable et loyal sur toute la ligne. »

Le directeur de l'académie militaire recommande donc « très vivement » que la demande d'affectation dans l'armée de l'impétrant soit prise « en sérieuse considération ». De ce point de vue, ce serait, pense-t-il, un « véritable honneur pour son pays[2] ».

1. Archives *Story*, BFP.

2. Lettre de Milton G. Baker, le directeur de l'académie militaire de Valley Forge, du 5 juin 1942, archives *Story*, *op. cit.*

Message transmis cinq sur cinq aux autorités militaires. Une fois ses classes terminées, Salinger s'attendait à quitter le corps armé des transmissions pour l'école des élèves officiers. Mais sa condition physique ayant été jugée insuffisante, il a été recalé. Après un bref cantonnement sur l'île des Gouverneurs située à la pointe de Manhattan, dans la baie de New York, il a repassé les examens qu'il a finalement réussis. Le feu vert est donné à son transfert à l'École d'aviation des élèves officiers de l'armée de l'air (Army Aviation Cadets) à Bainbridge en Géorgie. Il est prié de se tenir fin prêt pour le départ, sa mutation devant intervenir d'un jour à l'autre.

Intérieurement, Salinger savoure le fait qu'à l'avenir les autres « gus », comme il les appelle, du corps armé des transmissions auquel il appartenait jusque-là, seront tenus d'exécuter ses ordres. À présent que, dans l'armée de l'air, il a pris du grade, les rôles hiérarchiques s'en trouvent redistribués ; cela l'amuse quand il songe qu'il n'a jamais su faire grand-chose de ses dix doigts, pas même rafistoler ne serait-ce qu'un jouet. Le voilà à présent dans le Sud, pays cher à William Faulkner et à Erskine Caldwell qu'il verrait bien se livrer à un pique-nique littéraire dans les parages. Il fait chaud, la zone est marécageuse et le climat humide ne lui sied guère. Il préférerait de beaucoup mettre ses « bonbons[1] » au frais, un peu plus au nord.

Cette année-là, en 1942, un tournant radical s'opère dans l'œuvre de Salinger, qui permet de suivre, presque au jour le jour, les différentes étapes de son engagement militaire. La vie de caserne, la vaillance ou la peur ressentie sous l'uniforme vert olive, les aléas de la guerre et sa cohorte de malheurs, modulent une chronique dont il

1. « *Goodies* ». Lettre à Whit Burnett du 14 janvier 1944, archives *Story*, BFP.

est souvent l'acteur principal. Car, comme toujours chez lui, une part importante de son expérience personnelle se fond dans la fiction. À travers ses nouvelles, pour une grande part jamais traduites à l'étranger, on peut mesurer le traumatisme provoqué par le raid japonais meurtrier contre la flotte américaine dans le Pacifique et, une fois sur le front, comment il en a été affecté. Comme dans sa nouvelle *Personal Notes of an Infantryman*[1]. Bien entendu, à partir d'un fait donné, le romancier extrapole, invente des situations où, aux éléments biographiques, se mêlent des événements extérieurs, observés ici et là. Certains d'entre eux, purement imaginaires en apparence, ne sont, à y regarder de près, qu'une transposition habile des phases de sa propre existence.

À l'image du Petit Poucet de Charles Perrault qui balise son chemin de petits cailloux blancs, Salinger égrène des bribes de sa vie au fil de son œuvre, nouvelles et roman.

Après l'attaque sans sommation de la marine américaine par le Japon, son héros Lawlor veut s'engager dans l'armée. Il meurt d'envie de s'embarquer pour aller combattre de l'autre côté de l'Atlantique. Mais au moment de partir, son nom est retiré de la liste des aspirants, sur les instances réitérées d'une femme « à la voix la plus douce que je connaisse », s'émeut l'officier de recrutement. Mère de deux enfants déjà enrôlés, elle supplie qu'on accède à sa prière. Humilié par l'affront d'avoir été ainsi écarté, le soldat volontaire, qui se plaint du traitement discriminatoire que lui a infligé l'armée, se bat comme un diable pour se faire entendre. Il veut « de l'action ». Sa requête aboutit enfin. Lawlor se retrouve embarqué. L'officier de recrutement voudrait appeler

1. « Notes personnelles d'un fantassin ». Publiée dans le magazine *Collier's* du 12 décembre 1942. Non traduite.

cette femme qui plusieurs fois a téléphoné, pour lui annoncer ce départ et lui faire comprendre que ses interventions ont été vaines. Mais il n'en a pas le courage. Plusieurs jours s'écoulent avant qu'il ne décroche le combiné.

« Il ne trouve rien de particulier à lui dire », écrit Salinger, autrement, « cela aurait sonné faux ». Pourquoi ? Comment ? Par quel mystère son personnage s'enferme-t-il dans le mutisme ? L'écrivain ménage le suspense. La femme n'est autre que l'épouse de Lawlor et l'officier de recrutement le fils du couple.

Salinger n'est pas du genre à s'épancher et encore moins à divulguer ses procédés d'écriture.

Dans ses lettres, la crânerie le dispute à la désinvolture lorsqu'il conte avec pudeur ses revers. C'est là le résultat de la distance qu'il met entre lui et les événements auxquels il est confronté. Dans ses nouvelles, par un processus similaire, il instille une subtile tension dramatique avant de conclure, la plupart du temps, sur un coup de théâtre. Alors que dans la vraie vie, il n'a personnellement pas hésité à faire jouer ses relations pour rejoindre l'armée, son héros Lawlor se retrouve dans une position plus inconfortable et moins glorieuse pour un mâle, celle d'un homme qu'une femme veut empêcher d'aller à la guerre. Dans les deux cas, l'honneur est sauf, ils se retrouvent envoyés au front.

Salinger s'attendait, pour sa part, à rester cantonné dans son baraquement pendant des mois et des mois. Finalement, il a eu droit à une permission. Mais une fois à New York, le cœur n'y est pas. Il est submergé par un sentiment bizarre qui le laisse comme paralysé, une espèce de léthargie qui lui coupe bras et jambes. Il s'était promis, une fois encore, de rendre visite à Whit Burnett, qui aurait sûrement réitéré son souhait de le voir « mettre la main à un roman, s'il n'est pas trop occupé[1] », ainsi qu'il l'a écrit à son agent littéraire. Salinger a renoncé, trop déphasé par ce retour momentané à la vie civile. Il s'est soudain senti « trop GI », sa situation désormais, « pour faire quoi que ce soit[2] ». À part écouter de la musique en boucle, ces airs américains qui font les succès de l'époque, il n'a pu mettre à exécution le moindre de ses projets.

Il avait pourtant toutes les raisons objectives de se montrer : il venait de placer une nouvelle, *The Varioni Brothers*[3], au *Saturday Evening Post.* Mais, la parution se faisant attendre, il se sentait comme un homme soumis à l'épreuve des galères, qui, se croyant arrivé à bon port, n'accoste jamais. Entre-temps, l'hebdomadaire lui en avait pourtant acheté une autre d'une facture impeccable, intitulée *Rex Passard on the Planet Mars*[4], l'histoire d'un petit garçon, dont toute ressemblance avec *Le Petit Prince* d'Antoine de Saint-Exupéry serait hasardeuse.

Salinger l'avait soumise à l'approbation du *Post,* car en cas de rentrée régulière d'argent, il était décidé le plus sérieusement du monde à se marier. Cette perspective le séduit. Ce n'est pas la première fois qu'il y songe. Vivre seul lui a toujours répugné. Il n'est du reste pas farouche avec les jeunes filles. Elles cèdent volontiers à ses avances, mais sitôt qu'elles lui ont dit oui, il aspire le plus souvent à d'autres aventures, pouvant même, à l'occasion, prétexter un rendez-vous chez le dentiste ou ailleurs pour échapper à leur emprise. Il sait néanmoins déceler une profondeur insoupçonnée dans le regard d'une

1. Lettre à Harold Ober du 25 novembre 1942, archives *Story,* BFP.
2. Lettre à Elizabeth Murray non datée, expédiée de la base militaire de Bainbridge, HRC.
3. « Les frères Varioni ». Nouvelle parue dans le *Saturday Evening Post* du 17 juillet 1943. Non traduite.
4. « Rex Passard sur la planète Mars ». Non traduite.

allumeuse qui mériterait à peine qu'on s'y attarde ; du moins s'en targue-t-il.

En amour, Salinger affiche quelquefois un air désabusé, pour ne pas dire blasé, avant même que la romance ait été consommée. Convaincu que rien jamais ne sortira de rien, il évite de lutiner à droite et à gauche ainsi qu'il en a eu un temps le loisir. Il essaie de s'acheter une conduite, persuadé que s'il convolait en justes noces, cela lui éviterait de penser au mariage, cette « bonne vieille institution ». Bref, le problème s'en trouverait réglé, une fois pour toutes.

Oona n'a pas été sa première idylle. Avant elle, il a eu une liaison des plus sérieuses avec une étudiante. Issue d'une famille fortunée, l'élue était en dernière année au collège Finch, un établissement new-yorkais pour jeunes filles, réputé pour les former aux sports urbains – tennis, équitation, natation, danse –, ainsi qu'à la décoration intérieure et aux tâches ménagères, de quoi en faire des épouses dociles et maternantes. Une éducation qui a tout pour plaire à Salinger, pas taillé pour rester célibataire. À ce moment-là, déjà, un mariage lui aurait parfaitement convenu pour peu que, sur le plan affectif, les choses se stabilisent, qu'elles deviennent plus sûres. Le sort en avait décidé autrement, ce qu'il regrettait presque dans une confidence à Whit Burnett[1].

1. Lettre à Whit Burnett non datée, archives *Story*, BFP, envoyée de Bainbridge, Géorgie, dont le contenu permet de penser qu'elle a été écrite en juillet 1943, ou dans ces eaux-là.

14

L'écriture pour salut

Faute de voir l'horizon se dégager, Salinger n'a d'autre préoccupation que d'écrire. C'est même la seule et unique activité qui l'anime, à présent que l'armée lui offre un gisement inépuisable d'histoires et de situations romanesques. Il avait rédigé une nouvelle sur ce thème, mais il l'a déchirée, la trouvant trop appliquée dans la forme. Malgré une certaine unité de ton, cela sonnait faux.

Salinger appartient à ces écrivains incapables de se mettre à l'ouvrage s'ils ne se sentent pas dans un état d'absolu détachement par rapport à leurs personnages. Imperméable à tout sentimentalisme, émotivité, et autres mièvreries, il lui faut atteindre à la complète maîtrise de soi. Car pour lui, seule compte la sincérité, un paramètre indépassable de son existence, comme, plus tard, de celle de son alter ego de papier, Holden Caulfield.

Justement, Salinger a toujours en tête d'écrire un roman sur ce gamin de dix-sept ans. Seulement voilà, il a encore le sang trop bouillant. Le préalable pour s'y mettre : avoir la tête froide, une condition *sine qua non* pour ne pas tomber dans le pathos, ni les effets racoleurs. Un impératif absolu. Aussi longtemps qu'il ne sera pas parvenu à ce stade de totale « distanciation », ce parfait degré intérieur de glace qu'il recherche, y compris pour les passages les plus émotionnellement forts ou les plus chaleureux, il sait qu'il lui sera impossible de s'atteler à cette fiction qu'il porte en lui depuis qu'il a dix-sept ans. Mais, patience, ça vient, Salinger sent que ça vient.

À la base de Bainbrige, les recrues ont accès à une bibliothèque. « Bonne, solide, puante[1] », au vu des ouvrages alignés dans les rayons. Elle regorge d'une quantité de livres de romanciers populaires en vogue, parmi lesquels Sax Rohmer, l'auteur des aventures de Fu-Manchu le maléfique, l'incarnation du « péril jaune » selon les préjugés racistes de l'époque à l'encontre des Chinois. Il y a aussi du Lloyd C. Douglas, un orfèvre dans l'art de mettre en scène avec un prosélytisme exacerbé le message chrétien à travers des récits contemporains du Christ. Ancien pasteur aumônier reconverti dans les lettres, il a connu un succès phénoménal avec *Le Secret magnifique*[2], du *Ben Hur* avant l'heure. Dans les années 1930, ces deux auteurs se vendaient l'un et l'autre à des millions d'exemplaires.

Que Salinger goûte peu ce genre de littérature est un euphémisme, mais il se délecte à la lecture des annotations griffonnées sur les pages de garde par certains lecteurs, car elles sont une illustration aussi édifiante qu'effarante des petitesses de ses congénères. La collection provient de dons faits à la base militaire, autant par générosité patriotique que pour l'édification des simples soldats.

À ses heures perdues, Salinger s'attendrit ; les souvenirs de la vie civile remontent à la surface, les beaux après-midi ensoleillés passés auprès de son amie Elizabeth Murray et de sa mère à Manasquan, les heures

1. Lettre à Whit Burnett, non datée, envoyée de Bainbridge, archives *Story*, BFP.
2. *Magnificent Obsession*, 1929.

tranquilles à l'université où il n'était pas des plus assidus, la fréquentation des jeunes filles. Une vague de mélancolie alors le submerge mais il ne perd pas de vue sa plus noble ambition, à savoir, réussir, par le truchement des magazines, à vendre quelque chose – une nouvelle, un scénario – à Hollywood. Une photo le montre le jour de Noël 1942, dans l'après-midi, disputant un match de basket avec des copains soldats. Ils étaient venus vers lui : « T'veux jouer ? – Oui », avait-il répondu à sa grande surprise, n'ayant jamais été un sportif émérite. Au collège, il s'était très peu distingué dans ces disciplines. Et voilà comment, à la caserne, il s'était trouvé embarqué à disputer une partie.

Déjà un an déjà que Salinger a revêtu l'uniforme. « Je suis sergent, Madame Murray, *pas* un simple soldat[1] », écrit-il, fiérot, à son amie Elizabeth. Encore quelques jours et il sera chargé de l'encadrement. Des responsabilités vont lui incomber. Le 5 juin 1943, nouvelle affectation. Il se retrouve à la tête d'un escadron d'élèves officiers basé à Nashville dans le Tennessee, avec le rang de sergent d'encadrement (*staff sergeant*). Il fait semblant de jouer les durs, un rôle de composition qui le fatigue. Il en a marre, marre de ne pouvoir dire tout haut ce qu'il pense tout bas, marre de se plier à des exercices fastidieux dont il ne voit pas le bout. Qui plus est, il est tenu de rédiger quotidiennement un rapport matinal pour ses supérieurs, avant huit heures. La mise en route est difficile. Les premiers temps, il n'a pas une seule fois été en mesure de rendre un travail impeccable. Soit il est en retard, soit il omet de consigner certaines informations dans ses fiches. En outre, il est incapable d'aligner une colonne de chiffres sans commettre d'erreur. Tout ce

1. Lettre à Elizabeth Murray du 24 mars 1943, HRC.

qu'il produit tend au joyeux bazar, ce dont cependant on ne lui tiendra pas rigueur.

La tête ailleurs, Salinger s'évade dans des travaux d'écriture, des récits de nouvelles, un tas d'histoires qui au fil des jours deviennent sa raison de vivre. Bien qu'il ait toujours l'air à part, ses camarades de régiment ne lui en font pas grief. Son humour pince-sans-rire les réjouit et, bien qu'il se montre distant, comme il est plutôt de bonne compagnie, c'est l'image d'un garçon tranquille et intelligent qui l'emporte. Être ainsi catalogué ne le trouble pas outre mesure, si ce n'est qu'en son for intérieur, il s'impatiente. Et face à ceux qui l'accusent d'être caustique, il se défend d'avoir une telle disposition d'esprit.

À l'armée, d'ailleurs, il s'abstient de toute plaisanterie aux dépens de tel ou tel, que ses compagnons d'armes ne comprendraient pas forcément. Si bien que les soirs de cafard, quand il ne trouve personne à qui parler, conscient de ne pas faire partie de leur monde, le sentiment d'en être réduit à un « abcès de pus[1] » l'étreint.

Sa solitude est, en ces instants certes passagers, abyssale. Alors, du fond de la caserne, il compte les jours dans l'attente d'une permission propice à se changer les idées. Trois jours lui ayant été accordés, il a fait une virée à Dyersburg, une petite ville du Tennessee, à l'invitation de deux anciens camarades de la base de Bainbridge, eux aussi en congé. Ensemble, ils ont joué au golf, ils ont bu à en voir des étoiles et ils ont dansé. Les jeunes filles n'étaient pas farouches. Tout le monde a été rudement gentil, ils s'en sont donné à cœur joie. Salinger était déchaîné. Jamais en peine d'une plaisanterie, il s'est même vanté d'avoir parlé aux gens des cuisines, ce qui ne lui était pas arrivé depuis l'école, une époque bénie

1. Archives *Story*, BFP.

où il chahutait avec les copains de dortoir. Un trait de caractère qui au fond dénote un sentiment de supériorité maîtrisé.

Après cette parenthèse récréative et le répit salutaire qu'elle lui a procuré, le retour au casernement n'en a été que plus rude. Il aurait voulu hurler comme le poète « le cœur me fend » et surtout se libérer des corvées qui intérieurement le minent. En ces instants de fureur contenue, sa consolation le conduit toujours à se dire qu'après tout il a le temps d'écrire. Pour Whit Burnett, bien sûr, jamais absent de ses pensées. Et pour les autres « caïds » du milieu de l'édition, qu'il brocarde sans ménagement. Les rédacteurs en chef des journaux commencent à le prendre au sérieux. Ils ont manifesté de l'intérêt pour ce qu'il écrit, certains même avec un réel empressement, flatteur pour son ego. Dans le lot, il y a le très prestigieux *Saturday Evening Post* – on l'a vu – et, suprême reconnaissance, le *New Yorker*. Enfin ! Merci grand Dieu, serait-il tenté de dire. Salinger se sent courtisé. Son orgueil démesuré reprend le dessus. Il se jure d'écrire aussi simplement et naturellement que possible, tout en étant persuadé que pas un de ces grands journaux et magazines ne sait *vraiment* ce qu'est une nouvelle.

Sa méthode d'écriture est originale. Il a l'habitude de travailler sur au moins quatre histoires en même temps. La première achevée est la première à être envoyée pour publication. Le système a fait ses preuves. Il lui évite de rester des heures à se triturer les méninges devant la feuille blanche ou à réécrire indéfiniment une phrase. Il faut que ça vienne d'un jet, le premier de préférence étant le bon. Justement, le *Post* lui en a pris une, *The Varioni Brothers*, une variation sur la créativité artistique et les affres qui l'accompagnent, le succès qu'on peut en tirer, l'argent que ça peut rapporter, le tout présenté comme au music-hall.

En l'absence d'un chroniqueur attitré pour cause de vacances, un remplaçant de service avoue, en préambule de la nouvelle, que si comme Aladin, un bon génie lui proposait d'exaucer un vœu, il demanderait d'abord que Hitler, Mussolini et Hirohito soient jetés dans une cage de bonne taille pour être déposés illico sur le seuil de la Maison-Blanche. Salinger a fait un rêve... Allez, trêve de billevesées, « où est Sonny Varioni ? », le héros d'une des « plus tragiques » histoires inachevées de ce siècle.

L'ambiance est celle des années 1920 dans le Chicago du crime. Night-clubs, figures de la pègre, musique jazzy, le décor est planté. Joe Varioni, un écrivain de génie, le frère de l'autre, a été revolverisé par méprise, au cours d'une soirée à tout casser organisée en leur honneur – on visait Sonny (surnom donné au fiston Jerome par ses parents). Ça fait déjà dix-sept ans que le meurtre a eu lieu. Peu importe qui l'a tué. Salinger ne fait pas dans le polar.

Sarah, celle qui l'a aimé sans doute et s'est remise en couple depuis, se souvient de ce qu'a été la vie d'artiste, le diable qu'on tire par la queue, l'ascension inespérée, la reconnaissance, les triomphes. Elle raconte aussi Sonny, le pianiste aux doigts d'or, beau gosse, charmeur, truqueur, toujours l'air de s'ennuyer, et surtout l'ombre de lui-même depuis la mort de son frère. Joueur de poker décavé, il avait un contrat sur la tête pour avoir refusé d'acquitter une dette. Son frère en a malencontreusement payé le prix fort, une disparition vécue comme une véritable amputation. Sonny composait la musique, Joe écrivait les paroles. Le duo était rodé et leur répertoire dans toutes les têtes. Sonny a pris la tangente, le temps de se faire oublier. Et puis, hasard du destin, il a retrouvé dans un coffre le manuscrit d'un roman inachevé de son frère Joe. Il veut à présent lui donner forme, car en lisant les papiers épars, il a, pour la première fois depuis longtemps, pu *entendre* à nouveau la musique.

Alfred Hitchcock, le maître du suspense cinématographique, prenait un malin plaisir à faire une apparition subreptice dans ses films, ne serait-ce qu'en ombre chinoise ; Salinger ne procède pas différemment. Joe Varioni lui ressemble. Quand, d'un geste coutumier, il passe ses longs doigts effilés dans ses cheveux noirs, et qu'« affreusement conscient de son talent », sa seule obsession avouée se résume à écrire un roman, on croit le voir, on croit l'entendre. *Last but not least*, d'après le fatras de notes, il est question « d'enfants sortant de l'école », un thème qui lui est on ne peut plus cher. « J'ai pensé que ça ne valait pas un clou, lâche Sonny Varioni en parcourant les notes laissées par son frère défunt. Il ne se passe rien. » Cette absence de spectaculaire dans le récit porte en germe le défi intime de Salinger et de *L'Attrape-cœurs*.

Ayant depuis plusieurs mois déjà la confection d'un roman à l'esprit, il voudrait s'y mettre mais n'y parvient pas, faute de pouvoir se consacrer plusieurs nuits d'affilée à l'écriture. Les inconvénients s'accumulent à le rendre physiquement malade. Il souffre d'arthrite. Le martyre est tel que depuis quelque temps déjà, il en est réduit à écrire des histoires plus courtes, de celles qui ne lui demandent aucun effort tellement il connaît – déjà – les ficelles du métier, et dont le succès lui paraît garanti. Salinger peut bien ne douter de rien, surtout pas de lui-même, il n'est le plus souvent pas au mieux de sa forme. Sa santé est source de misères. Il s'est fait arracher deux dents, et deux autres sont appelées à subir le même sort. Par les temps qui courent, une permission à New York serait bienvenue ; elle lui permettrait de rendre visite à

Whit Burnett et de lui parler de vive voix de son roman, pas une somme à la *Moby Dick*. Herman Melville, l'auteur de ce classique, est d'ailleurs absent des centres d'intérêt littéraires de Salinger. Ses (p)références vont à Francis Scott Fitzgerald, Ernest Hemingway et, de manière beaucoup plus fluctuante depuis sa liaison avortée avec Oona O'Neill, au nouvelliste et dramaturge William Saroyan.

Salinger voit son futur grand œuvre sous forme de *novella*, un roman ramassé, très court, adaptable au cinéma. Whit Burnett ayant empoché un pactole avec la vente à la société de production hollywoodienne Fox d'une nouvelle de Herbert Clyde Lewis, *Two-Faced Quilligan*[1], une comédie parue dans *Story*, il ambitionne d'aller sur les brisées de cet auteur. Il compte même sur les judicieux conseils de son ancien professeur pour en définir le mode de traitement. Le sujet du scénario ne l'inquiète pas trop. Il lui viendra tout seul. Les idées ne manquent pas. Au reste, pourquoi n'écrirait-il pas un livre susceptible de plaire qui raconterait l'histoire d'une fille après la guerre ou quelque chose dans le genre ? Elle trouvera preneur et facilement, il en est persuadé.

L'écho rencontré par *The Long Debut of Lois Taggett* l'avait conforté dans cette opinion. Après la parution de cette nouvelle, Houghton Mifflin Harcourt, l'une des plus anciennes maisons d'édition de Boston, l'avait approché. Son représentant lui avait mis le marché en main, avec les formes cela va sans dire, afin qu'il postule à une demande de bourse réservée aux jeunes écrivains, auprès de sa fondation. En contrepartie, il n'aurait qu'à accoucher d'un roman qu'il publierait. Une simple formalité, et le tour était joué. Salinger avait refusé, au motif qu'il ne mangeait pas de ce pain-là. Jamais il n'aliénerait

1. « Quilligan, l'homme aux deux visages ». Nouvelle parue dans le numéro de *Story* de janvier-février 1943, puis adaptée au cinéma en 1945 par Frank Tuttle sous le titre *Don Juan Quilligan*.

sa liberté, et à aucun prix. Une idée fixe. D'où son envie impérieuse de céder coûte que coûte les droits d'une nouvelle à un producteur de cinéma. Au prix fort, pour bien faire. D'un coup, d'un seul alors, il serait tiré d'affaire. Mais se sentait-il seulement capable, ne serait-ce qu'une fraction de seconde, d'inventer des personnages idiots et des dialogues habiles et sonnant faux pour satisfaire à l'univers impitoyable et mercantile de la Metro Goldwyn Mayer ?

Il en caressait le projet, sans trop y croire. Pourtant, l'argent que cela rapporterait... À coup sûr, cela lui garantirait une formidable indépendance. Pendant quoi... un an ? En tout cas le temps suffisant pour aligner plusieurs textes sans avoir à se soucier de les commercialiser. Un film l'avait emballé, *Casablanca*, du réalisateur Michael Curtiz avec Humphrey Bogart et Ingrid Bergman. Salinger avait aimé le jeu de Bogart, « un gars très chouette[1] ». Et aussi beaucoup les accords de piano aux accents noirs, sans parler de *As Time Goes By*, la chanson originale du film que joue Sam, personnage interprété par Dooley Wilson. Un air des plus langoureux qu'en danseur émérite, Salinger avait apprécié. Sorti sur les écrans en 1942, ce long-métrage lui avait donné des idées.

Réaliser un coup pareil au cinéma le mettrait assurément à l'abri du besoin. La guerre finie, il pourrait ainsi se consacrer à l'écriture. Oui, qu'on lui fiche la paix, enfin ! C'était là son désir le plus cher, que partagerait bientôt Holden Caulfield. En attendant, il lui fallait redescendre sur terre.

Salinger venait de terminer une nouvelle, assez longue et rondement menée à la première personne, sur les péripéties d'un auteur de sketches pour la radio.

1. Lettre à Elizabeth Murray du 24 mars 1943, HRC.

Les protagonistes traversent les situations les plus pendables et les plus effroyables, mais c'est pour rire. Une publication dans *Collier's*, et tout portait à croire que le cinéma le courtiserait. Sûr de son affaire et jamais en peine d'une bravade, il se refuse toutefois à vendre la peau de l'ours avant de l'avoir tué. Car il a été échaudé. Il avait envisagé d'écrire une nouvelle habilement troussée sur une jolie fille pour la vendre au *Post*, il n'a finalement pas pu en venir à bout. Il s'est fait une raison, et cultivant le paradoxe avec un humour désabusé, sa marque de fabrique, il en arrive à penser qu'il est impossible d'écrire une histoire décente sur une fille pour un magazine populaire, à moins, bien évidemment, d'être un écrivain ne connaissant absolument rien aux filles. En cela, il s'inscrit dans la droite lignée railleuse du Figaro de Beaumarchais, selon laquelle « il n'est pas nécessaire de tenir les choses pour en raisonner ».

15

Services secrets

Quand ses intérêts sont en jeu, Salinger, l'esprit acéré, sait faire montre d'une dose appréciable de pragmatisme. Sa demande d'admission à l'école des élèves officiers de Nashville ayant été acceptée à l'été 1943, il attend d'être convoqué à un rendez-vous à l'école d'administration des forces de l'armée de l'air[1]. Sachant que le quota de personnes admises a été drastiquement réduit, et que ses chances d'intégrer les prochaines classes lui paraissent très minces, sinon nulles, il sollicite une nouvelle fois un coup de pouce du directeur de Valley Forge, Milton G. Baker. Dans une lettre, il lui dit combien l'importuner lui répugne, mais qu'il a un besoin urgent de son aide ou, à tout le moins, de ses conseils. Conscient du désagrément qu'il risque de lui occasionner, il présume qu'il n'est certainement pas le seul des anciens cadets à oser ce genre de démarche.

Ces précautions d'usage formulées, Salinger lui demande sans détour s'il n'aurait pas « par hasard[2] » un contact au centre de formation des pilotes de la base militaire de Maxwell Field, situé à Montgomery, en Alabama, ou s'il ne connaîtrait pas tout simplement un

1. Air Forces Administration School.
2. Lettre à Milton G. Baker du 2 juin 1943, archives *Story*, BFP.

officier de l'armée de l'air, en mesure d'appuyer sa candidature. En cas de réponse négative, il souhaite s'en remettre à sa bienveillance afin qu'il lui suggère quelle action efficace entreprendre, Salinger étant particulièrement avide d'obtenir un brevet d'officier. Non pas qu'il se plaigne du traitement qu'on lui a infligé depuis treize mois qu'il est sous les drapeaux, non, il trouve même qu'il a plutôt eu de la chance d'avoir le loisir d'écrire lorsqu'il avait quartier libre. Il a pu achever plusieurs nouvelles dont *The Varioni Brothers* qu'il l'invite à lire lorsqu'elle paraîtra dans le *Post* le mois suivant. S'il se fonde sur les confidences de son agent, il a bon espoir qu'elle sera adaptée au cinéma. Au passage, politesse de circonstance ou sincère nostalgie, Salinger regrette le « bon vieux temps » de l'académie militaire et de ses années de formation comme cadet. Pas seulement parce que alors « on se sentait en sécurité[1] », mais aussi pour la joie qui régnait à Valley Forge.

Pendant ce temps, l'armée a examiné avec une attention scrupuleuse le cas du sergent-chef Salinger. Les services du renseignement militaire américain ont, dans la plus grande discrétion, diligenté une enquête à son sujet. Sans qu'il en soit personnellement informé par les autorités militaires. Aucun pan de son existence n'a été négligé. Sûreté de l'État oblige.

Sa vie a été passée au crible des investigations. Son éditeur, Whit Burnett, a même été mis à contribution. Les agents du renseignement l'ont interrogé sur l'« appréciation[2] », le « caractère », l'« intégrité » et la « loyauté » de

1. Lettre des services du renseignement militaire américain à Milton G. Baker du 2 juin 1943, archives *Story*, BFP.

2. Lettre des mêmes services à Whit Burnett du 15 juillet 1943, archives *Story*, BFP.

son ancien étudiant à l'université Columbia, à l'égard des États-Unis et de ses « institutions ».

Les questions étaient sans ambages et d'une naïveté confondante. « Avez-vous des informations selon lesquelles il serait membre d'une de ces organisations qui prônent le renversement du gouvernement dans sa forme constitutionnelle et y a-t-il des raisons de s'interroger sur sa loyauté à l'égard des États-Unis ? » insistait l'officier James H. Gardner dans son courrier. Ce dernier ajoutait sur un ton impératif qu'« attendu que cet emploi fait matériellement partie du programme de défense nationale, une réponse confidentielle, franche, sincère et honnête dans l'expression [était] attendue sur le sujet ». Pour finir, l'officier du renseignement assurait à Whit Burnett que son témoignage serait entouré de « la plus stricte confidentialité », de sorte que « la réputation de cette personne[1] », en l'occurrence Salinger, n'aurait pas à en pâtir.

Whit Burnett était trop intime de son « cher Jerry » pour lui cacher quoi que ce soit de l'initiative des services secrets du ministère de la Guerre. « Je leur ai donc fourni les travaux demandés[2] », lui écrit-il laconiquement. Et s'excusant de n'être qu'un piètre correspondant, il affirme, alors que le monde est en guerre, avoir peu de choses à raconter sur sa propre existence réduite à une « sacrée routine ».

Le 14 juillet 1943, Salinger était affecté au 85e escadron du dépôt d'approvisionnement de la base militaire de Patterson Fields, à Fairfield dans l'Ohio en tant que sergent d'encadrement. Il y passerait le reste de l'été 1943, et même un petit peu plus. À son arrivée sur place,

1. *Ibid.*
2. Lettre de Whit Burnett à Salinger du 27 juillet 1943, archives *Story*, BFP.

des membres du régiment se sont montrés impressionnés de voir qu'il écrivait dans le *Saturday Evening Post.* Ce dont il n'est pas peu fier. Est-ce la raison pour laquelle il sera bientôt bombardé au service des relations publiques, une situation susceptible de le satisfaire ? « Ça me plairait pour changer[1] », avait-il confié peu avant. Son biographe, Ian Hamilton, se rit de cette promotion. « Il n'avait rien trouvé de mieux qu'un travail de deuxième ordre dans les relations publiques[2] », persifle-t-il.

Salinger, de toute façon, en avait assez les derniers temps de superviser – et ce, bien que depuis peu – un groupe de soldats qui s'entraînaient à creuser des tranchées. En cas de grosses difficultés, il leur prêtait main-forte et passait ses journées, les épaules courbées, à leur crier dessus pour essayer de leur faire comprendre les éventuels dangers qu'ils pourraient rencontrer sur le théâtre d'opérations. Être à l'air libre était, cependant, appréciable, sauf qu'il lui était impossible de trouver une machine à écrire sur ces chemins de terre boueux. Une situation dantesque. De sorte que chaque fois qu'il le pouvait, il se réfugiait dans un des hôtels de Dayton pour écrire. Toutes les demi-heures, afin d'avoir du courant, il se devait de glisser une pièce dans un boîtier électrique.

Le foyer militaire national faisait la fierté de la ville. C'était son centre d'attraction. Chaque année, les visiteurs se pressaient par milliers pour admirer ses parterres fleuris, les hautes serres du jardin botanique, le lac et les terrains arborés, peuplés d'oiseaux et d'écureuils.

Une mission de coordination auprès du commandement du service de l'armée de l'air aurait dû amener Salinger à voyager, quatre jours à New York, deux jours à Washington. Une expédition était même prévue au

1. Lettre à Elizabeth Murray du 20 juillet 1943, HRC.
2. Ian Hamilton, *À la recherche de J.D. Salinger, op. cit.*

Canada avec un photographe du magazine *Life* afin de couvrir un mouvement de protestation contre l'unité militaire dont il était le représentant officiel. Lui-même, dépêché là-bas pour le compte de l'hebdomadaire *Collier's*, se voyait déjà dans un froid polaire et la nuit sous une tente guère plus grande qu'une niche à chien, mais au final le déplacement ne se fit pas.

À New York, Salinger profita d'une de ses escapades pour aller applaudir *Oklahoma*, une comédie musicale de Rodgers et Hammerstein, la dernière en date des increvables duettistes des beaux soirs de Broadway. Un spectacle d'un optimisme enchanteur, aux couplets exaltant les vertes prairies, l'amour rose bonbon, des mariages heureux, la joie de vivre, et un profond sentiment d'appartenance à la nation. Au théâtre Saint-James où il fut créé le 31 mars 1943, le public lui réserva un accueil extraordinaire. Salinger en ressortit enthousiaste. Il se reconnaissait dans cet hymne vibrant à l'Amérique joyeuse, sûre d'elle-même, invincible, idéale, et immémoriale. Pleine de bons sentiments aussi. La façon originale et novatrice de ses auteurs de mêler dans un même ensemble les chœurs, les ballets et le western fit l'effet d'une petite révolution au théâtre. La forme lui inspira quelques réserves, infimes au demeurant. Il avait aimé la musique, plus encore les ballets, et par-dessus tout, les ballerines, les meilleures qu'il ait jamais vues dans un show musical. Certes l'ingénue de service manquait de la beauté éclatante qu'on aurait pu attendre du personnage, la mise en scène péchait par un excès de sophistication, certains des principaux acteurs apparaissaient surfaits, mais la grâce des danseuses touchait à la perfection ; de quoi le ravir et l'inciter à recommander aux camarades d'y aller.

Salinger est soldat et pendant ce temps-là, ses parents regrettent, sans lui en faire le reproche direct, qu'il ne se montre pas un épistolier plus assidu. Heureusement, ils ont eu de ses nouvelles par son ami anglais Donald Hartog, lieutenant du deuxième bataillon du Kings Royal Rifle Corps engagé dans les forces britanniques au Moyen-Orient où il a combattu à la bataille d'El-Alamein. Ce dernier leur a écrit pour leur dire qu'il avait reçu un mot de son vieux copain avec qui il avait hanté les dancings de Vienne à l'hiver 1937-1938. Il leur a, au passage, demandé comment il pouvait se procurer les journaux ayant publié les textes de Jerry. Là où il était, ils étaient introuvables.

Dans sa réponse, Sol Salinger déplore être dans l'impossibilité de les lui envoyer. « Particulièrement heureux d'apprendre que Jerry [lui] a donné des nouvelles », écrit-il, il y voit un « signe qu'il ne [l']a pas oublié[1] ». Le père de l'écrivain poursuit : « Tu sais, il n'est pas très à l'aise avec la correspondance privée. » Une manière affectueuse d'excuser son fils, tout en se portant garant de ses sentiments « très profonds et très chaleureux » pour ce « cher Don ». Sol Salinger de noter enfin : « La guerre prend plutôt une bonne tournure en ce moment. On a vraiment l'air d'être sur la bonne voie et on attend avec impatience d'autres bonnes nouvelles[2]. »

Sa perception des événements s'appuie sur ce qu'en rapportent journaux et radios, dans un contexte de patriotisme exacerbé. L'information est contrôlée, protection des intérêts stratégiques et nationaux obligent. Quant à la correspondance que Salinger expédie en ces mois d'entraînement et de formation militaire, elle est systématiquement soumise à la censure. Les lettres qu'il

1. Lettre de Sol Salinger à Donald Hartog du 29 juillet 1943, Salinger Letters, UEA.

2. *Ibid.* Notre traduction.

enverra au moment du débarquement en Normandie et durant la campagne de France le seront avec plus de rigueur encore.

Chaque fois qu'il en a l'occasion, Salinger savoure les intermèdes new-yorkais et les retrouvailles avec ses parents dans l'appartement de Park Avenue. Pour autant, il n'en a pas fini avec les services de renseignement d'une curiosité intrusive toujours plus grande quand il s'agit de passer au peigne fin les antécédents des futures recrues. Sollicité en tant que témoin de moralité, Whit Burnett a mis douze jours à répondre. Sa lettre est libellée à l'intention du capitaine Frank Collins Jr, chef de service à la direction de la protection de l'usine d'aviation[1], à Fairfield, Ohio. C'est succinct et sans fioritures. Il atteste qu'il connaît M. Salinger « depuis deux ou trois ans », et précise qu'il l'a eu dans sa classe à l'université Columbia en 1940. « Il me paraît être une personne directe, intègre et dotée d'un bon caractère, et je n'ai aucune raison de douter de sa loyauté envers les États-Unis. Je l'ai publié en tant qu'auteur et connu en tant qu'ami[2] », certifie le directeur de la revue *Story*.

Pour cerner au plus près le profil du soldat Salinger, aucune piste n'est négligée. Le 18 août 1943, des agents du FBI se présentent à la McBurney School, l'école élémentaire qu'il avait fréquentée enfant, à New York. Ils demandent à consulter son dossier scolaire archivé afin de s'assurer qu'il offre toutes les facultés nécessaires pour être recruté dans les services de renseignement militaire, un domaine stratégique ultrasensible.

1. Air Plant Protection Branch.
2. Archives *Story*, BFP.

Les résultats des investigations se révèlent concluants, puisqu'en octobre de la même année, il est envoyé à Fort Holabird dans le Maryland, pour un stage de formation d'agent spécial, d'une durée d'environ six semaines. Sa connaissance du français et de l'allemand a joué en sa faveur. Outre ces compétences linguistiques, Salinger présente les qualités de sérieux requises pour servir à l'étranger.

Son admission dans les services de renseignement a coïncidé avec leur réorganisation complète, l'effort de guerre exigeant d'eux une plus grande efficacité. Jusque-là, ses agents traitaient des affaires intérieures, une mission désormais dévolue à la police militaire. Quant aux membres du contre-espionnage, ils se voyaient confier les opérations de surveillance à l'étranger. Salinger a été recruté dans le cadre de cette nouvelle configuration, au même titre que huit cents autres agents secrets américains.

Prochaine étape au programme pour ces novices : le départ probable vers l'Angleterre et une formation à des « missions de renseignement sur le terrain ». Au pays de Sa Gracieuse Majesté, des unités combattantes spéciales les attendaient et à terme le *théâtre d'opérations.*

16

L'obsession de l'œuvre littéraire

À l'automne 1943, Salinger n'en est pas encore là. Au-delà de la formation qu'il reçoit à Fort Holabird, l'incertitude sur son sort est totale. Combien de temps encore va-t-il s'écouler avant que l'horizon se dégage et qu'il sache quel poste avancé lui sera réservé ? Il ignore pareillement quel régiment il devra rejoindre. La maîtrise du calendrier militaire lui échappe, et les intentions de l'état-major étant impénétrables, il ne peut que s'en remettre à la providence.

À l'aube de la nouvelle année, une seule chose apparaît assurée : 1944 s'annonce, sur le front, décisive. Les États-Unis sont en guerre et si Salinger ignore où et quand sa prochaine affectation le conduira très précisément, il sait que, de manière inéluctable, il sera missionné de l'autre côté de l'Atlantique. L'imminence du départ ne fait d'ailleurs plus de doute pour personne.

Dans l'intervalle, il a profité d'une permission, une de celles qu'il a mises en scène avec un art consommé de la dramaturgie dans *Once a Week Won't Kill You*[1], un petit

1. « Une fois par semaine, ça ne te tuera pas ». Nouvelle parue dans *Story* de novembre-décembre 1944. Non traduite.

bijou, limpide et ciselé, d'une effroyable sobriété. En voici la trame.

Un matin à l'aube, un jeune homme, prénommé Richard, boucle son paquetage sous le regard inquiet de son épouse Virginie, occupée à bayer aux corneilles et présentée sous les traits d'une gentille idiote. Tirant sur sa cigarette, il lui suggère de mettre la radio, afin de rendre les silences moins pesants. C'est un ancien poste à lampes qui doit chauffer avant de produire un son. On est en mars 1944, l'ambiance est lourde, plombée. Coutumière des cuirs, elle espère pour lui qu'il sera dans la cavalerie qu'elle prononce « calvaire ». « Tout le monde est dans l'infanterie, aujourd'hui », lui rétorque-t-il. Une semaine plus tôt, ils avaient rencontré fortuitement un colonel dans un bar. Elle déplore qu'il ne l'ait pas appelé car, croit-elle, il aurait sûrement pu le pistonner dans les services de renseignement. « Après tout, dit Virginie, tu parles français et *allemand*. Il t'aurait certainement permis de décrocher *au moins* un *brevet d'officier*. Je veux dire... tu sais combien tu vas te sentir *malheureux* de n'être qu'un simple soldat ou quelque chose dans ce goût-là[1]. » La réplique fait écho aux tractations entreprises quelque temps plus tôt par Salinger pour rejoindre le corps d'armée.

Avant de partir, Richard monte à l'étage afin de prendre congé de sa tante Rena. Incidemment, le lecteur apprend que c'est elle qui l'a élevé après la disparition par noyade de ses parents et que veuve de la Grande Guerre, elle n'a, depuis lors, plus vraiment toute sa tête. Profitant de l'échange, elle esquisse un portrait incisif de son père, dont tout laisse penser qu'il reflète le caractère de Sol Salinger. « Ton père ne pouvait jamais rester tranquillement assis dans une pièce, comme un être humain

1. Notre traduction.

normal, si ta mère n'y était pas. Quand quelqu'un lui parlait, il opinait juste stupidement de la tête, gardant ses petits yeux bizarres rivés sur la porte qu'elle avait empruntée. C'était un petit homme étrange, plutôt grossier. Il n'avait d'intérêt pour rien d'autre que gagner de l'argent et scruter les moindres faits et gestes de ta mère[1]. »

Jeune et belle encore, Rena attendait ces adieux, bien que dans son esprit, troublé par les guerres, règne une certaine confusion ; la réalité des saisons et des gens se confond, elle ne sait plus très bien où elle en est. Alors que Richard allait s'arracher à elle, elle lui glisse un pli. Il est rédigé à l'intention d'un lieutenant dont elle affirme avoir fait la connaissance et duquel elle sollicite la bienveillance pour son neveu. Elle se trompe d'époque, mais elle n'en a pas conscience. À l'heure des « au revoir », pas d'effusion, des mots simples pour dire la séparation, le départ vers l'inconnu et peut-être un aller sans retour. Le soldat redescend. En bas de l'escalier, sans un mot, de rage autant que d'humiliation, il déchire la lettre de recommandation. Courageux patriote, mais pas tête brûlée, il refuse tout favoritisme au risque de passer pour un embusqué.

L'année 1943 tire à sa fin, Salinger est dans l'expectative la plus absolue quant à son avenir militaire... Rien alors ne le détourne de son œuvre littéraire. C'est même sa principale préoccupation. Mourir à la guerre est une hypothèse qui ne semble pas l'effleurer et s'il y songe, il n'en dit mot à quiconque, affaire de pudeur. L'embarquement pour l'Europe peut approcher ; il n'oublie pas le fameux roman qu'en toute occasion et sur tous les tons Whit Burnett le presse de lui donner. S'il n'est « pas trop occupé », lui écrit un jour le directeur de

1. Notre traduction.

Story. Si les « choses s'aplanissent » et qu'il trouve le temps d'« avancer » sur son « projet de livre au long cours[1] », espère-t-il un autre. Ils ont eu l'occasion d'en parler ensemble de vive voix à plusieurs reprises. Salinger y pense à présent sans relâche, il est sûr et certain qu'il l'écrira, pourvu qu'il trouve la tranquillité d'esprit qui lui est indispensable et une dose adéquate de solitude ; sans quoi il lui sera impossible d'abattre la besogne.

Au pire, il le sait, il pourra toujours produire un scénario bien ficelé et honnête, un travail de professionnel impeccable, quelque chose dans la veine de deux des piliers du *New Yorker*, Clarence Day et Sally Benson[2], qui feuilletonnent, d'un numéro à l'autre du magazine, pour le plus grand plaisir des lecteurs. Le premier excelle dans le récit d'histoires de familles américaines, drôles, bon enfant et sans drame ; la seconde dans des aventures mélancolico-nostalgiques avec à la clé un happy end, *Le Chant du Missouri*, son best-seller, en étant le prototype. Ceci, pense Salinger, au pire...

En revanche, s'il mène son projet à bien comme il en a le dessein, c'est-à-dire comme il pense pouvoir le faire, il est convaincu de sortir un roman inouï dont le héros principal sera un adolescent. Il sait qu'il lui faut juste se ménager le temps suffisant de s'y astreindre et atteindre à cet état de concentration surhumain que ne requiert pas forcément la nouvelle, un genre qu'il connaît sur le bout des doigts et qui serait, pour lui, la solution de facilité. Bien sûr, un échec est toujours possible. Un roman présenté sous forme d'une série de nouvelles : il ne fait,

1. Lettres de Whit Burnett du 6 octobre et du 8 novembre 1943, archives *Story*, BFP.

2. Sally Benson (1897-1972). Scénariste américaine, auteur du célèbre *Meet Me in Saint Louis – Le Chant du Missouri* – publié en feuilleton dans le *New Yorker* de juin 1941 à mai 1942. Vincente Minnelli en a tiré une comédie musicale avec Judy Garland (1944).

selon lui, pas de doute que le succès serait assuré, c'est pourquoi Salinger veut courir le risque d'un changement de forme. D'autant que le héros qui occupe ses pensées lui est devenu si familier, il le connaît tellement bien, qu'il veut, plus que jamais, raconter sa vie, étant persuadé qu'il mérite qu'un roman, même court, lui soit consacré. Après avoir longuement hésité, Salinger a pris sa résolution, ce sera bel et bien un roman, et non une suite de nouvelles qu'un même personnage relierait entre elles. Il réserve ce traitement littéraire aux futures aventures des membres de la famille Glass – Franny, Zooey et Seymour, l'aîné de la fratrie de sept enfants.

Salinger sait pouvoir compter sur l'approbation de Whit Burnett, celui-ci l'ayant maintes fois encouragé à emprunter cette voie. En attendant, sans se laisser détourner de son objectif, il écrit encore et toujours des nouvelles. Les deux dernières en date témoignent d'un changement de registre notable. Il renonce à certaines facilités narratives, s'abstenant par exemple de dépeindre un ivrogne ou une scène de beuverie, des sujets à même de plaire au public.

La première, intitulée *Elaine*, est, croit-il, la meilleure étude, relativement longue – vingt et une pages – qu'il ait consacrée à une fille. Il en est si fier qu'il « donnerait son cul[1] » pour la vendre au *Post* car ce serait, dit-il, la première nouvelle décente imprimée dans l'hebdomadaire depuis la publication de *Babylon Revisited*[2] de Francis Scott Fitzgerald. Il devra déchanter. Ni le *Post*, ni *Harper's* n'en voudront. C'est finalement Whit Burnett qui la publiera dans *Story*[3] et il s'en dira « très heureux[4] »,

1. Archives *Story*, BFP.
2. *Retour à Babylone.*
3. Nouvelle parue dans *Story* de mars-avril 1945. Non traduite.
4. Lettre à Whit Burnett du 28 juin 1944, archives *Story*, BFP.

vraiment. Parce que ce n'était pas une nouvelle sur la guerre dont les journaux, désireux de complaire à l'air du temps, étaient friands. Tout le contraire.

Orpheline de père, Elaine, seize ans, est dans la plénitude de sa beauté, le « commencement de la fin », cingle le narrateur. Bien que légèrement attardée sur le plan scolaire, elle a fini par décrocher son diplôme. Elle vit avec sa mère ultra-possessive et sa grand-mère toujours dépassée par les événements, sous la coupe de leur propriétaire, un vieux bouc salace. Des gens de peu à la vie routinière. Elaine rit à tout bout de champ de choses qui ne sont pas drôles. Pas futée mais l'objet de toutes les convoitises, elle est sur le point de se marier. Le jour des noces, la mère, dingue de cinéma et au comportement erratique, provoque un esclandre. Pour une broutille, elle frappe la belle-mère de sa fille en plein visage. Un désaccord concernant la virilité d'un acteur populaire quelconque les a opposées. Un prétexte futile qui éclate dans une ambiance lourde de menaces finement suggérées.

Pour la seconde, *Last Day of the Last Furlough*[1], pas mal non plus, estime Salinger, son jugement est toutefois mitigé. Son écriture n'est plus la même. Dans les deux cas, des progrès appréciables ont été réalisés. Il ne saurait trop dire au juste lesquels, mais il est convaincu de s'être, une fois pour toutes, débarrassé de certains artifices. C'est pour lui l'essentiel, outre qu'il est résolu à écrire un roman, un vrai. Dedans, il le sait déjà, il ne sera question ni de vie soldatesque, ni de casernement, ni de faits d'armes. Ce sera un de ces bons livres solides, exigeants du point de vue du style, et dont les traits d'esprit faciles seront proscrits. Enfin si c'est publiable, Whit Burnett peut en être sûr, il en aura la primeur.

1. « Dernier jour de la dernière permission ». Notre traduction.

17

Embarquement pour l'Europe

Salinger a fait son paquetage, enfilé l'uniforme et lacé ses godillots. Dans le barda, il a glissé l'imperméable de rigueur, un caleçon de rechange, un cache-nez, des pansements, une gourde, une boîte de rations de combat, une torche, une brosse à dents, un nécessaire de rasage complet incluant un paquet de lames de rasoir Gillette, un pot de mousse à raser et une boîte de talc pour apaiser le feu du rasoir. L'inventaire aurait été incomplet sans une crème antimoustiques, les cigarettes et le masque à gaz. Deux précautions valant mieux qu'une, l'état-major a voulu prévenir l'utilisation éventuelle de gaz toxiques, dont les agents chimiques provoquèrent la mort lente et inexorable de centaines de milliers de soldats dans d'atroces souffrances, durant la Grande Guerre. Salinger y a ajouté du papier à lettres, des livres et sa machine à écrire portative de marque Royal. Le départ est plus que jamais pour bientôt, pressent-il. Dans une lettre du 14 janvier 1944[1], il s'attend à être embarqué pour la traversée de l'Atlantique, de façon imminente. N'ayant pas reçu d'informations précises quant à sa destination finale, l'Angleterre lui paraît la plus vraisemblable.

1. Lettre à Whit Burnett du 14 janvier 1944, archives *Story*, BFP.

Curieusement, il n'éprouve pas d'angoisse particulière à la perspective de participer à ce déploiement de force militaire sans précédent, beaucoup moins en tout cas que ce qu'il aurait pu s'imaginer. Ou serait-ce une crainte inavouée qui, en ces heures d'incertitude, le rend euphorique à la moindre attention qui lui est témoignée ? Il était à court de crayons de papier, or justement Edith Kean, l'ancienne assistante de Whit Burnett qu'elle a quitté pour un autre éditeur, lui en a envoyé. Salinger, aux anges, exulte littéralement devant cette touchante marque de sympathie qui l'arrache au sentiment d'abandon dont il est parfois saisi. Serait-il enclin à se laisser gagner par le blues, qu'il lui resterait toujours en dernier ressort l'écriture, un viatique autant qu'une heureuse diversion à l'heure du départ, tant elle l'accapare.

Sur le plan littéraire, les nouvelles sont des plus stimulantes. Le *Saturday Evening Post* lui a acheté trois textes dont *Last Day of the Last Furlough*[1], une histoire confondante du point de vue autobiographique dont le principal protagoniste, le sergent John F. Gladwaller, porte le matricule 32325200, le même que celui attribué à Salinger pendant la guerre. Alors qu'en ce « dernier jour de la dernière permission », comme l'indique le titre en anglais, il reçoit la visite de son compagnon d'armes Vincent Caulfield que sa mère appelle « Corfield », John lui demande « comment était New York ? ».

1. « Dernier jour de la dernière permission ». Nouvelle parue dans le *Saturday Evening Post* du 15 juillet 1944. Les deux autres, *Both Parties Concerned* (« Les deux parties concernées ») et *Soft-Boiled Sergeant* (« Un sergent pas très dur à cuire ») l'ont été respectivement les 26 février 1944 et 15 avril 1944. La deuxième avait pour titre original *Death of a Dogface* (« Mort d'une gueule cassée »). Le *Post* le changea, ce qui provoqua la colère de Salinger et accrut sa défiance envers les éditeurs. Aucune de ces nouvelles n'a fait l'objet de traduction.

« Pas bien sergent, répond Vincent. Mon frère Holden est porté disparu. La lettre est arrivée pendant que j'étais à la maison. »

C'est dit comme ça, sans grandiloquence, d'une voix blanche et neutre à glacer d'effroi. L'apparition furtive d'Holden, dont il ne sera plus fait mention dans le reste du texte, témoigne de l'obsession de Salinger pour son futur héros romanesque. Il est de neuf ans plus jeune que Vincent qui en a vingt-neuf, nous dit-il, c'est là le seul indice sur le personnage. Dans cette nouvelle, l'écrivain focalise son attention sur John Gladwaller et l'engagement militaire de ce dernier. «Je crois en cette guerre, assène le soldat. Si je n'y croyais pas, je serais allé dans un camp d'objecteurs de conscience où je me serais planqué le temps des hostilités. Je suis résolu à tuer les nazis, les fascistes et les Japs car il n'y a, que je sache, rien d'autre à faire. Et je crois, comme jamais avant je n'ai cru en quoi que ce soit d'autre, qu'il est du devoir moral de tous les hommes qui ont combattu et qui vont combattre dans cette guerre, de ne pas en parler une fois celle-ci terminée, de ne jamais en faire état d'aucune manière[1]. »

Salinger pourrait faire siennes les considérations de Gladwaller – son double en quelque sorte –, lui qui, sa vie durant, s'est rigoureusement abstenu de commenter ses faits d'armes, en public en tout cas. En privé, il en allait, semble-t-il, différemment, selon sa fille Margaret, qui rapporte que son père lui a « souvent » parlé de ce qui s'était passé avant son embarquement pour l'Angleterre et plus précisément du moment où il prit congé de ses parents. « Voulant éviter une séance d'adieux déchirants au port, il en avait interdit l'accès à sa mère. Il se dirigeait au pas vers le bateau avec son bataillon lorsqu'il l'aperçut. Elle suivait le défilé, en se dissimulant derrière

1. *Last Day of The Last Furlough.* Notre traduction.

des réverbères dans l'espoir de passer inaperçue[1] », rapporte-t-elle.

Dans *Last Day of the Last Furlough*, Salinger se fait les dents et, clin d'œil à son roman à venir, relate une scène dialoguée qui n'est autre que la préfiguration du tableau final de *L'Attrape-cœurs* entre Holden Caulfield et sa petite sœur Phoebé. Ce soir-là, John Gladwaller a du mal à trouver le sommeil. Il tourne, il vire, les pensées l'assaillent, il enfile sa robe de chambre, puis, assis sur le bord du lit, grille une cigarette, avant de se diriger vers la chambre de sa petite sœur Mattie, diminutif de Matilda, âgée de dix ans. Il lui murmure quelques mots sur l'enfance qui passe trop vite et l'innocence qui trop tôt disparaît. Lui ayant chaudement recommandé de tout faire pour la préserver, il s'apprête à quitter la chambre sur la pointe des pieds, quand la fillette l'interpelle :

« Babe.

— Chut.

— Tu vas aller à la guerre, lui dit-elle. Je t'ai vu. À un moment, je t'ai vu donner un coup de pied à Vincent sous la table. J'étais en train d'attacher son lacet quand je t'ai vu.

— Mattie, ne dit rien à notre mère.

— Babe, réplique-t-elle, prends garde à ne pas être blessé, prends garde à ne pas être blessé[2]. »

Des trois nouvelles achetées par le *Post*, aucune ne lui semble convenir à la ligne éditoriale du magazine, mais au fond, qu'importe, le rédacteur en chef du journal, Stuart Rose, les voulait, il les a eues. Salinger jubile de penser à la notoriété qui désormais se profile au vu des millions de lecteurs en passe de le lire. Diffusé d'est en

1. Margaret Salinger, *L'Attrape-rêves*, *op. cit.*
2. Notre traduction.

ouest des États-Unis, le *Post* affiche chaque semaine un tirage enviable de deux et demi à trois millions d'exemplaires, un rêve pour qui ambitionne d'être lu et... reconnu du grand public.

L'attente a été longue. Salinger a enfin reçu sa convocation. Il est affecté au 12e régiment de la quatrième division d'infanterie américaine, stationné à Fort Dix, dans le New Jersey. Il y avait été incorporé une première fois, deux ans plus tôt à peine, lorsque la mobilisation générale avait été décrétée. Il était temps que cessent le suspense et les exercices de formation. Tout cela n'avait que trop duré.

En ce début d'année 1944, le voici réquisitionné, un parmi des milliers de soldats prêts à voguer vers l'Europe. L'embarquement dura sept heures, pendant lesquelles des dames de la Croix-Rouge distribuèrent café, *donuts* et sucreries. Les trente-quatre vaisseaux, rassemblés dans le port de New York sous escorte d'unités de la Marine américaine et de la Royal Navy, formaient une véritable armada. Salinger était à bord du *George Washington*, un ancien paquebot de croisière de luxe, qui prit la mer le 18 janvier à 11 h 48 du matin. Le voyage se déroula sans incident. Les jours suivaient le même modèle : petit déjeuner, culture physique sur le pont à ciel ouvert, épreuves de navigation, inspection générale, rappel du règlement, quartier libre. « Au bout de trois jours de croisière, quand les soldats reçurent une brochure décrivant la vie en Angleterre, il était clair que telle était leur destination finale[1]. »

1. « Histoire du 12e régiment d'infanterie pendant la Seconde Guerre mondiale par le colonel Gerden F. Johnson », archives militaires américaines, College Park, près de Washington, première édition 1947.

À bord, le moral des troupes était d'un niveau « particulièrement élevé[1] », d'après l'état-major. « Tout le monde était excité, impatient de gagner les côtes d'Angleterre[2] », témoigne un survivant de l'épopée, Johnnie B. Newton. Solide comme un roc et pétri d'une discipline de fer qui retentit encore dans le « *Yes, Sir!* » martial et sonore précédant chacune de ses réponses, cet octogénaire a conservé le réflexe d'un homme rompu au garde-à-vous. La mémoire intacte sur ses faits d'armes et cette incroyable aventure, il se souvient des rumeurs et autres spéculations qui, dans les chambrées, parcouraient les rangs des GI. Les détails de l'expédition leur étaient inconnus mais il se murmurait qu'une invasion de la Normandie se préparait. Aucun soldat cependant ne savait alors ni où, ni comment, ni quand elle aurait lieu exactement.

---

1. « Rapport du 4 mars 1944 du premier lieutenant Paul V. Jones, Jr », archives militaires américaines, College Park.
2. Témoignage recueilli par l'auteur le 25 juillet 2008, complété par une lettre de septembre 2008.

18

La rude discipline militaire

La traversée de l'Atlantique a duré onze jours. C'est le 28 janvier 1944 à minuit que, dans les brumes d'une nuit pluvieuse secouée de coups de vent, Salinger aperçut indistinctement le port de Liverpool. La mer étant à marée basse, ce n'est que le lendemain à quatorze heures, qu'après l'accostage du *George Washington*, il put fouler le sol anglais. Une photo le montre en pleine lumière, regard droit, mâchoire serrée, visage glabre, déterminé sous le casque arborant le numéro 17 dans la file indienne des boys qui allaient être acheminés en train vers leurs garnisons respectives. Seize convois ferroviaires assurèrent le transport, via Londres et les environs. Il alla rejoindre son baraquement, expressément bâti pour héberger des troupes, à Tiverton, un petit village du comté du Devon, au sud-ouest de l'Angleterre.

Dans le camp militaire, dressé sur un plateau dominant la plaine, Salinger s'est tout de suite retrouvé astreint aux règles de la discipline. Elles lui sont familières et il ne s'en plaint pas. Pourtant, il en bave mais les premiers mois, il n'a guère le loisir de s'épancher dans une correspondance de plus en plus espacée. Ce n'est que le printemps revenu qu'il fera de brèves allusions aux épreuves traversées alors.

Levé chaque jour à cinq heures, il est soumis à des séances d'entraînement intensif et des manœuvres organisées sur les plages anglaises en vue du débarquement. Une sorte de répétition générale dans un cadre grandeur nature, quel que soit le temps. Les opérations consistent pour les membres des forces alliées à monter à l'assaut de fortifications côtières, à crapahuter dans les vagues, sur les plages de sable, identiques à celles qui les attendent de l'autre côté de la Manche. La projection de photographies détaillées des côtes françaises leur permet, en outre, d'étudier les points stratégiques où ils devront se risquer le jour J. Une expédition chaotique l'attend, il n'en est encore qu'aux prémices.

Salinger profite des permissions et des soirs de sortie pour descendre au village et se promener à travers la campagne anglaise. Deux soldats souvent l'accompagnent. Ensemble, ils feront équipe durant les mois qui vont suivre. Dans l'Europe réduite à un champ de bataille, ils ne se quitteront guère, que ce soit dans la phase de préparation militaire en Angleterre, lors du débarquement sur les plages d'Utah Beach, ou par la suite, pendant la campagne de libération de la France et jusqu'à la capitulation de Berlin.

Pour le premier de ses camarades, Joseph Kadellac, Salinger est une « sorte de loup solitaire[1] ». Quand une tête ne lui revient pas, il n'est pas du genre à dissimuler. Voilà de prime abord ce qui l'a frappé. Leurs relations seront loin d'être idylliques. Ils s'en tiendront à une relative neutralité. Entre eux, il n'y avait pas plus de sympathie que d'animosité, seulement une absence

1. Archives *Story*, BFP.

d'affinités. Leurs rapports ont été distants, et les éventuels désaccords susceptibles de les opposer, passés sous silence. S'ils se sont entendus, c'était par la force des choses. Ils ne jouaient d'ailleurs pas aux cartes ensemble, ni ne prenaient de verre en tête à tête.

Avec Jack Altaras, un garçon rencontré en mars 1944 à l'école de formation militaire de Matlock dans le Derbyshire, il en va autrement. Ils se plaisent au premier coup d'œil et deviennent des copains de régiment presque inséparables. Salinger lui rendra hommage après-guerre dans la nouvelle *Pour Esme, avec amour et abjection*[1], sous les traits du caporal Clay, le chauffeur de la Jeep qui l'a accompagné « depuis le début du jour J ».

Tous deux ont été formés aux missions de renseignement. Ils avaient pour tâche de détecter les espions en civil ayant infiltré les lignes de front alliées dans le but de communiquer leur position à l'état-major de l'armée allemande, ainsi que l'emplacement des pièces d'artillerie sur le champ de bataille. Une fois l'ennemi capturé, Salinger procédait aux interrogatoires, quand le prisonnier n'était pas expédié directement en Grande-Bretagne ou aux États-Unis. Côté allié, malheur à qui se faisait intercepter, les représailles pouvaient être terribles. Les risques courus étaient connus. Comme tous les agents des services de renseignement, Salinger avait reçu instruction du danger qui le guettait au cas où il tomberait dans les mains de l'occupant allemand. Il n'ignorait rien du mauvais traitement qui lui serait infligé pour le faire parler et l'issue fatale à laquelle il pouvait éventuellement conduire.

En contrepartie, il disposait d'une carte d'identité signée de la main du chef d'état-major des armées alliées, Dwight Eisenhower. Ce sauf-conduit, dont les autres soldats étaient privés, autorisait une très grande liberté

1. Parue dans le recueil intitulé *Nouvelles*, *op. cit.*

de mouvement. Jack Altaras était dans le même cas que lui. Dans le tandem qu'ils formaient, les rôles avaient dès le départ été clairement définis pour le temps que durerait la campagne militaire, et ils le restèrent jusqu'au bout. Jack Altaras conduisait la Jeep, tandis que Salinger, qui parlait le français et l'allemand très correctement, menait les interrogatoires.

Bien que n'étant pas à proprement parler un soldat dans l'âme – lui-même reconnaissait que la fibre militaire lui faisait défaut –, il avait sincèrement l'air d'aimer le « *job* » que l'armée lui avait confié. Toutefois, dans l'environnement qui alors est le sien, Salinger, fin lettré, détonne, en raison de la bonne éducation qu'il a reçue et du besoin manifeste qu'il éprouve de s'isoler pour se consacrer à ses activités littéraires. Il lit énormément et, à l'opposé de bon nombre de ses camarades dont certains lui demandent de mettre leurs lettres d'amour dans un bon anglais, il jure rarement. La richesse de son vocabulaire épate son copain Jack Altaras, admiratif de le voir faire référence à des personnages de la littérature classique et antique, ou encore de la mythologie. Et cela, sans cuistrerie.

Bien que n'ayant pas partagé avec Salinger le même degré d'intimité, ses deux compagnons d'armes s'accordent à dire que quelle que soit la situation, y compris sous le péril de la mitraille, l'ambition farouche de leur camarade était d'écrire, toujours et encore, et de proposer ses nouvelles aux magazines. « Rien ne le détournait de son métier d'écrivain », atteste Joseph Kadellac. Jack Altaras, lui, raconte qu'un jour que le régiment était sous le feu de l'ennemi, il était à l'abri sous une table, tapant à la machine. « Il voulait devenir un bon écrivain et il écrivait tout le temps[1] », témoigne-t-il.

1. Archives *Story*, BFP.

En Angleterre, lorsque ses obligations militaires lui laissent un moment de répit, Salinger se rend quelquefois à l'église du village. Jack Altaras atteste qu'un jour qu'ils assistaient à un service religieux dans un lieu de culte méthodiste, il le vit succomber au charme d'une chorale d'enfants. Un charme si puissant qu'il lui inspira une nouvelle en deux parties, reflétant chacune, abondamment, la vie de Salinger soldat à cette époque.

Pour Esmé, avec toute mon abjection peut se lire comme une histoire à clés. Elle permet de sonder, une fois de plus, les tréfonds de l'âme de l'écrivain en ces heures terribles et de constater que sous le poids des événements, il pouvait n'être plus qu'une sorte de zombi. Le narrateur, un GI anonyme mobilisé dans le sud du Royaume-Uni à la veille du jour J, occupe une position qui ressemble en tous points à celle de J.D. Salinger. D'ailleurs voilà ce qu'il écrit : « En avril 1944, je faisais partie d'une soixantaine de soldats américains qui suivaient, sous la direction de l'Intelligence Service, un entraînement de prédébarquement, dans le Devonshire, en Angleterre », relate-t-il sur un mode autobiographique. « Quand j'y repense maintenant, je me rends compte que nous étions, tous les soixante, d'un genre plutôt unique, en ce sens qu'il n'y en avait pas un seul parmi nous qui fût ce qu'on appelle un homme liant. [...], poursuit-il.

« L'entraînement dura trois semaines et se termina un samedi, un très pluvieux samedi. À sept heures, ce dernier soir, tout notre groupe devait s'embarquer pour Londres, où, d'après les bruits qui couraient, nous allions être affectés aux divisions d'infanterie aéroportées, mises sur pied pour le jour J. Vers trois heures de l'après-midi, j'avais emballé toutes mes affaires dans mon sac, y compris le container en toile de mon masque à gaz que j'avais rempli de livres apportés d'outre-Atlantique. »

Cette nouvelle est doublement instructive parce que le narrateur, derrière lequel pointe à chaque page la silhouette longiligne de Salinger, apparaît, en funambule des ténèbres, un homme sans visage, comme dissous par l'imminence du désastre. Dépourvu de relief, ce n'est déjà plus qu'une ombre fantomatique, dont le lecteur est incapable de deviner l'expression, non plus que les traits. En comparaison, Esmé, vive, curieuse, la langue bien pendue, a treize ans environ. Il l'avait repérée au milieu de la chorale. Dotée de la plus belle voix et du plus beau timbre, c'est elle qui entraînait la vingtaine de gosses chantant à ses côtés. Mais ce n'est qu'après l'office religieux qu'il fit sa connaissance, dans un salon de thé « pour civils ». Ils y étaient entrés par hasard.

La conversation s'engage. La fillette l'ayant questionné sur ses occupations antérieures à sa mobilisation, il concède qu'il est un auteur « pas très fécond ». « Je dis que je n'avais encore rien fait du tout, que je n'étais sorti de l'université que depuis un an, mais que j'aimais me considérer comme un auteur de nouvelles.

"Édité ?" relève Esmé.

Je me mis à expliquer que la plupart des éditeurs américains étaient une bande de... »

Salinger retient sa plume, mais il pourrait reprendre ces propos à son compte lui qui, assez vite, renoncera à toute publication pour précisément s'éviter le moindre commerce avec les éditeurs qu'il tient en piètre estime et dont la médiocrité et la corruption intrinsèques à la profession, croit-il dur comme fer, l'exaspèrent.

« Je serais extrêmement flattée si vous vouliez écrire, un jour, une histoire rien que pour moi », lui enjoint la fillette sur le ton déluré d'une héroïne de conte de fées.

Salinger n'est pas Nabokov et Esmé pas davantage Lolita ; au-delà du désir, quelque chose d'indéfinissable se noue entre eux, une fraîcheur adolescente, une grande innocence. C'est la partie, pour ainsi dire, « amoureuse » de la nouvelle, que concrétise le cadeau d'un bracelet-montre remis au GI en signe de talisman. Ici, pas de connotation sensuelle à proprement parler, et encore moins sexuelle.

Qu'ils soient filles ou garçons, les gosses qui traversent l'œuvre de Salinger ne sont que pureté et, dans leur rapport à la vie, ne pensent pas à mal. Ils se débattent dans les affres de l'adolescence avec la hantise d'aborder le monde des adultes.

La deuxième partie, dite la partie « abjecte », est d'une autre facture. La guerre vient de finir. Mais les souvenirs des champs de bataille, les visions d'horreur, la peur au ventre aussi qu'on ne nomme pas et qui vous saisit quelquefois à en devenir fou perdurent, aigus, douloureux, indélébiles. D'ailleurs, le GI anonyme devenu l'adjudant X en subit le contrecoup. Admis, à la fin des combats, à l'hôpital de Francfort-sur-le-Main pour une dépression nerveuse, il en sort à peine, incrédule, hagard, un spectre parmi les hommes.

Peu de temps après la capitulation de Berlin le 8 mai 1945, après avoir traversé l'enfer d'Utah Beach et plus encore celui des Ardennes où les deux tiers de son régiment périrent dans les combats, le blizzard et la froidure, Salinger, lui-même victime d'une psychose traumatique du soldat, fut hospitalisé pendant plusieurs semaines près de Nuremberg. Transposer les expériences de l'auteur et de son sujet, et réciproquement, s'apparente, de ce point de vue, à un jeu d'enfant.

19

La campagne de France

Salinger trouve le temps d'écrire, mais pas autant qu'il le voudrait. « Maintenant, je suis dans l'infanterie[1] », prévient-il. Se mettre à un roman lui paraît par conséquent difficile et à contretemps. Il n'en abandonne pas l'idée. Il a même déjà jeté quelques chapitres sur le papier. En venir à bout prendra du temps, sa seule certitude est que ce ne sera pas « verbeux[2] ». Il se plaint néanmoins de ne pas « décrocher[3] » le succès escompté.

En attendant, il a d'autres soucis en tête. Alors que les troupes alliées se préparaient au débarquement sur les côtes anglaises, il a pu mesurer les difficultés qu'il faudrait surmonter pour atteindre les côtes françaises. Un simulacre d'invasion avait été organisé sur les plages de Slapton Sands, dans le Devon, du 21 au 30 avril 1944 ; dix jours de prélude à l'opération Overlord en Normandie. S'étant déroulée dans les conditions du réel avec des tirs à balles tout aussi réelles, l'opération Tiger, selon son nom de code, mobilisa 29 000 hommes en uniforme. L'exercice impliquait la concentration et l'embarquement des troupes au sud de l'Angleterre, dans une zone comprise entre Torbay et Plymouth. Cela en vue d'une

1. Lettre à Whit Burnett du 22 avril 1944, archives *Story*, BFP.
2. *Ibid.*
3. Lettre à Whit Burnett du 2 mai 1944, archives *Story*, BFP.

« courte[1] » incursion en mer – un mouvement de la flotte sous contrôle de l'armée américaine. Et, le 27 avril à sept heures et demie du matin[2] précises, ainsi que l'attestent les archives militaires anglaises, le débarquement « à grande échelle » à Slapton Sands, avec le soutien des forces aéronavales.

Durant les trois derniers jours de ce déploiement militaire spectaculaire, un assaut armé devait favoriser l'avancée sur l'ennemi, un rôle endossé par une partie des soldats alliés. C'est sans anicroche que se déroulèrent les préparatifs, mais, selon un câble du bureau des transmissions du quartier général de la neuvième armée envoyé au chef d'état-major adjoint des opérations, la quatrième division d'infanterie à laquelle appartenait le régiment du soldat Salinger subit des avanies. À plusieurs reprises, les communications radio avec le *USS Bayfield*, le navire de guerre américain transformé en quartier général pour la planification du débarquement à Utah Beach, furent interrompues. Une mission de reconnaissance échoua elle aussi, en l'absence au sol d'une traînée d'une sorte de fumigène de couleur orange qui devait permettre de repérer la ligne de front des forces terrestres. Réalisée avec armes et bagages dans les conditions du jour J, la répétition générale tourna à la catastrophe. Au cours des derniers jours de manœuvres, des barges de débarquement furent coulées par un patrouilleur allemand en maraude ayant eu vent du plan des forces alliées. C'est ainsi que sept cent quarante-neuf soldats périrent dans la fleur de l'âge. Longtemps tenu secret, l'épisode, qui demeure un sujet tabou, ébranla Salinger. Sans s'appesantir, il le mentionne dans le corps d'une nouvelle.

1. Archives militaires nationales de Grande-Bretagne. Document AIR 51/307.
2. *Ibid.*

Dans « The children's echelon[1] », un texte jamais publié, écrit entre février et mai 1944, auquel il se réfère comme à un « journal total de guerre[2] », il exprime sa détestation de la guerre, à sa façon – dénuée de pathos et sur un mode ironique –, par le biais de son héroïne, Bernice. Celle-ci raconte, sous forme de journal intime, ses relations avec son petit ami Royce F. Dittenhauer, appelé sous les drapeaux, et comment la petite fête anniversaire qu'elle avait organisée pour ses dix-huit ans a tourné au fiasco. À cause de la guerre, le seul sujet de conversation de la soirée.

« Je suis dégoûtée de la guerre à un point..., se lamente-t-elle. Je veux dire que je suis vraiment désolée pour tous les boys qui n'ont pas d'autre choix que d'y aller et tout le reste, mince alors. Je souhaite sincèrement que c'en soit fini ou je ne sais quoi et les gens arrêteraient d'en parler et on pourrait à nouveau acheter quelque chose de très bien. On ne voit désormais plus guère de boys dans le bus de Madison Avenue. Certains d'entre eux, affublés d'une nouvelle coupe de cheveux, bizarre, et en manteau de polo, prenaient toujours un malin plaisir à se pencher au-dessus de nous dans le bus de Madison Avenue. À présent qu'ils sont tous partis, c'est tellement affreux[3]. »

Futile, dérisoire, et au fond terrible... Des spécimens de la même espèce que Bernice, l'écrivain en avait, disait-il, « vu beaucoup[4] ».

Salinger a vécu des moments « éprouvants[5] » les jours qui ont précédé le débarquement. Il le concède en

1. « L'échelon des enfants ».
2. « *Total war diary* ».
3. « The children's echelon ». Notre traduction.
4. Lettre à Whit Burnett du 2 mai 1944, archives *Story*, BFP.
5. Carte postale à Elizabeth Murray du 20 mai 1944, HRC.

filigrane à Elizabeth Murray. D'ailleurs, il aurait bien besoin d'un peu de réconfort. « Envoie-moi un petit mot, Eliz, s'il te plaît. Ça me fera plaisir[1]. » Un ton presque anodin, un cri du cœur en fait. Les temps sont durs, cependant il les trouve encore « supportables[2] ». Il y a eu la répétition générale de Slapton Sands, un désastre complet, puis enfin le jour J. Il y avait un moment déjà que les boys l'attendaient avec un sentiment de bravoure, de patriotisme et d'anxiété mêlés, auquel lui-même n'a pas échappé. Le jour se levait, en ce 6 juin 1944, quand les troupes alliées ont commencé à débarquer sur les plages de Normandie transformées en champ de mines ; le feu de l'ennemi était nourri. Des dizaines et des dizaines de milliers de soldats se sont lancés à l'assaut des cinq points névralgiques côtiers retenus par l'état-major. L'objectif du 12e régiment d'infanterie, celui de Salinger, incorporé au 7e corps d'armée commandé par le général de division J. Lawton Collins, était de prendre Utah Beach, le plus à l'ouest sur la carte, au bas de la péninsule du Cotentin. C'est vers 6 h 40 que, sa machine à écrire portable sous le bras, Salinger a sauté de la barge. La bataille fut moins meurtrière qu'à Omaha Beach, où les morts se dénombrèrent par milliers, mais ce fut loin d'être une promenade de santé. La voie aurait pourtant dû être dégagée, car dès avant l'aube les premiers bataillons du 8e régiment d'infanterie avaient, en éclaireurs, mis le pied à terre, en vue de faciliter l'acheminement de nouvelles troupes et du matériel blindé. Mais les bataillons du 22e régiment qui suivaient se heurtèrent dans leur progression à la riposte de l'armée allemande. Les engins, restés en rade, encombraient les chaussées, ralentissant d'autant le convoi. Des éléments

1. *Ibid.*
2. *Ibid.*

du régiment de Salinger en furent réduits à se frayer un passage dans ces zones marécageuses. L'eau ne dépassait pas la ceinture, mais le secteur étant truffé de fossés et de trous, l'avancée des GI s'en trouva singulièrement compliquée. Après avoir perdu des heures à patauger dans les marécages, le fusil à bout de bras, le couteau au côté, les fantassins du 12e régiment finirent par gagner Saint-Germain-de-Varreville, un petit village situé en remontant toujours plus à l'ouest en direction de Cherbourg. Là, faute d'avoir pu atteindre les objectifs initiaux, ils établirent un bivouac pour la nuit, la traversée des prairies humides ayant retardé la marche. L'assaut, cependant, fut un succès, les pertes de la 4e division d'infanterie s'étant révélées étonnamment faibles. Sur les cent quatre-vingt-dix-sept hommes disparus pendant la journée, il y en eut plus d'un tiers portés manquants en mer, une douzaine qui périrent par accident, et les autres au combat. Le 12e régiment d'infanterie que formaient 3100 soldats, fut, pour ainsi dire, le plus épargné. Cependant, si l'on recensa moins de morts dans ses rangs que dans d'autres, le traumatisme n'en fut pas moins rude. Ce n'était qu'un prélude. La guerre, bien réelle, s'était tout d'un coup concrétisée.

Au cœur de la bataille, au milieu des détonations et dans les décombres, à quoi pense « *a boy in France*[1] », envoyé au casse-pipe, pour reprendre le titre d'une de ses nouvelles ? Fort de son expérience, Salinger en donne un aperçu à travers son héros tapi dans un trou creusé dans le sol, à l'abri des balles ennemies. « Sous le ciel de Normandie immanquablement normal », il relit deux ou trois papiers emportés avec lui et une lettre de sa sœur.

1. *A Boy in France.* Nouvelle parue le 31 mars 1945 dans le *Saturday Evening Post.*

« Sous la couverture, dévoré par les fourmis rouges, blessé à un doigt dont il a perdu l'ongle, il imagine des heures plus tranquilles, plus paisibles[1]. » Une vie pépère, loin de la folie des hommes, une petite femme à ses côtés. Ses mains alors seront propres, son corps sera propre, il aura un gilet de flanelle et une culotte propres. Impayable Salinger, toujours prompt, dans l'adversité, à donner le change.

La guerre est une saloperie. Il ne le dit pas exactement ainsi, mais après avoir vu tout ce qu'il a vu de Cherbourg aux Ardennes, et pour finir dans l'Allemagne vaincue, il gardera à l'esprit le souvenir indélébile d'une *saleté* d'époque – un doux euphémisme. Qui, d'ailleurs, sauf à l'avoir vécu, pourrait comprendre ce que fut l'enfer de ces corps mutilés ou sans vie dont le spectre longtemps le hantera ? Sa fille Margaret devait avoir dans les sept ans quand, un jour qu'il observait des charpentiers, costauds, torse nu, travailler à l'extension de la maison familiale, elle l'entendit s'exclamer : « Tous ces grands gars baraqués, toujours en première ligne, toujours les premiers à tomber, vague après vague[2]. » Comme si une vision d'horreur l'avait soudain assailli. Après la guerre, Salinger a trouvé que, malgré le déluge d'effets spéciaux et les moyens fantastiques à disposition, les superproductions d'Hollywood ne sont pas parvenues à restituer avec fidélité les scènes d'apocalypse dont il avait réchappé, le cinéma étant par trop réducteur.

« Comme mon père, assure Frances Hartog, la fille de son vieil ami anglais Donald, il a été englouti par le cataclysme de la guerre, laquelle a eu sur eux, et pour des raisons différentes, un effet profond. Salinger a souffert d'une dépression nerveuse. Mon père, lui, ne parlait pas

1. Notre traduction.
2. Margaret Salinger, *L'Attrape-rêves*, *op. cit.*, p. 76.

de la guerre jusqu'à ce qu'il atteigne un âge avancé[1]. » La vieillesse venue, Salinger en aura des réminiscences dans sa retraite de Cornish.

En attendant, la campagne de France s'annonçait longue. Les armées alliées avançaient. Au prix de milliers de vies humaines et au nom de la liberté. Les GI avaient crapahuté dans les dunes de sable avant d'aborder la terre ferme. Cela après que des avions de reconnaissance avaient méthodiquement pilonné villes et villages dont Salinger égrenait les noms au fil de sa correspondance ou de ses nouvelles, c'est selon. « Tu te rappelles la fois qu'on filait vers Valognes, toi et moi, et qu'on est restés deux saletés d'heures à se faire canarder et que j'ai abattu cette saleté de chat qui avait sauté sur le capot de la Jeep, pendant qu'on était planqués dans un trou ? Tu te rappelles ? » Ainsi parle Clay, le héros de *Pour Esme, avec amour et abjection*, à l'adresse de X, l'autre protagoniste de la nouvelle – le double, à s'y méprendre, de Salinger.

À la suite d'une offensive d'envergure des troupes alliées, Valognes a été reprise à l'ennemi le mardi 20 juin 1944, une semaine après Carentan, mentionnée ailleurs par l'écrivain. Il régnait un silence de mort quand les premières patrouilles américaines entrèrent dans le petit Versailles normand, réduit à un champ de ruines. Meneaux, gargouilles et chapiteaux des vieux hôtels particuliers du gothique flamboyant et du XVIIIe siècle avaient servi à combler les énormes cratères provoqués par les bombes. Puis vint le tour de Cherbourg, que des pilonnages de bombardiers avaient laissée, elle aussi, éventrée. La ville tomba le 26 juin, une semaine plus tôt que prévu.

1. Entretien avec l'auteur, le 1er avril 2011.

Salinger avait la peur au ventre. C'est ce qu'il confie deux jours plus tard à Whit Burnett dans une lettre[1] visée par la censure militaire. Il ne lui dit pas exactement où il est, mais il précise qu'à la lecture des journaux, il lui sera facile de deviner dans quel coin de France ses pas l'ont guidé. Chaque jour, en effet, la presse américaine relate la progression des troupes américaines, dont celle de la 4e division d'infanterie. Sans compter qu'une carte d'état-major accompagne le récit des correspondants de guerre.

Non seulement Salinger a interdiction de fournir le moindre indice de sa localisation, mais il ne se sent « pas la moelle[2] » de raconter par le menu ou, ne serait-ce qu'en un ou deux paragraphes bien troussés, comment s'est déroulée la canonnade. Son intensité était telle qu'elle l'a carrément laissé sous le choc. Il ne s'en cache pas, mais il reste crâne. Quand le canon tonne, il n'a pas son pareil pour sauter de la Jeep avec ses rubans de machine à écrire, et, avec la rapidité d'un furet, se terrer dans un fossé. Il n'en sort, fanfaronne-t-il, que quand les hommes du génie commencent à niveler le terrain pour en faire une piste d'atterrissage. Jouer les téméraires sous une pluie d'obus ne sert strictement à rien, sauf à s'exposer à une mort certaine. Là-dessus sa religion est faite. Que le pire puisse lui arriver, bien sûr, il y a songé. Ainsi qu'il le laisse entendre dans « The children's echelon ». Le héros de cette nouvelle inédite, Royce F. Dittenhauer, écrit à celle qu'il courtise que s'il était tué à la guerre, il aimerait qu'à ses funérailles, le tromboniste Jack Teagarden joue *Peg of my Heart* ou *Jack hits the Road*[3]. Des airs populaires qui ont bercé les vertes années de l'écrivain, au demeurant pas plus manchot que ce jeune soldat

1. Lettre à Whit Burnett du 28 juin 1944, archives *Story*, BFP.
2. *Ibid.*
3. « The children's echelon », archives *Story*, BFP.

dans le maniement des armes. Dittenhauer, son porte-parole donc, est même devenu un expert en la matière. Pas qu'il en ait éprouvé le besoin, non. Il veut juste savoir comment se servir d'un Colt 45, d'un fusil M 1 Garand ou d'une carabine s'il devait se trouver à en avoir un à portée de main, car il n'a, en aucune manière, l'intention d'être blessé à la guerre.

Salinger n'avait encore jamais traversé le bocage normand, ses petits champs bordés de levées de terre et ses hauts talus si charmants en temps de paix, que les Allemands, endurcis par cinq années de guerre et d'une combativité à toute épreuve, avaient transformé en autant de pièges mortels pour contrecarrer l'avancée alliée. Les morts, additionnés, commençaient à se compter par milliers depuis le début des hostilités. Les nerfs des GI, même des plus vaillants, étaient sur le point de lâcher, malgré les renforts dépêchés sur place. Les services de santé étaient débordés. Le temps, exécrable, en cet été souvent gris et pourri, compliquait encore plus la tâche des soldats. Cependant, après avoir réussi une percée à l'ouest dans des conditions épouvantables, à travers les champs et les plaines, les Américains déclenchèrent l'offensive pour prendre Saint-Lô. La ville, dévastée, fut finalement libérée le 7 juillet. Les soldats de la Wehrmacht avaient tenu bon leurs positions, avant d'être repoussés, par un matin brumeux et couvert, au sud de la route reliant Bayeux et Saint-Lô. Caen était à présent en ligne de mire. Quand cinquante ans plus tard, son ami Donald Hartog lui racontera être allé en famille visiter cette ville reconstruite de Normandie, la seule évocation du nom attendrit Salinger. Il est heureux de la savoir restaurée, libérée de quelque vieux secteur cartographique alors à conquérir par les Alliés. Les souvenirs remontent, aigus.

Partout, c'étaient des détonations, des vols en rase-mottes, des redditions, des arrestations, le largage de bombes incendiaires, la destruction. Chaque fois qu'ils gagnaient du terrain, les Alliés reprenaient confiance. Mais il leur faudrait se battre encore et encore pour atteindre au but dont nul n'était en mesure de prévoir l'échéance.

Paris, tout là-bas, apparaissait comme une étape décisive dans la bataille. Là encore, des heures, des jours, des semaines de marche seraient nécessaires, avant que la liberté soit rendue aux Parisiens dans le bruit, la fureur et la ferveur populaire.

À l'approche de la capitale, Salinger dénota comme une accalmie. « Les choses se passent assez bien, écrit-il à Elizabeth Murray cinq jours avant de franchir la Porte d'Italie, au sud de Paris, avec son régiment. Ça a été tranquille dernièrement[1]. » En réalité, il est sonné, ne sachant plus très bien ce qu'il s'est passé au juste les premières semaines du débarquement.

Il se souvient d'être resté allongé des heures durant dans des fossés, le visage contre terre, dans la boue, essayant de se protéger au maximum avec son casque. Des trucs comme ça. Aurait-il été mithridatisé par la violence des combats ? Les bombes qui éclatent alentour, creusant des ornières béantes, il n'en a pas le souvenir exact. Pas plus que de l'effroi qui l'a saisi et de la panique des premiers jours. Il pense en avoir même oublié l'intensité. Et à tout prendre, il n'en fait pas mystère : « C'est aussi bien. » Ce sont là des choses trop personnelles, trop intimes, trop atroces. Qui se réveilleront le moment venu.

1. Lettre à Elizabeth Murray du 20 août 1944, HRC.

20

« Allons voir Hemingway »

Les Français voulaient être les premiers à entrer dans Paris. Afin de ne pas froisser les susceptibilités, les Alliés se partagèrent les rôles, et c'est ainsi que la 2e division blindée du général Leclerc de Hauteclocque qui venait de libérer Massy, une commune de la périphérie sud, franchit la Porte d'Orléans le 25 août 1944. Ce même jour, à l'aube, les GI de la 4e division d'infanterie américaine, commandée par le général Barton, et dont dépendait le 12e régiment – le sien – empruntèrent la Porte d'Italie. Venant de Wissous, également au sud, ils traversèrent un bras de la Seine, contournèrent la cathédrale Notre-Dame pour aller dresser leur cantonnement dans l'île Saint-Louis. Les civils étaient nerveux, mais désireux d'aider et surtout ravis de se débarrasser des Allemands. Salinger était là et il goûta le spectacle de bout en bout. Il l'a relaté à Whit Burnett. « Je suis en France. Ça va mais je suis trop occupé pour me mettre à un roman maintenant. Mon travail consiste principalement en des interrogatoires[1]. »

La liesse des Parisiens faisait plaisir à voir. Ils criaient, ils riaient, ils embrassaient les libérateurs, leur apportant des verres de cognac jusque dans les Jeep. Les plus

1. Carte postale à Whit Burnett du 12 juin 1944. Archives *Story*, BFP.

téméraires palpèrent l'étoffe de leur maillot de corps en coton pour en apprécier la qualité, d'autres allèrent jusqu'à ouvrir leur sac de couchage. Des mères de famille tendaient leurs bambins à bout de bras pour que les GI les embrassent eux aussi. Salinger, aux anges, en plaisantait. Si un GI était monté sur le capot d'une Jeep pour se soulager, nul doute que tout Paris se serait écrié : « *Ah, the darling Americans ! What a charming custom*[1] », s'amusa-t-il. Au vu de ce déferlement de reconnaissance euphorique, il se fit la réflexion suivante : Oui, *les choses valent le coup.*

Dans les rues, des tirs sporadiques éclataient ici et là, mais personne ne semblait y faire attention. Les libérateurs, et Salinger en particulier, n'avaient d'yeux que pour les filles, toutes plus élégantes les unes que les autres dans leurs jolies robes d'été.

Le soir venu, les soldats du 12e régiment campèrent sur les bords de la Seine et ils dormirent à la belle étoile. Le lendemain matin, il y eut une messe célébrée à Notre-Dame. Sur ces entrefaites, Salinger lança à son camarade Jack Altaras : « Allons voir Hemingway ! » Le chauffeur de la Jeep se souviendrait des années plus tard que c'est de cette façon qu'il se décida à aller rendre visite à son aîné de vingt ans, écrivain adulé déjà.

Envoyé en Europe comme correspondant de guerre pour le journal *Collier's*, Ernest Hemingway avait assisté au débarquement à Omaha Beach et, à l'approche de la capitale, il avait faussé compagnie à la 1re armée américaine pour être parmi les premiers à entrer dans Paris, le 25 août. Avec une poignée d'hommes à lui, il avait pris ses quartiers au Ritz, le centre mondain de la collaboration sous l'Occupation. Hermann Göring, le bras droit

1. Lettre à Whit Burnett du 9 septembre 1944. « Quelle coutume charmante ». Notre traduction.

d'Hitler, y descendait à chacun de ses séjours à Paris, des célébrités comme la couturière Coco Chanel y avaient élu domicile. Des hommes politiques et les chefs de la police s'y retrouvaient régulièrement pour déjeuner. À son arrivée, le palace était désert, les Allemands l'avaient délaissé une vingtaine de jours plus tôt. Hemingway avait de la bouteille et l'aisance virile de celui qui, s'étant engagé dans la Croix-Rouge sur le front italien en avril 1918, avait connu la Grande Guerre, puis la guerre d'Espagne qu'il avait couverte pour un groupe de presse américain. Il avait quarante-cinq ans. Salinger vingt-cinq.

En le voyant, Hemingway, en vieux roublard sachant toujours plus ou moins à qui il avait affaire, se souvint avoir lu un texte de lui, quelques années plus tôt dans *Esquire*[1]. Il lui demanda quelque chose à lire de ce qu'il avait écrit dernièrement. Salinger n'avait sous la main rien d'autre que *Last Day of the Last Furlough*, parue le mois précédent dans le *Post*; Hemingway lut la nouvelle et lui dit que ça lui plaisait. Il offrit de lui écrire quelques lettres de recommandation, ce qui était très gentil de sa part, mais Salinger déclina la proposition. Il se fit tout de même la réflexion que c'était vraiment un bon gars.

Ian Hamilton en déduit que les deux hommes passèrent la majeure partie du temps « à se congratuler[2] ». Toujours est-il que la première impression de Salinger fut bonne : « Je l'aime beaucoup[3] », dit-il. Pourtant, tout les opposait. D'abord leur nature. Hemingway était un homme à femmes, macho, tonitruant, buveur, paillard, toujours prêt à faire ribote. Le contraire de Salinger, réservé, pudique, posé, solitaire. On aurait pu s'attendre à ce qu'il tombât sur une grande gueule, content de lui

1. Dans le numéro de septembre 1941 d'*Esquire*, Salinger avait publié *The Heart of a Broken Story*.
2. Ian Hamilton, *À la recherche de J.D. Salinger*, *op. cit.*
3. Lettre à Whit Burnett du 9 septembre 1944, archives *Story*, BFP.

et de ses faits d'armes. Eh bien, pas du tout. Hemingway se montra aimable, pas ramenard pour deux sous, ni protecteur. Salinger le trouva même « modeste sans affectation[1] ». Au cours de la discussion à bâtons rompus, ils découvrirent qu'ils avaient les mêmes goûts en littérature, aimant et détestant les mêmes écrivains. Hemingway confia qu'il était fana de l'œuvre de William Faulkner, en particulier d'*Absalon, Absalon !*, tandis que sa préférence à lui, Salinger, allait à *Sanctuaire*, un roman dont l'histoire atroce, « si magnifiquement[2] » racontée – celle du viol d'une jeune fille de bonne famille, sur fond de racisme sudiste –, l'avait impressionné. Au rayon des monstruosités de la littérature, il lui aurait donné sans conteste la première place. Sans doute en raison de ses propres prédispositions naturelles à écrire des nouvelles horribles. Il fallait s'y faire, cela faisait « partie[3] » de lui. D'ailleurs, il travaillait à une histoire intitulée « Mrs Hincher », celle d'une femme recluse jusqu'à la névrose et alitée par peur de tomber. L'époux est attentionné puis un jour, coup de folie, on ne sait, dans le hall d'un hôtel de Floride, il est pris d'un accès de violence aussi soudain que terrifiant. De cette nouvelle, il ne subsiste que des fragments, glaçants[4]. Salinger aimait tellement *Sanctuaire* qu'il insista pour l'offrir à Elizabeth Murray. Elle apprécia le roman et il en fut ravi.

L'impression générale qu'il retira de son entrevue avec Hemingway était que ce dernier sous-estimait la place qui était la sienne dans le monde des lettres. Sans doute était-il aussi flatté d'avoir fait la connaissance de ce baroudeur de la littérature, auréolé, dès ses premiers romans, de foudroyants succès de librairie. Le dernier en

1. *Ibid.*
2. Lettre à Elizabeth Murray du 31 octobre 1941, HRC.
3. Lettre à Elizabeth Murray du 2 novembre 1942, HRC.
4. Archives J.D. Salinger, HRC.

date, *Pour qui sonne le glas*, avait dépassé le millionième exemplaire moins d'un an après sa sortie, un sort enviable pour quiconque aspirait à vivre de sa plume. La rencontre fut une réussite. Il y en aurait d'autres.

L'intermède parisien allait s'achever. Pour le 12e régiment comme pour Salinger. Deux jours plus tard, il fallut tout remballer, reprendre la route, se remettre en ordre de marche et de bataille. Les Allemands avaient reculé mais il allait encore falloir se battre pour les repousser au-delà du Rhin.

Il n'y eut cette année-là – 1944 – pas d'été de la Saint-Martin. Dès le mois de septembre, les beaux jours s'étaient éloignés ; un automne précoce pointait le bout de son nez. Salinger revêtit des vêtements longs de mi-saison. « C'est comme ça par ici, maintenant », constata-t-il. Mais sa Jeep était « agréablement[1] » ventilée.

À partir de cet instant-là et pendant des semaines, il n'a plus guère donné de nouvelles. Sans doute trop occupé à écrire, d'après ce qu'il a rapporté ultérieurement dans sa correspondance, et ce bien que sa production littéraire soit restée inédite ou introuvable. Il ne s'étend pas sur les sérieuses difficultés rencontrées par les troupes alliées dans leur progression vers l'est, mais, en filigrane, on sent qu'il a le moral plus ou moins en berne, selon les jours. Salinger se prend à rêver d'un retour à la vie civile. Il se verrait bien à Paris pour quelques mois afin de se consacrer à l'écriture et, qui sait, faire du théâtre, mais il a le pressentiment que la guerre finie, il lui faudra encore rester en Europe de l'Est pour un moment. Cette perspective n'était pas complètement pour lui déplaire, à condition qu'il trouve un endroit rien qu'à lui dans une ville assez agréable.

1. Lettre à Whit Burnett du 9 septembre 1944, archives *Story*, BFP.

Une affectation à Vienne lui aurait convenu. En revanche, il redoutait d'être expédié en Prusse orientale ou dans une de ces contrées reculées aux accents rugueux et désagréables. Le moment venu, c'est-à-dire la paix restaurée, il se voyait déjà démobilisé, encore fallait-il pouvoir prétendre à ce statut. Lorsqu'il avait le mal du pays, il guettait avec anxiété un signe d'Elizabeth Murray au courrier. Il aimait sa calligraphie, l'intérêt qu'elle portait à ses écrits, les encouragements qu'elle lui prodiguait et aussi sa compréhension des hommes et des situations dans lesquelles ils se débattent à longueur de temps. Il ne supportait cependant pas qu'elle lui envoie des V-Mail, ces télégrammes autocollants express marqués du V de la Victoire et réservés aux échanges avec les membres des forces armées. Un jour qu'elle lui en avait adressé un, il la supplia en retour de lui écrire sur du papier à lettres classique, sous prétexte qu'il était allergique aux V-Mail. Ils lui hérissaient le poil, comme à d'autres un ongle crissant sur une ardoise. Enfin, retourner chez lui aux États-Unis n'était pas la moindre de ses attentes. Là-bas, il se marierait, au pire avec la blanchisseuse du quartier – il s'en amusait – et surtout il écrirait un roman. Cette idée le poursuivait sans relâche.

Pour l'heure, engagé dans une guerre sans fin, il devait affronter les intempéries. Des couvre-chaussures en caoutchouc, fournis par l'armée, lui permettaient de patauger dans la gadoue sans trop se geler les pieds. À sa connaissance, de tous ses frères d'armes, il était le seul à avoir les pieds au sec, car chaque semaine que Dieu faisait, sa mère lui envoyait une paire de chaussettes qu'elle avait tricotée. C'est ce qu'il confessa des années plus tard. Il lui en fut du reste éternellement reconnaissant. Comme des lettres qu'elle lui écrivait. Dans l'une d'elles, elle relatait qu'un de ses copains était retourné au pays pour une permission d'un mois, après trois années de service actif. Une manière de dire à son fils combien elle aurait voulu qu'il prenne le même chemin, elle qui vivait dans la terreur de le voir mourir à la guerre. Salinger avait souvent une pensée pour elle. Elle savait se rappeler à lui par un tas d'attentions maternelles : des lettres affectueuses bien sûr, mais aussi des colis, et les nouvelles, ordinaires, qu'elle lui donnait de tel ou tel du voisinage.

C'est durant ces semaines et ces mois d'avancée des armées alliées vers le Rhin qu'il apprit à mieux connaître Hemingway, « l'homme de *L'Adieu aux armes*[1] ». Il l'affubla de ce surnom en référence au roman qu'il avait tiré de son expérience durant la Première Guerre mondiale, dont la parution en septembre 1929 lui avait valu une renommée internationale. Hemingway ayant rejoint la 4e division d'infanterie américaine, les deux hommes se voyaient donc assez souvent. Salinger appréciait sa personnalité, non ce qui lui tenait lieu de philosophie. Il le décrit comme un « type » d'une « gentillesse instinctive[2] » exceptionnelle, mais qui s'était si précocement façonné une manière de prendre la pose qu'elle lui en était devenue naturelle. Pourtant, rien de ce qu'il disait ou de ce qu'il faisait ne paraissait fabriqué, un gage de sincérité dénotant de réelles qualités humaines. En revanche, Salinger détestait sa façon de surestimer le pur courage physique, une qualité qu'il résumait par l'expression « avoir des tripes », un principe érigé en vertu. Probable que cette divergence tenait à ce que Salinger pouvait, le cas échéant, en manquer. Il le reconnaissait volontiers : il n'aimait pas vivre dangereusement. Et s'il respectait la

1. Lettre à Elizabeth Murray du 24 novembre 1944, HRC. *L'Adieu aux armes* est un roman d'Hemingway, paru en 1929, racontant une histoire d'amour sur fond de Première Guerre mondiale.

2. *Ibid.*

bravoure, il éprouvait plus encore une réelle compréhension pour quelqu'un à qui le courage fait naturellement défaut. L'obligation pour un homme de se montrer courageux quand les circonstances le commandent était, selon lui, une tromperie qui n'avait rien de remarquable. À cet égard, il avait aimé la nouvelle d'Hemingway *L'Heure triomphale de Francis Macomber*[1], appréciant la lâcheté de son héros – un froussard antipathique et vaniteux, pris de panique en voyant un lion qu'il avait blessé le charger lors d'un safari en Afrique. Son épouse s'était ri de lui, puis elle l'avait trompé avec le chasseur professionnel leur servant de guide. Travaillé par ces réflexions alors qu'il était chaque jour confronté aux aléas de la guerre, Salinger avait moins aimé le dénouement macabre de l'histoire.

Un jour, entre eux, la conversation roula sur Francis Scott Fitzgerald, dont Hemingway parlait avec sympathie. Salinger voulut savoir s'il le jugeait courageux. Il répondit sans détour que, pour lui, c'était physiquement un lâche. Peut-être était-il dans le vrai; Salinger lui tint néanmoins rigueur de cette franchise par trop réductrice. Il en déduisit qu'Hemingway avait sans doute, au fond de lui, été envieux du brio de Fitzgerald à un moment ou un autre de sa vie d'écrivain. Il aurait même pu parier un dollar là-dessus. De surcroît, il le trouvait incapable de prendre en considération certains paramètres de l'ordre de la nuance, n'étant que « pur instinct[2] ». Au reste, avait-il jamais une seule fois usé de son intellect? La question pouvait se poser, cruelle. *A contrario*, Fitzgerald, que Salinger portait au pinacle,

1. *The Short Happy Life of Francis Macomber.* Nouvelle publiée en septembre 1936 dans *Cosmopolitan* et adaptée au cinéma en 1947 par Zoltan Korda, *The Macomber Affair.*

2. Lettre à Elizabeth Murray du 24 novembre 1944, HRC.

disposait d'une large palette, mélange d'intellect et d'instinct.

Hemingway savait néanmoins raconter des histoires tristes sur Fitzgerald. Car, doté d'une grande humanité, il avait du cœur. Et un tempérament débordant, qui pour rien au monde n'aurait pu le tenir éloigné longtemps de l'action.

21

Pas de nouvelles du front

Paris avait été libéré. Le reste de la France aussi. Les troupes alliées avaient franchi la Marne pour aller prendre position plus loin, de l'autre côté de la frontière belgo-luxembourgeoise, au sud d'Aix-la-Chapelle, près de la forêt de Hürtgen, tenue par la Wehrmacht. Durant cette période dans le secteur, le détachement du service de renseignement américain, le Counter Intelligence Corps, auquel appartenait Salinger procéda à l'arrestation d'un grand nombre de soldats allemands en déroute qui prétendaient être déchargés de toute obligation militaire pour raisons de santé. Faits prisonniers de guerre, beaucoup d'entre eux furent « retournés » avant d'être remis en liberté comme agents secrets au service des Alliés lors des batailles à venir.

Salinger était un parmi 69 000 hommes.

À la mi-septembre, les choses se gâtèrent. Les Américains se heurtèrent aux unités allemandes concentrées dans la région en vue d'effectuer une percée afin de reprendre l'avantage. Elles étaient résolues et expérimentées, deux atouts au moment de la contre-offensive. Les combats, terribles, durèrent des semaines. Les intempéries s'en mêlèrent : une pluie continuelle, quand ce n'était pas le brouillard, la boue, et l'hiver venu, des tempêtes de neige, un froid polaire et un blizzard à couper la chique. Les hommes étaient épuisés. Correspondant de guerre toujours prêt à faire le coup de feu, Hemingway avait assisté à l'attaque mais une mauvaise pneumonie l'obligea à rentrer à Paris d'où, à la moindre occasion, il repartait sur le front, multipliant les voyages.

Le 12e régiment, celui de Salinger, avait à peine eu le temps de reprendre son souffle qu'il lui fallut repartir au combat pour la libération du Luxembourg et bientôt, la bataille des Ardennes. Dans ce secteur à feu et à sang, la plus féroce de toutes sans doute fut la bataille du Bulge, un nom aujourd'hui gravé sur une stèle de l'académie militaire de Valley Forge, en mémoire de ceux qui se sont battus ou qui sont morts au champ d'honneur. Un hommage au « triomphe du courage », est-il indiqué sur le monument. C'est précisément là que Salinger s'était formé à la discipline, à l'âge de dix-sept ans.

À la lecture des journaux américains de décembre 1944 relatant la contre-offensive de la Wehrmacht du 16 du mois dans le saillant des Ardennes et les pertes importantes en matériel militaire et en hommes qui avaient contraint les Alliés à battre en retraite, une jeune fille, Betty Yoder, chercha à obtenir des informations sur Salinger. Elle écrivait de Long Beach en Californie. D'où se connaissaient-ils ? Quelle était la nature de leur relation ? Nul ne le sait. Elle-même ne le précise pas dans ses lettres à Whit Burnett, l'éditeur et ancien professeur de l'écrivain. Un indice toutefois : elle le désigne sous le diminutif de Jerry. Ce qui dénote une certaine familiarité.

« Nous ne nous sommes jamais rencontrés et cependant je vous écris pour vous demander une faveur importante, prévient-elle Whit Burnett. Pourriez-vous me donner, dans la mesure du possible, toute information disponible concernant Jerry Salinger depuis la percée allemande ? Je crois qu'il était près d'Echternach ou encore plus près du front, peut-être dans quelque détachement isolé. Les renseignements sont pour le moment vagues[1]. »

Proche de la frontière allemande, ce village luxembourgeois ayant subi la poussée ennemie et des tirs meurtriers d'artillerie lourde, il y avait lieu de se faire du souci. « De toute façon, poursuivait Betty Yoder, il n'y aurait rien le concernant dans les journaux californiens. » Elle ajoutait sur une note laissant à penser que Salinger aurait peu goûté sa démarche : « Je me dois de vous demander d'être discret. C'est un ami très précieux, mais il me mépriserait pour cette lettre. Je sais que vous en préserverez la confidentialité et vous serais très reconnaissante de m'écrire en retour tout ce que vous avez pu glaner, à votre convenance[2]. »

Elle n'était pas la seule à s'inquiéter de son sort. N'ayant pas reçu de signe de vie du soldat Salinger, parents et amis vivaient dans la même angoisse de savoir s'il était prisonnier, blessé, mort ou porté disparu.

Onze jours plus tard, la jeune femme, aussi énigmatique qu'un personnage de Salinger, remerciait Whit Burnett de lui avoir répondu « si rapidement », se disant « contente » des informations reçues en retour. « N'ayant pas d'autre moyen de vérifier, il me fallait m'en remettre à vous, concluait-elle. Merci pour ce geste amical[3]. »

La 4e division d'infanterie américaine avait livré des combats acharnés pour contenir les colonnes d'infanterie allemande. Les pertes avaient été considérables, 7500 hommes avaient péri en quelques jours. Mais les nouvelles le concernant étaient rassurantes : Salinger

1. Lettre de Betty Yoder à Whit Burnett du 31 décembre 1944, archives *Story*, BFP.
2. *Ibid.*
3. Lettre de Betty Yoder à Whit Burnett du 11 janvier 1945, archives *Story*, BFP.

était sauf. Au lendemain de Noël 1944, la mère de l'écrivain avait reçu un coup de téléphone très bref lui indiquant simplement que son fils se portait bien.

Et lui, dans tout ça, comment a-t-il traversé l'épreuve? Comment est-il parvenu à survivre à ce déluge indescriptible, dont il a été l'acteur et le témoin privilégié? La fiction, une fois encore, lui sert d'exutoire.

The Stranger, une nouvelle rythmée de dialogues poignants sous des airs anodins, se réfère en l'occurrence à un GI rescapé du front, Babe Gladwaller. Ce dernier était en ville – à New York – avec sa petite sœur Mattie. Ils allaient voir un spectacle, quand tout à coup il a décidé de débouler impromptu – comme un étranger donc – chez l'ancienne petite amie de Vincent Caulfield, le frère d'Holden, mort à la guerre. Tous deux appartenaient au 12e régiment. Tandis qu'on le fait attendre dans l'antichambre avec sa petite sœur, Babe Gladwaller prend un disque de Blakewell Howard dont la musique lui rappelle les années à jamais enfuies. Ces bonnes vieilles années dont l'histoire n'était pas encore écrite, quand tous les soldats du 12e régiment étaient en vie et quand, sur les pistes de danse, ils damaient le pion à d'autres soldats, morts depuis, eux aussi. C'étaient les années pendant lesquelles personne encore n'avait jamais entendu parler de « Cherbourg ou Saint-Lô, de la forêt de Hürtgen ou du Luxembourg[1] ».

Babe est venu lui raconter dans quelles circonstances son camarade Vincent a été tué, un matin avec quatre autres GI, précisément dans la forêt de Hürtgen. Il se tenait près d'un feu qu'ils avaient allumé, quand des mortiers leur sont tombés dessus. Trois minutes après

1. *The Stranger* (« L'étranger »). Nouvelle parue dans *Collier's* du 1er décembre 1945. Notre traduction.

avoir été blessé, il a succombé sous la tente des médecins. Babe aurait pu le jurer : la blessure était trop large pour qu'il ait souffert. Vincent avait les yeux ouverts. La dernière chose qu'il ait dite était que l'un d'entre eux – l'une des plus jeunes recrues de préférence – aille chercher du bois pour cette « saloperie » de feu. « Vous savez comment il parlait[1]. » Babe s'arrêta là parce que la petite amie de Vincent pleurait. Enfin l'ex, vu qu'entre-temps elle s'était mariée. Et il ne savait que faire pour la consoler.

Probable témoin oculaire de la scène, Salinger ne précise pas si c'est à cette occasion qu'un éclat de mortier lui endommagea l'oreille droite, provoquant un début de surdité qui le handicaperait le restant de ses jours.

The Stranger se dresse comme un réquisitoire impitoyable contre la guerre. Salinger en dénonce les atrocités et veut en finir avec ces images d'Épinal sur l'héroïsme et le mensonge qui conduisent à les enjoliver. Que l'on n'aille pas croire non plus qu'au moment de mourir au front, les soldats ont le temps de fumer une dernière cigarette ou de prononcer quelques mots choisis, des choses qui ne se produisent que « dans les films et les livres[2] ».

Dans *Pour Esme, avec amour et abjection*, également, l'épopée ardennaise est évoquée. Brièvement, le temps que l'adjudant X, le double de Salinger, pose « pour un grand magazine dans la forêt d'Hürtgen ». « Il s'était laissé photographier plus qu'obligeamment, avec une dinde de Noël dans chaque main », écrit-il. Le portrait est fidèle et flatteur : « Il était immense, photogénique, il avait vingt-quatre ans[3]. » La photo, si elle a jamais existé n'a, à ce jour, pas été retrouvée.

1. *Ibid.*
2. *Ibid.*
3. J.D. Salinger, *Nouvelles*, *op. cit.*

Pilonnages, carnages, déflagrations et destructions ont continué pendant des semaines et des mois. Insoutenables et interminables. Les historiens ont retenu que la bataille des Ardennes avait duré six semaines, provoquant d'innombrables dégâts. Le 31 janvier 1945, quand, sous la puissance de feu alliée, les troupes de la Wehrmacht défaites ont rebroussé chemin, la partie n'était pas complètement gagnée. Dans le sillage des combats, ce n'était que désolation, des paysages de cendre, une odeur de mort.

Prise en étau, Berlin finit par capituler, le 8 mai 1945. L'armistice était signé. Les camps de concentration allaient être libérés. Salinger en fut-il le témoin direct ? Y a-t-il pris une part active comme l'affirme sa fille Margaret ? « En tant qu'officier du contre-espionnage, mon père fut l'un des premiers soldats à entrer dans un camp de concentration tout juste libéré. Il m'en a dit le nom, mais je ne m'en souviens plus[1]. » Un aveu stupéfiant au regard de l'importance historique de la Shoah, qu'elle évacue dans une note en bas de page ! Car comment oublier Buchenwald ou Dachau ?

Sur ce point, les archives militaires américaines sont pourtant explicites. Chaque jour, un officier établissait un rapport circonstancié à sa hiérarchie, à partir de notes de soldats qui détaillaient, sur de petites fiches jaunes, à la fois les difficultés rencontrées, l'avancée des troupes alliées, les pertes en hommes, l'arrestation de prisonniers de guerre, les saisies et destructions de matériel, ainsi que de ponts et de routes.

C'est le 27 avril 1945 que, pour la première fois, le Kaufering IV, une annexe du camp de concentration de

1. Margaret Salinger, *L'Attrape-rêves*, *op. cit.*

Dachau, est mentionné. Situé non loin de Munich, il faisait partie d'un complexe de onze bâtiments numérotés. Un document secret[1], issu de Ziemetshausen en Allemagne, est adressé au quartier général de la 12e division blindée.

Dans son rapport, le lieutenant-colonel d'infanterie Edward F. Seiller rend tout d'abord compte de la découverte d'un entrepôt de moteurs d'avion près d'une usine de montage, et de l'évacuation de 2800 prisonniers de guerre américains et hollandais. Ils croupissaient « entassés » dans un campement « crasseux ». Puis l'auteur de poursuivre : « Le capitaine Stephens a fait état d'une inspection à l'annexe n° 4 du camp de concentration de Dachau, situé à Kolonie Hurlach. C'était une prison civile pour travailleurs civils – dont on estime que 90 % étaient juifs – les autres provenant d'autres populations d'Europe. »

Factuel, le rapport, écrit sans effet de style, ajoute : « Un Lituanien a révélé que le mois dernier 3000 détenus y étaient morts de faim et que le camp était un camp de transit vers une maison de la mort ; un endroit où on laissait progressivement mourir de faim les détenus civils qui étaient amenés d'autres camps. Il a été fait mention d'un four crématoire mais qui n'a pas été trouvé à l'heure de la rédaction de ce rapport. Environ deux cents corps calcinés ont été découverts, un grand nombre étaient encore en train de se consumer. Vingt survivants ont immédiatement été évacués dans des fermes environnantes. Il y avait des avertissements contre le typhus à proximité de la fosse commune. Elle était constamment sous la surveillance de SS et d'unités de la Gestapo[2]. »

---

1. Archives militaires américaines, Park College, box 13119, RG 407 – Records of the Adjutant General's office. 12e division blindée.

2. *Ibid.*

En conclusion, il est indiqué que la présence « immédiate » d'un membre de la commission alliée des crimes de guerre a été requise, et que des instructions ont été données pour pourvoir en nourriture et en abris les personnes déplacées.

À ces constatations liminaires, des précisions sont apportées les trois jours suivants. Sur les scènes de pillage auxquelles il a été mis bon ordre, sur les 3000 personnes déplacées, dont un grand nombre libérées de l'annexe n° 4 de Dachau, qui se trouvaient dans des conditions effroyables, sur leur évacuation vers des hôpitaux et des centres d'accueil. Il y eut une tentative de destruction du camp par le feu que les Alliés ont circonscrite afin de conserver des preuves de ce qu'avaient enduré les détenus et les victimes mortes de faim ou exécutées par leurs bourreaux. Des cadavres gisaient à même le sol.

Abasourdi par ces « scènes pitoyables de la misère humaine », le lieutenant-colonel Seiller fut chargé par la direction du commandement général du régiment de réunir trois cents citoyens en vue de la région pour leur montrer l'étendue du désastre et tenter de comprendre comment cela avait pu se produire. Une fois sur place, ils se dirent « horrifiés » et qu'ils ignoraient tout de ce qui se passait à l'intérieur du camp, les autorités n'en laissant rien savoir. « Il est impossible de croire que la population locale n'ait pas eu connaissance de cette situation bien qu'il soit vraisemblable qu'ils n'étaient pas en mesure de faire quoi que ce soit en cas d'objections », conclut l'officier américain, pas vraiment dupe.

Sur les centaines de messages signés, répertoriés dans les archives, pas un n'émane de Salinger. Membre du contre-espionnage, chargé d'interroger les prisonniers de guerre allemands, il était tenu à la discrétion. Et, s'il est clairement établi qu'un détachement de son régiment a pris part à la libération du camp de Dachau, aucun élément probant n'atteste qu'il en faisait partie.

Cependant, dans un même élan, historiens et biographes affirment, par déduction, qu'il n'a pas pu ne pas être présent. Lui-même, dans ses écrits aujourd'hui accessibles, ne fait nulle part mention de Dachau. La seule et unique fois où il fait allusion à l'enfer concentrationnaire, c'est le 4 octobre 1993 dans une longue missive adressée à son ami Donald Hartog.

Une gigantesque exposition est organisée à Washington sur l'Holocauste. Colleen, sa femme, a envie d'y aller. Comme il ne peut pas constamment dire non à tout ce qu'elle propose, il va se faire violence. Ils ont prévu de prendre l'avion à la fin du mois et de passer deux jours dans la capitale fédérale. Les billets ont été réservés par téléphone. Elle en a pris l'initiative. Salinger redoute le pire. En son for intérieur, il craint que l'exposition – *exhibition*, en anglais – tourne dangereusement à l'exhibitionnisme. « J'ai vu la réalité des choses, quand j'y étais, pendant plusieurs heures à l'époque (toi aussi probablement[1]) », écrit-il, on ne peut plus laconique, à son ami anglais. Non pas que Salinger doute de la réussite de la reconstitution formelle des camps, et que la démarche des organisateurs soit dans l'ensemble sincère et de bonne foi, mais il ne voit pas comment une pareille entreprise peut éviter de figer les choses. Seul, il n'aurait pas fait le déplacement.

Les damnés du nazisme n'ont pas de secret pour l'écrivain, à son habitude peu disert. Au reste, comment dire et décrire l'inhumanité ? Un exercice hors de ses forces. Il s'en tient donc à la fiction et à l'ellipse, une forme rhétorique qu'il a beaucoup appréciée dans *Grand Old*

1. Lettre à Donald Hartog du 4 octobre 1993, Salinger Letters, UEA.

Ladies[1], un texte d'une journaliste allemande Gabriele Tergit. Celle-ci raconte comment deux femmes, juives allemandes émigrées à Londres après l'avènement d'Hitler, ont continué à vivre sans rien changer à leurs habitudes. Par leur mariage, l'une à un riche industriel, l'autre à un prix Nobel scientifique, elles appartiennent certes à une classe privilégiée, mais, devenues nonagénaires, elles sont restées attachées à leur origine modeste. Et à leur culture. Elles préparent aussi bien des gâteaux dans la plus pure tradition ashkénaze qu'un poulet braisé comme on le faisait dans l'Allemagne du sud le vendredi. Ce type de récit, plein de nostalgie, ravive chez Salinger une infinie sympathie pour les survivants, à mesure que les années passent.

1. « Vénérables vieilles dames ». Notre traduction.

22

L'effondrement

Les canons, enfin, se sont tus. Cinq jours après l'arrêt des hostilités, Salinger prenait sa plus belle plume pour se rappeler au bon souvenir d'Elizabeth Murray, constante dans ses envois épistolaires, un baume pour lui en cette période d'une violence inouïe dont il mesure mal le contrecoup. Il n'a rien perdu de son humour et se dit même content qu'elle ait aimé la nouvelle parue dans le *Post, A Boy in France,* qu'il se plaît à appeler « A drudge in France » (Une bête de somme en France). Une de ces blagues dont il est friand et qui en dit long sur son odyssée. Le *boy* en question, terré dans un trou à l'abri de la mitraille, scrute le ciel français et crie intérieurement, moitié ricanant moitié pleurant, « Oh là là[1] ! ». C'était un temps de guerre, un temps de folie, un temps pour personne. Mais il a beau faire, en rajouter dans la bonne humeur, une vague de gravité atroce parcourt la lettre. Comme si quelque chose s'était brisé en lui au cours de ces épreuves dont il a du mal à voir le bout. D'ailleurs, il en est persuadé : sa « petite guerre à lui[2] » se poursuivra encore quelque temps. Combien de temps ? Il n'en a pas la moindre idée mais s'il avait pu dégoter une chambre à

1. En français dans le texte.
2. Lettre à Elizabeth Murray du 13 mai 1945, HRC.

lui quelque part, il se serait attaqué à un roman sur les hommes (entendez le genre humain), qu'il aime bien sûr, à condition de s'en tenir à une distance raisonnable. Il en a trop vu. Cette aspiration à vouloir se garder du commerce de la multitude n'est chez lui pas nouvelle. À vingt ans et des poussières déjà, il affirmait s'être lui-même résigné, à titre personnel, à chercher la satisfaction dans les choses et les situations plutôt que dans les gens. À quelques exceptions près, s'entend, dont celles notables d'Elizabeth Murray et de son ancien condisciple de Valley Forge, Herbert Kauffman, un brave garçon dont la balourdise et la suffisance finiront par le lasser. De là à en déduire que la misanthropie le guettait eût été une erreur. Il fuyait la foule, c'est tout, lui préférant la compagnie des adolescents ou des adultes qu'il choisissait parce que leur tête lui revenait.

Depuis son arrivée sur le Vieux Continent, Salinger n'a eu de cesse d'écrire. Quatre nouvelles en six mois en Angleterre. Et une fois posé le pied en France, des esquisses, des récits inaboutis, des fragments de textes, tout juste bons pour l'impression. Une production qui restera impubliable pendant plusieurs générations, telle est sa conviction qu'il soutient non pas par coquetterie, mais par exigence. En perfectionniste maniaque.

La guerre lui avait laissé un goût amer. « Quelle étrange farce sinistre et combien d'hommes sont morts[1] », confie-t-il à sa vieille amie Elizabeth Murray. Ses pensées les plus ordinaires lui mettent les nerfs à vif et lui donnent de vagues idées de désertion, alors qu'il est encore stationné en Allemagne, un pays en ruine, exsangue, plus désorganisé que jamais depuis la défaite. Les services postaux sont les premiers touchés. Les lettres, visées par la

1. *Ibid.*

censure militaire, partent avec cinq jours de retard. Pour la distribution, c'est plus ou moins pareil. Quant au reste... « Ça a été un gâchis, Elizabeth, ajoute-t-il. Me demande si tu en as une quelconque idée. » Mais son ironie mordante reste inentamée, lorsqu'il se représente la liesse des vainqueurs de la vingt-cinquième heure, pléthoriques, mais qui n'ont jamais quitté le confort de leur intérieur douillet. Aussi n'est-il pas mécontent, le jour de la victoire, d'avoir manqué les célébrations organisées dans ce bon vieux pays de l'Oncle Sam. De crainte de se laisser attendrir à la vue des milliers d'ouvriers patriotes de l'habillement jetant hystériquement des lainages par la fenêtre. Des scènes bien trop émouvantes et bien trop poignantes à supporter pour un jeune homme à l'âme adolescente, comme lui. Au lieu de cela, il a passé la journée à déraisonner. Il s'est demandé ce que ses très proches penseraient s'il se tirait une balle de 45 dans la paume de la main gauche, net et sans bavure, et combien de temps il lui faudrait pour apprendre à taper à la machine à écrire avec ce qui lui en resterait. Ces divagations ne sont, en fait, que le fruit d'un profond désarroi à l'idée de rester en casernement avec les copains de régiment pour une période dont il ne voit pas le terme. Face à un horizon grotesque, sans perspective, il préfère rire. Il s'imagine alors se faisant greffer de chaque côté des narines ses décorations militaires, en précurseur de la geste punk.

Salinger, en réalité, a le cafard. Aussi longtemps qu'il était emporté par le mouvement, il allait de l'avant. Or à présent, un spleen profond le tenaille. Il n'ira qu'empirant. Comme le reflète *Pour Esme, avec amour et abjection.* Cette nouvelle, inspirée de son engagement sous les drapeaux, éclaire plusieurs phases de l'épopée guerrière qu'il a traversée, en particulier le contrecoup encaissé au lendemain de l'armistice. La scène se déroule dans un salon de thé anglais du Devon. Le débarquement est proche. Salinger apparaît sous les traits de l'adjudant X à qui Esmé déclare à l'heure de lui dire au revoir : « Je souhaite que vous reveniez de la guerre avec toutes vos facultés mentales[1]. » L'épisode figure dans la partie « abjecte » du récit quand l'écrivain relate comment un soir à Gaufurt en Bavière, vers dix heures et demie alors qu'il était dans sa chambre, son héros a perdu pied, plusieurs semaines après la victoire. Lisant un livre, il comprit bientôt que ses yeux étaient incapables de se détacher de la même phrase. « Le mal venait de lui, et non du roman[2] », écrit-il. L'adjudant X était dans un sale état. Les cheveux négligés, faute d'avoir été lavés durant les deux semaines qu'il venait de passer à l'hôpital de Francfort-sur-le-Main pour une dépression, le jeune homme, tout juste sorti de la guerre, n'avait visiblement pas « toutes ses facultés mentales ». Salinger sait de quoi il parle pour avoir lui-même souffert de la « psychose post-traumatique du soldat », selon la formule clinique usuelle, à un degré, cependant, difficile à mesurer, son dossier médical aux armées n'ayant pas été communiqué.

En juillet 1945, une dépression – un terme « peut-être excessif[3] », tempère son (premier) biographe Ian Hamilton – avait nécessité son admission à l'hôpital général de Nuremberg pour deux semaines. L'établissement, que les bombardements alliés n'avaient que partiellement endommagé, avait été réquisitionné par l'armée américaine. Dans une lettre adressée à Ernest Hemingway, écrite sur un ton enjoué et primesautier de mâle camaraderie, Salinger confesse toutefois être dans un « état presque constant d'abattement » et avoir jugé bon de

1. *Pour Esme, avec amour et abjection, op. cit.*
2. *Ibid.*
3. Ian Hamilton, *À la recherche de J.D. Salinger, op. cit.*

parler à quelqu'un « sain d'esprit[1] ». « Ils m'ont interrogé sur ma vie sexuelle (qui ne pourrait pas être plus normale – grand dieu !) et sur mon enfance (normale. Ma mère m'a emmené à l'école jusqu'à ce que j'aie vingt-quatre ans – mais vous connaissez les rues de New York), et après ils m'ont finalement demandé à quel point j'aimais l'armée. J'ai toujours aimé l'armée[2]. »

Sa santé psychique exigeait des soins et cela aurait pu lui valoir d'être réformé. Il aurait d'ailleurs donné un bras, quand bien même le droit, pour bénéficier de cette faveur, mais il refusait que ce soit sur la base d'un rapport psychiatrique alléguant qu'il était inapte au service de l'armée. Surtout au retour du combat, où il avait bel et bien risqué sa peau après s'être tant battu. À l'issue de cette passe douloureuse, fatigué moralement mais en forme physiquement, la guerre lui laissant l'impression d'un supplice interminable, il se remit à échafauder des projets.

Deux nouvelles où apparaissait le personnage de Caulfield étaient sur le point d'être publiées dans *Collier's*, dont la première, *The Stranger*, qu'il avait appelée « Some People Who Knew Vincent[3] ». Qu'un magazine ose en modifier le titre sans solliciter son avis le mettait en pétard et accroissait d'autant sa méfiance envers les éditeurs. Mais, de là où il était, mieux valait en plaisanter, même s'il déplorait qu'un homme d'une *parfaite* intégrité comme la sienne doive endurer avec une aussi *parfaite* intégrité ce qui exigeait une *parfaite* intégrité. Et des calculs savants. La publication de l'autre nouvelle,

1. Lettre de Salinger à Ernest Hemingway, non datée, John F. Kennedy Presidential Library and Museum à Boston, Massachusetts.

2. *Ibid.*

3. « Des gens qui ont connu Vincent ». Nouvelle parue sous le titre *The Stranger* dans *Collier's* le 1er décembre 1945. Notre traduction.

intitulée *I'm Crazy*[1] concernant le jeune Holden Caulfield, étant imminente, il aurait bien vu *Collier's* la rebaptiser, pourquoi pas, « Hans Brinker ou les patins à roulettes en argent ». *Esquire* avait pour sa part jeté son dévolu sur un troisième texte, *This Sandwich has no Mayonnaise*[2], un condensé de l'univers et des préoccupations de Salinger tant au quotidien qu'en fiction. L'histoire est celle-ci.

Embarqué sous une pluie diluvienne dans un véhicule de transport de troupes sur les routes américaines de Géorgie avec trente-trois autres soldats en partance pour une soirée dansante, le narrateur Vincent Caulfield a le moral en berne. On lui a dérobé son imperméable contenant des lettres de sa petite sœur Phoebé et de son frère Holden, dix-neuf ans, déclaré « disparu à l'action ». Vincent refuse de le croire et pour se donner du cœur à l'ouvrage s'invente des visions dignes d'un poème surréaliste. Salinger aurait bien voulu intituler sa nouvelle « Guerre et paix », mais le titre ayant déjà servi, ce sera « Ce sandwich n'a pas de mayonnaise ». Une drôle de fantaisie, assez sinistre. Car il a beau donner le change, Vincent (Salinger) ne pense qu'à Holden « disparu ».

À l'automne 1945, cela faisait déjà un moment que la maison d'édition américaine Simon and Schuster, désireuse de publier un recueil de ses textes, courtisait l'écrivain. Il n'a pas donné suite. En revanche, écrire un roman dont l'action se situerait en Allemagne fait partie de ses projets. Quel en est le sérieux ? Cela reste à voir. On est en septembre, Salinger attend son ordre de démobilisation. Ce n'est que le 22 novembre qu'il lui

1. « Je suis fou ». Nouvelle parue dans *Collier's* le 22 décembre 1945. Notre traduction.
2. « Ce sandwich n'a pas de mayonnaise ». Nouvelle parue dans *Esquire* d'octobre 1945. Notre traduction.

sera notifié à Francfort. Il est cependant d'ores et déjà acquis qu'il restera en Europe une année supplémentaire. Une bonne raison à cela : il va se marier. Deux camarades du service de contre-espionnage – le Counter Intelligence Corps –, Paul Fitzgerald et John Prinz ont accepté de lui servir de témoins. Salinger a rencontré une jeune fille « française, très bien, très sensible[1] », Sylvia Welter, dont les parents ont, en fait, la double nationalité française et allemande. Née à Francfort le 19 avril 1919, elle est plus jeune que lui de quelques mois. Il fait part de sa décision à sa confidente Elizabeth Murray qu'il aurait aimé voir à son mariage : « Je pense que tu approuverais[2]. » Il est impatient de lui présenter l'oiseau rare. Elle a tout pour plaire : la beauté, l'intelligence, la délicatesse. Sur la photo prise le jour des noces, le 18 octobre 1945 dans le petit village de Pappenheim au sud de Weissenburg, en Bavière, elle le tient par le bras, souriante, un manteau noir sur le dos, dans la main droite un bouquet. Et dans les cheveux, qui lui encadrent le visage au front dégagé, une fleur. Elle fait une tête de moins que Salinger qui, en uniforme à épaulettes et cravate, presse son béret de ses deux mains gantées de blanc, l'allure d'un jeune premier. Ils ont vingt-six ans. « C'était une grande brune mince au teint pâle, avec une bouche et des ongles rouge vif », complète Margaret Salinger qui, ne l'ayant pas connue, s'appuie sur la description que sa tante Doris lui en a rapportée. Celle-ci la trouvait « *très* allemande ». Était-ce parce qu'elle s'exprimait d'une manière « sèche et incisive » ? Elle « portait le titre de docteur en quelque chose[3] », ajoute la fille de l'écrivain. Sylvia est sortie diplômée de ses études de médecine à l'université autrichienne d'Innsbruck, avant

1. Lettre à Elizabeth Murray du 25 septembre 1945, HRC.
2. *Ibid.*
3. Margaret Salinger, *L'Attrape-rêves*, *op. cit.*

de travailler comme interne à Weissenburg. C'est dans cette ville bavaroise que les tourtereaux se sont rencontrés par l'entremise de la sœur de Sylvia, Alice, que Salinger avait raccompagnée chez elle un soir de la fin mai 1945. Elle travaillait à l'hôpital militaire de Nuremberg, lui au bureau local du service de contre-espionnage. Arrivé à destination, il en profita pour aller saluer la mère et la sœur. C'est ainsi qu'il fit la connaissance de sa promise. Excipant de son titre d'agent du renseignement, il se débrouilla ensuite pour lui obtenir des papiers d'identité, en contournant la loi sur la non-fraternisation avec les Allemands, affirment les auteurs de *Salinger*[1], David Shields et Shane Salerno. De sorte que sur le registre des mariages, il est bel et bien mentionné qu'elle porte la nationalité française.

1. David Shields et Shane Salerno, *Salinger*, New York, Simon and Schuster, 2013.

23

Démobilisé et jeune marié

Sylvia aime le pamplemousse et elle est très sentimentale. Un cuisinier est à leur service, une femme de ménage à demeure... le couple est heureux. La romance vient de commencer. Salinger a signé un contrat civil de six mois avec le secrétariat américain à la Guerre comme agent des services du contre-espionnage. À ce titre, il est chargé de rechercher les nazis et de procéder aux opérations de dénazification, cela dans l'attente de revoir son pays, au printemps prochain ou à l'été peut-être. Avec Sylvia, bien entendu. À Gunzenhausen, un village situé à une quarantaine de kilomètres au sud-ouest de Nuremberg, ils habitent une jolie petite maison chauffée au charbon et remplie de boîtes de cacahuètes. Ils ont passé Noël 1945 tous les deux comme des amoureux au pied du sapin, et ils ont réveillonné d'une dinde dodue, un cadeau de l'armée américaine d'occupation. La soirée a été très gaie et sur le coup de minuit, ils se sont lancé des œufs plus ou moins frais. « Une coutume locale[1] », plaisante le jeune marié. Salinger s'est acheté une automobile, une Skoda à deux places, flambant neuve et très nerveuse, qu'il conduit à fond de train. Il a aussi un gros chien noir, un schnauzer, appelé Benny,

1. Lettre à Elizabeth Murray du 30 décembre 1945, HRC.

qui, sur les routes, se met devant le tableau de bord, l'œil aux aguets comme pour signaler à son maître « les nazis à arrêter[1] ».

Au terme de son contrat, au printemps 1946, l'heure est venue du retour au bercail. Après une semaine passée à Paris, durant laquelle il obtient des papiers d'immigration pour Sylvia, direction Brest, dans le Finistère, où le couple embarque à bord de l'*USS Ethan Allen*, un navire affrété par la War Shipping Administration, une agence créée par le gouvernement américain pour soutenir l'effort de guerre. Benny est du voyage. Douze jours de traversée, de la gîte à tout casser, un calvaire pour Sylvia, sujette au mal de mer.

Le 10 mai, New York était en vue. Une fois au port, sur le prospectus remis aux entrants par les douanes, la jeune mariée indiqua dans la case profession qu'elle était femme au foyer et non médecin. Sur le quai, les parents de Salinger les attendaient, avec sa sœur Doris. Quelle joie, quel soulagement, quel bonheur ce fut pour eux d'assister au retour du fils prodigue ! Tout compte fait, il était bien portant. L'accueil réservé à Sylvia, cantonné au registre de la stricte politesse, aurait pu être plus chaleureux. « Mère ne l'aimait pas[2] », certifie Margaret Salinger, rapportant un commentaire de sa tante. Et Doris guère plus. Néanmoins, les jeunes mariés emménagèrent dans l'appartement familial sur Park Avenue.

Salinger a retrouvé les siens, mais il a bizarrement perdu le sourire. Sa vieille amie Elizabeth Murray l'a très vite constaté : il était gagné par une sorte de mélancolie. Elle ne savait pas trop à quoi en attribuer les causes, mais

1. *Ibid.*
2. Margaret Salinger, *L'Attrape-rêves*, *op. cit.*

elle prit la liberté de lui en faire la remarque. Après tout elle se souvenait de ce qu'il lui avait écrit un jour qu'il n'allait pas très fort, « toi et moi sommes de vrais vieux amis[1] ». Sous le sceau de la confidence, il lui avoua que son mariage était un échec. La mésentente avait commencé très tôt, quelques semaines seulement après les épousailles. Le ménage allait à vau-l'eau. Leur couple s'était consumé à la vitesse d'un feu de paille, en même pas huit mois. Salinger en convint : les torts étaient partagés. En proie à un mal du pays chronique, Sylvia reprit le bateau pour l'Europe moins d'un mois après avoir foulé le sol des États-Unis d'Amérique pour aller s'installer en Suisse comme médecin.

Il est évident qu'elle et lui ne se sont mutuellement rien apporté, si ce n'est du malheur « de la plus violente espèce[2] », reconnaît-il, lapidaire, peu après son départ. La lettre est rédigée sur papier à en-tête du Sheraton-Plaza Hotel à Daytona Beach en Floride, un palace à hublots des années 1930 donnant sur l'océan, son lieu de villégiature et de retraite favori, depuis longtemps. Il s'y est retiré pour achever « The male goodbye[3] », un texte qu'il a envoyé à son agent et qui, à ce jour, n'est jamais réapparu. Ses affaires personnelles allant à la dérive, il n'a rien écrit pendant la durée de son mariage. Les beaux jours, enfin, sont revenus.

Salinger ne s'est jamais vraiment épanché sur les raisons de la séparation. Était-elle le résultat d'une incompatibilité d'humeur ? D'un engagement dans l'Allemagne nazie que Sylvia lui aurait dissimulé, ainsi qu'en courut le bruit ? Cachait-elle sous des dehors affables une Mata Hari en puissance ? Sylvia Welter n'a

1. Lettre à Elizabeth Murray du 13 mai 1945, *op. cit.*
2. Lettre à Elizabeth Murray du 13 juillet 1946, HRC.
3. « L'adieu mâle ». Une nouvelle jamais publiée et introuvable.

jamais appartenu à aucune structure nationale-socialiste. Ni au parti hitlérien, ni même à la Bund Deutscher Mädel, la branche féminine des Jeunesses hitlériennes réservée aux jeunes filles de quatorze à dix-huit ans, dont l'appartenance au mouvement avait été rendue obligatoire par une loi votée quatre mois avant ses dix-huit ans. Certes, ils étaient jeunes et ils s'étaient mariés cinq mois à peine après avoir fait connaissance, un laps de temps néanmoins suffisant pour qu'un agent du renseignement de l'étoffe d'un Salinger s'informe, tout simplement.

La procédure de divorce qu'il avait engagée l'accapara un bon moment. Plus le dossier avançait, plus il se sentait soulagé d'un fardeau. Un sentiment « vraiment agréable[1] », observa-t-il. Trois ans s'étaient écoulés quand le tribunal new-yorkais du comté de Queens prononça officiellement l'annulation du mariage, le 26 janvier 1949. Ce n'est cependant que cinq ans plus tard que Sylvia Salinger-Welter put reprendre son nom de jeune fille, en raison des méandres d'une administration tatillonne.

1. Lettre à Elizabeth Murray du 29 novembre 1948, HRC.

24

Des jours et des nuits à écrire

Salinger s'est remis au travail. Janvier 1947 le voit prendre ses quartiers à Tarrytown, un endroit tranquille du comté de Westchester, au nord de New York. Le logement, un ancien garage aménagé, est sommaire. Il s'irrite d'ailleurs que la propriétaire en parle comme d'un studio, mais tout bien considéré, c'est pour lui une manière raisonnable de vivre et de se consacrer à l'écriture. Cette année-là apporte une production intense. L'hiver venu, il emménage dans une grange transformée en studio à Stamford, dans le Connecticut. Pas du tout en désespoir de cause. Il aime l'endroit, équipé d'une belle cheminée, d'un joli bout de terrain, propice à garantir tout le calme du monde qu'il peut espérer, malgré la présence en bas de la route de deux voisins très gentils, un jeune artiste peintre canadien et son épouse. La vie d'ermite ayant ses limites, il revient de temps à autre dans l'appartement de ses parents à New York. Certains soirs, on peut apercevoir sa longue silhouette ténébreuse hanter les clubs et les bars de Greenwich Village, en particulier le Blue Angel et le Ruban Bleu sur la 55e Rue Est. Il s'attarde plus rarement aux parties de poker organisées les mercredis soir dans l'appartement de Don Congdon, une huile de la maison d'édition Simon and Schuster, qui vise à s'attirer ses bonnes grâces. Il n'est pas le seul éditeur dans ce cas.

Depuis la publication dans le *New Yorker* de *Slight Rebellion off Madison*[1], un texte que le magazine lui avait acheté cinq ans plus tôt, les propositions affluent. Pour des nouvelles, un roman, le cinéma, enfin tout ce qu'il veut.

Salinger a rêvé de faire fortune à Hollywood. Un signe d'acquiescement de sa part et il va être servi, d'autant que sa cote commence à monter. Pour l'heure, il a la paix. Il prend à l'occasion des nouvelles de ceux qui lui sont chers, en particulier ses copains d'armes revenus, comme lui, à la vie civile. Certains d'entre eux, ayant lu ses textes dans les revues ou les journaux, lui envoient un mot pour le féliciter. Il répond autant que possible avec chaleur, leur renvoyant l'image qu'il a gardée d'eux dans son souvenir, l'un en pardessus miteux vert olive, l'autre toujours emmitouflé d'un cache-nez. L'écrivain a l'œil. Il écrit jour et nuit, abattant une grosse charge de travail pour reconstituer son stock de nouvelles. Mais au cours de l'été 1948, passé en grande partie dans le Wisconsin, il s'est laissé distraire par une « romance[2] », fugace, ardente, sans témoins. Puis l'écriture a repris le dessus, stimulée par la publication de *Uncle Wiggily in Connecticut*[3]. Peu après la parution, le producteur et cinéaste américain Darryl Zanuck, toujours à l'affût d'un scénario qui tienne debout, s'est porté acquéreur des droits pour une adaptation au cinéma. Mais c'est finalement Samuel Goldwyn, le magnat de la Metro Goldwyn Mayer, qui a remporté la mise et obtenu de faire transposer la nouvelle

1. Nouvelle parue dans le *New Yorker* du 21 décembre 1946.
2. Lettre à Elizabeth Murray du 29 novembre 1948, HRC.
3. En français *Oncle déglingué au Connecticut*. Nouvelle parue dans le *New Yorker* du 20 mars 1948. Puis dans le recueil *Nine Stories*, en français *Nouvelles*, *op. cit.*

sous le titre *My Foolish Heart*[1]. Tourné en 1949 et nominé à la cérémonie des oscars à Hollywood pour la musique, le film connaît le succès. Eu égard au respect de l'œuvre originale, le résultat, terriblement mélodramatique, est désastreux, et Salinger, furieux d'avoir succombé au miroir aux alouettes. Mauvais scénario, mauvaise production, mauvaise distribution... Sa seule consolation est qu'avec les droits, il pourra payer ses factures, pendant un bon moment. Cependant, promis, juré, on ne l'y reprendra pas. Sam Goldwyn peut bien l'inviter à venir s'installer sur la côte Ouest, Salinger ne lâchera rien, n'étant pas du genre à singer D.B. le grand frère de Holden, qui, dans *L'Attrape-cœurs*, est allé « se prostituer[2] » à Hollywood.

La publication dans le *New Yorker* de *Pour Esme, avec amour et abjection*[3] lui vaut des sollicitations toujours plus nombreuses. À la lecture de la nouvelle, « de beaucoup la plus impressionnante qu'il ait lue ces dernières années[4] », un éditeur de Londres, Hamish Hamilton, s'est empressé de lui écrire de crainte qu'il ne soit déjà sous contrat avec un concurrent britannique. On est au mois d'août et il regrette de ne pas s'être réveillé avant. *Pour Esmé* est parue quatre mois plus tôt. Hamish Hamilton a flairé la perle rare, mais n'est-il pas trop tard ? Aussi est-il prêt à « prendre » tout ce que Salinger peut juger digne d'être publié. L'avalanche diluvienne d'éloges a fait son effet sur l'écrivain. Trois jours plus tard, il le remerciait

1. *Tête folle*, film américain de Mark Robson. La chanson qui l'accompagnait connut un succès populaire aux États-Unis. Puis en France sous le titre *Mon faible cœur*, interprétée par Jacqueline François et Line Renaud.

2. J.D. Salinger, *L'Attrape-cœurs*.

3. Nouvelle parue dans le *New Yorker*, le 8 avril 1950, puis traduite, dans le recueil *Nouvelles*, *op. cit.*

4. Lettre de Hamish Hamilton à J.D. Salinger du 18 août 1950, archives *Story*, BFP.

chaleureusement pour sa lettre « très agréable[1] » qu'il s'engageait à transmettre à son agent Harold Ober. Une amitié était sur le point d'éclore.

Pourtant, sur le plan relationnel, Salinger n'est pas d'un naturel à se disperser. Il sait même se montrer sélectif. *Idem* en amour. Un soir de l'automne 1950 à New York, invité à une soirée « artiste », organisée par un chroniqueur du *New Yorker*, il note la présence d'une adolescente aux yeux de biche, dont la robe de lin bleu au col de velours foncé fait ressortir la fraîcheur juvénile. La robe, assortie à ses yeux, lui a été donnée par la styliste Nan Duskin de Philadelphie pour laquelle elle a défilé pendant l'été. Pour jouer les affranchies, bien que pâle sous le fard, elle tire sur une cigarette. Claire Douglas a seize ans, Salinger trente et un. Elle habite chez ses parents, fréquente un établissement religieux pour jeunes filles de bonne famille, la Shipley School à Bryn Mawr, en Pennsylvanie. Il ne le sait pas encore, mais elle est bien née. Son père n'est autre que le critique anglais Robert Langton Douglas, une référence dans le monde de l'art, spécialiste des primitifs italiens, auteur en 1901 d'un ouvrage sur l'histoire de Sienne et d'une monographie consacrée au peintre florentin Fra Angelico. Prêtre anglican défroqué, converti au catholicisme, il a eu une multitude d'enfants, neuf d'après le registre des chevaliers et de la pairie. Claire est la dernière. Il l'a eue à près de soixante-dix ans, d'un troisième mariage.

Ce soir-là, Salinger et elle étant l'un et l'autre accompagnés, il leur est difficile de se parler. Qu'à cela ne tienne. Le lendemain, l'écrivain profite d'un coup de téléphone de remerciements à ses hôtes pour obtenir les coordonnées de la jouvencelle. La semaine suivante, il

1. Lettre à Hamish Hamilton du 21 août 1950, archives *Story*, BFP.

lui envoyait une lettre à laquelle elle eut quelques difficultés à répondre, « souffrant mille morts à l'idée de ne pas sembler assez intelligente aux yeux d'un écrivain[1] ». Or, elle est loin d'être sotte. Elle s'exprime magnifiquement, adore réciter des poèmes, et d'après l'annuaire de son école, elle manque de sérieux, une qualité aux yeux de Salinger. Être sérieux quand on approche les dix-sept ans, l'âge impossible où tout reste possible, est-ce bien raisonnable ? Claire aurait souhaité avoir neuf vies, et que le destin fasse en sorte qu'elle succède à la grande actrice des années 1900 Sarah Bernhardt. Il y a une chose pour laquelle elle aurait aimé que l'on se souvienne d'elle : son originalité, et un travers qu'elle abhorre, la sophistication. De quoi séduire Salinger qui, tout à son roman, prend le temps de lui téléphoner et de lui écrire régulièrement pendant son année scolaire 1950-1951.

1. Margaret Salinger, *L'Attrape-rêves*, *op. cit.*

25

Le coup de tonnerre de *L'Attrape-cœurs*

Dix ans déjà que son roman est sur les rails. Son héros, Holden Caulfield, cet autre lui-même, ne lui est pas sorti de l'esprit un seul instant durant ces années. Il y a songé dès la publication de sa première nouvelle, *The Young Folks*, cependant il ne se sent pas mûr, pas sûr de lui non plus. Mais il s'y mettra tôt ou tard. « Quand je serai à l'armée[1] », avait-il assuré à Whit Burnett. Il a été le premier à l'encourager dans cette voie. Salinger a commencé à y travailler « dans sa tête[2] ». On verrait ce qu'on verrait. Ce ne sera pas un travail d'amateur. Bien sûr, les moments d'abattement n'ont pas manqué, et que dire du temps qui s'est envolé sans qu'il ait pu mettre la main à son manuscrit, surtout pendant la guerre. «J'ai laissé tomber Holden depuis un moment[3] », écrit-il en mai 1944, alors qu'il est stationné dans le sud de l'Angleterre avec son régiment, dans l'attente du jour J. « Là où je suis, je le raterais. Je le fais à la première personne et il m'est impossible de sentir la chose là où je suis. Si c'était à la troisième personne, ça ne me poserait pas de problèmes. Ce gosse, c'est de la dynamite, ajoute-t-il. Je n'ai jamais

1. Lettre à Whit Burnett du 6 septembre 1940, archives *Story*, BFP.
2. *Ibid.* « *In my mind* ».
3. Lettre à Whit Burnett du 2 mai 1944, archives *Story*, BFP.

touché à rien d'aussi sensible[1]. » Salinger possède si bien son sujet, que comme Flaubert avec Madame Bovary, il pourrait dire « Holden Caulfield, c'est moi ». Il s'est d'ailleurs persuadé qu'une fois revenu du front, « en six mois, peut-être moins[2] », ce sera plié. Tout le matériau est là. Ne l'a-t-il pas, à plusieurs reprises, mis en scène dans ses nouvelles comme acteur principal du récit, narrateur ou plus singulièrement comme spectre, disparu dans une bataille, à même de hanter les consciences ? À la veille du débarquement, il transportait dans son paquetage six textes consacrés à Holden, qu'il dit avoir tous beaucoup aimés. Deux de ces nouvelles, *Slight Rebellion off Madison* écrite en 1941 et *I'm Crazy* quatre ans plus tard, finirent par être incorporées dans *L'Attrape-cœurs.* Elles en constituent la genèse. Ce ne sont cependant pas les seules où l'adolescent occupe l'espace. Jamais, au grand jamais, Salinger n'a douté de parvenir un jour à ses fins. Seulement, il s'en est ouvert à Ernest Hemingway, le roman qu'il a en tête est d'une facture à la fois si délicate et si explosive qu'il craint de le rater et de passer pour un imbécile. D'ailleurs, une fois à pied d'œuvre, la tâche s'est révélée plus rude que prévu. Aurait-il péché par excès de confiance ? Certes le gamin lui a donné du fil à tordre, mais il ne lui a jamais échappé.

La touche finale vient d'être apposée, le livre roule sous les presses. Aux premiers jours du mois de mai 1951, Salinger a pris un transatlantique pour l'Europe. Cinq jours de traversée sur un paquebot luxueux. Son périple va durer deux mois. À l'aller, dans sa cabine, il en a profité pour achever certains travaux d'écriture et rattraper le retard dans son courrier. Au retour, il a tué une bonne

1. *Ibid.*
2. Lettre à Whit Burnett du 28 juin 1944, archives *Story*, BFP.

partie du temps à jouer au ping-pong avec des passagers brésiliens. À Londres, il a été reçu princièrement par son éditeur britannique Hamish Hamilton, dit «Jamie», trop heureux de préparer la sortie de *L'Attrape-cœurs*. Il a relu les épreuves de son roman. Au théâtre Saint-James, il a assisté à une représentation d'*Antoine et Cléopâtre* de Shakespeare avec dans les rôles-titres Laurence Olivier et Vivien Leigh, à qui il a été présenté par Jamie Hamilton, ami de longue date de l'interprète de Scarlett O'Hara, la coquette héroïne d'*Autant en emporte le vent*. Une charmeuse. La sympathie entre les comédiens et lui a été immédiate et réciproque. Ils l'ont invité à dîner avec son éditeur dans leur merveilleuse petite maison de Chelsea. Une soirée très chic et pas guindée. Salinger éprouve pour eux une «réelle amitié[1]» et se dit «très, très flatté» que le couple le plus célèbre de la scène britannique ait souhaité l'inviter à New York à l'occasion de leur tournée aux États-Unis, qui doit démarrer en décembre de la même année à Broadway. Une chose, toutefois, le chagrine, à savoir le chapitre de *L'Attrape-cœurs* dans lequel Holden Caufield débine l'interprète de Hamlet. «J'arrive pas à comprendre ce que sir Laurence Olivier a de si merveilleux, c'est tout», s'étonne l'adolescent. «Il a une diction du tonnerre et il est vachement beau et il est agréable à regarder quand il marche ou qu'il se bat en duel [...]. Là on aurait dit un foutu général, au lieu d'un type du genre triste et coincé[2].» Salinger, embarrassé, tient à ce que Laurence Olivier sache, pour peu qu'il lise son roman, que ce n'est pas lui mais Holden qui commente la production. Lui en aurait assurément eu une plus nuancée, moins à l'emporte-pièce. Encore qu'en privé, l'opinion exprimée par le romancier sur le

1. Lettre à Hamish Hamilton du 4 août 1951, archives *Story*, BFP.
2. J.D. Salinger, *L'Attrape-cœurs*.

spectacle est plus tranchée, en raison, admet-il, de son ego « colossal[1] ». Nonobstant, il y aurait mis les formes. Il a envie d'écrire tout cela à Laurence Olivier de crainte qu'il en déduise que ce « salaud de Salinger » est un hypocrite. Mais il hésite. Son éditeur l'encourage à le faire. Et il s'exécute. « Au risque de paraître péremptoire, pour ne pas dire présomptueux en diable, j'aimerais – en fait j'adorerais – vous dire ce que je pense personnellement de votre jeu d'acteur[2] », attaque-t-il. « Je pense que vous êtes le seul acteur au monde qui interprète une pièce de Shakespeare avec une familiarité tendre et spéciale, ajoute-t-il. Comme si vous ne vouliez pas que ça sorte de la famille, presque comme si vous apparaissiez dans une pièce écrite par un frère plus vieux, que vous comprenez parfaitement et que vous aimez à la folie[3]. » L'écrivain paraît avoir trempé sa plume dans le miel. Dans une lettre à son éditeur, en revanche, il estime que le jeu tout en « puissance » de Laurence Olivier comporte « peut-être des lacunes » – « physiques » le plus souvent. Une critique qu'il se garde de formuler dans le courrier qu'il adresse à « Larry ». Là, au contraire, il n'est plus que dithyrambe : « C'est une chose magnifique presque insupportable à regarder, et je pense sincèrement que vous êtes le seul acteur qui ait un tel jeu. » Salinger souligne, par ailleurs, qu'il s'est déjà fait cette réflexion en 1938, en voyant son interprétation de Iago dans *Othello*, à l'Old Vic à Londres. Il avait assisté à une représentation de la pièce alors qu'il revenait de son séjour à Vienne et à Bydgoszcz en Pologne, avant de reprendre le paquebot pour New York.

Le comédien ne lui tint pas rigueur de cette équivoque divertissante, n'étant pas un homme à confondre le réel

1. Lettre à Hamish Hamilton du 4 août 1951, archives *Story*, BFP.
2. Lettre à Laurence Olivier du 1er septembre 1951. Notre traduction.
3. *Ibid.*

et la fiction. Il le lui certifie deux mois plus tard dans une lettre amicale et chaleureuse, dans laquelle il évoque la soirée à Londres, au cours de laquelle ils ont fait connaissance. Salinger, content de l'aubaine, se sent soulagé et, le moment venu, ne manque pas de se rappeler à son bon souvenir, via son éditeur anglais. De là à consentir, trois ans plus tard, que dans une émission de radio consacrée à la présentation de nouvelles, Laurence Olivier, « très désireux » de le faire, lise des extraits de *Pour Esme, avec amour et abjection* avec d'autres acteurs, c'est hors de question. Son éditeur lui fait pourtant valoir qu'il ne sera pas le seul écrivain contemporain de la série, que des auteurs aussi prestigieux que Charles Dickens, Herman Melville, Joseph Conrad, Robert Louis Stevenson seront au programme, et qu'une telle émission est à même de stimuler les ventes de son recueil intitulé *Nouvelles*, paru l'année précédente, Salinger demeure inflexible. *Pour Esmé* est une nouvelle et elle ne saurait donc faire l'objet d'une adaptation radiophonique. C'est ainsi qu'il voit les choses. Sa position est « désespérément » de bon sens et tout le reste « intolérable », télégraphie-t-il. « Regrets et remerciements à Larry[1] ». Grand seigneur, Laurence Olivier comprit là encore ses réticences. Insurmontables.

De Londres, Salinger a poussé les gaz jusqu'en Écosse, où, au volant d'une Hillman Minx aux pare-chocs chromés et à la calandre semblable à une mâchoire de baleine, il a sillonné les routes sinueuses de la région des lochs. Juste au-dessus de Fort William tout là-haut, puis un peu plus bas à Oban, Dalmally, avant de mettre le cap sur le Ben Nevis. Sur le ferry *Ballachulish* qui le transportait vers l'île de Mull, bercé par le roulis, il s'est pris à

1. Télégramme à Hamish Hamilton du 24 février 1954, archives *Story*, BFP.

rêver qu'il pourrait passer le restant de ses jours dans ces contrées. Il aime infiniment la terre des ancêtres de sa mère. Elle demeurera, sa vie durant, une de ses destinations de prédilection. Il a apprécié Oxford, la région des lacs, chère aux poètes lyriques anglais Samuel Coleridge et William Wordsworth, mais, pour lui, rien n'égale une balade dans la lande sur la côte ouest écossaise. À Stratford-upon-Avon, la ville natale de Shakespeare, il ne s'est même pas donné la peine d'aller au théâtre, la salle, moderne, faisant, à son goût, un peu trop mausolée. Il préfère les salles à l'italienne avec corbeille, baignoires, lustres de cristal, comme le Saint-James à Londres. À la place, il a fait du canoë, en compagnie d'une « lady » à qui il a fredonné quelques airs de son répertoire personnel et, dans une église anglicane, est allé écouter des vêpres. De Dublin en Irlande, dernière étape de ses pérégrinations, il a adressé une carte postale à sa vieille amie Elizabeth Murray, une sorte de chromo postimpressionniste représentant, sur fond de ciel bleu, rose et mauve, des meules de paille et, derrière, une maison au toit de chaume ainsi qu'une barque en bord de mer. Il lui dit avoir adoré les Highlands, les îles Hébrides, et veut s'assurer qu'elle a bien reçu « le livre[1] ». *L'Attrape-cœurs* n'est pas encore sorti en librairie mais il a déjà été annoncé comme un événement majeur par son éditeur de Boston, Little, Brown and Company. Whit Burnett proteste contre l'argumentaire de vente dans lequel il a relevé une « petite inexactitude ». Salinger y est présenté comme l'auteur de quatre nouvelles seulement, publiées dans le *New Yorker*, alors qu'il est une « vieille découverte » de la revue *Story* qu'il dirige. Donc que l'on n'oublie pas que c'est lui, Whit Burnett, qui l'a « édité,

1. Carte postale à Elizabeth Murray du 23 juin 1951, HRC.

publié, soutenu[1] » dès le début. Little, Brown and Company s'excusera et rectifiera. L'évocation de cette anecdote témoigne de ce que la réputation de Salinger à cette époque est circonscrite à un cercle littéraire restreint. Whit Burnett en livre une autre, tout à l'honneur de son protégé, datant de 1944, quand celui-ci était soldat. Le *Saturday Evening Post* lui ayant acheté des nouvelles contre une « grosse somme d'argent », Salinger avait envoyé du front un don de deux cent cinquante dollars pour encourager les jeunes auteurs de nouvelles, en réponse à un concours du service des armées lancé par la revue *Story*, auprès des universités du pays. Le talent était récompensé, pas l'impécuniosité des impétrants. « Tu es le seul qui a toujours contribué rubis sur l'ongle à quoi que ce soit pour soutenir le magazine ou n'importe quel autre auteur[2] », lui écrit Whit Burnett, saluant sa générosité et sa grandeur d'âme.

1. Lettre de Whit Burnett à la maison d'édition Little, Brown and Company du 6 avril 1951, archives *Story*, BFP.
2. Lettre de Whit Burnett à Salinger d'avril 1944, archives *Story*, BFP.

26

Le porte-parole de l'adolescence

L'Attrape-cœurs est paru le 16 juillet 1951. Sur la couverture d'une collection de poche publiée à la suite, une silhouette, celle d'un jeune homme de trois quarts se dirigeant d'un pas saccadé vers on ne sait où, la casquette sur la tête, une valise dans chaque main. Et dans un cartouche, un avertissement au lecteur libellé ainsi : « Ce livre inhabituel peut vous choquer ; il vous fera rire, et peut vous briser le cœur – mais vous ne l'oublierez jamais[1]. »

Aux États-Unis, le succès est instantané, les ventes suivent, énormes. En Grande-Bretagne, le public se montre plus circonspect. Huit mois environ après la sortie, il s'est écoulé 3 200 exemplaires à peine sur un tirage de 5 000. « Un petit nombre comparé aux ventes réalisées aux États-Unis, mais bien supérieur à la moyenne pour un premier roman dans ce pays[2] », le réconforte son éditeur britannique. L'essentiel, parole d'Hamish Hamilton, est que le roman a fait une réelle impression sur les lecteurs au goût sûr, ouvrant la voie à un recueil de nouvelles. Et pourquoi pas à un autre roman qu'il est disposé à publier dès l'automne pour peu qu'il en ait un

1. Archives de l'académie militaire de Valley Forge.
2. Lettre de Hamish Hamilton à J.D. Salinger du 13 mars 1952, archives *Story*, BFP.

fin prêt dans ses tiroirs. Dans ce cas, il retarderait la parution des nouvelles. La note est tellement amicale que Salinger en est presque à regretter qu'il ne l'ait pas également édité aux États-Unis.

En France, changement de décor, les échanges avec l'éditeur, Robert Laffont, en restent au strict domaine professionnel. «Je lui ai écrit pour lui dire combien j'étais heureux de le publier. Il ne m'a jamais répondu, raconte Robert Laffont. Je savais qu'il vivait isolé. Je suis allé aux États-Unis, j'ai demandé à le rencontrer, ça ne s'est pas fait. J'ai jamais eu un auteur pareil[1].» Une première traduction du roman, réalisée par l'écrivain Jean-Baptiste Rossi, plus connu sous le nom de Sébastien Japrisot, voit le jour. «Elle était merveilleuse. Il y avait le rythme, la musique, mais comme il ne connaissait pas assez l'anglais, c'était truffé d'erreurs», poursuit Robert Laffont. Or la traduction se devait d'être «fidèle» et «intégrale», d'après une clause du contrat[2]. Informé de la liberté prise avec son texte, trente ans après sa parution, Salinger proteste. Une nouvelle version signée Annie Saumont paraît, moins échevelée, plus conventionnelle. En novembre 1996, les éditions Robert Laffont ont tenté de ressortir la traduction originale de Jean-Baptiste Rossi. Mais l'agent de l'écrivain s'y est opposé avec la plus grande fermeté, ne comprenant pas qu'elle ait été exhumée alors qu'elle «devrait reposer dans une tombe très profonde».

L'Attrape-cœurs n'a pas raté le coche, et le romancier non plus, qui, en perfectionniste sourcilleux, a veillé au moindre détail dans sa conception. On connaît l'histoire

1. Entretien avec l'auteur le 23 mars 2006.
2. Signé le 5 mai 1952 avec Robert Laffont, le contrat accordait cinq cents dollars d'à-valoir à J.D. Salinger tandis que la maison d'édition parisienne prenait une option sur les deux ouvrages suivants.

de cet adolescent renvoyé de son collège après avoir échoué dans quatre matières sur cinq et qui, sans attendre la fin des cours le mercredi suivant pour rentrer chez lui, s'offre deux-trois jours d'errance mouvementés dans New York. Un hôtel miteux, un cafard noir, une virée dans un bar, une cuite mémorable, des tourments amoureux et plus encore sexuels, une rencontre tarifée mais pas consommée, au final une déveine carabinée sur toute la ligne. Une expérience initiatique aux antipodes de ce que toute la littérature a produit jusque-là. Par la facture déjà et par le ton utilisé, par le vocabulaire même. Salinger est le premier romancier à avoir fait entendre, de bout en bout, la voix d'un gosse de dix-sept ans avec ses propres mots. En cela, il est unique. Il n'est pas le narrateur classique de ses (més)aventures, il en est le porte-parole direct. Et ce dès l'incipit, quand il le laisse se raconter : « Si vous voulez vraiment que je vous dise, alors sûrement la première chose que vous allez demander c'est où je suis né, et à quoi ça a ressemblé, ma saloperie d'enfance, et ce que faisaient mes parents avant de m'avoir, et toutes ces conneries à la David Copperfield, mais j'ai pas envie de vous raconter ça et tout[1]. » La tonalité du récit est donnée et c'est parti. La singularité stylistique de Salinger réside là. Dans cette manière d'entraîner le lecteur hors des sentiers battus et des poncifs académiques. On est loin d'un récit à la Charles Dickens ou d'un Robert Musil. À près d'un demi-siècle de distance, les désarrois de l'élève Caulfield peuvent difficilement être comparés à ceux d'un Törless. Déjà dans la façon dont ils sont relatés. Le langage est plus cru, plus argotique, plus *parlé*. Les tourments ne sont pas non plus les mêmes, bien qu'ils soient, l'un et l'autre, à la recherche d'eux-mêmes. Le héros de Robert

1. J.D. Salinger, *L'Attrape-cœurs*, *op. cit.*

Musil, homosexuel sombre et ténébreux, est l'objet d'un exercice introspectif. Celui de Salinger, puceau hétérosexuel perturbé, malheureux que, dans ce bas monde, les choses soient telles qu'elles sont, du toc. On se croirait dans les dortoirs de Pencey Prep, dans la pénombre des rades enfumés de New York, la saveur du phrasé et des dialogues étant incomparable.

Sur les rayons des bibliothèques, les histoires de collégiens en mal de vivre ou plus ou moins en rupture sont légion. Boutonneux, bagarreurs, insolents, rebelles. Les uns refusent de grandir, les autres jouent des coudes. Holden, lui, est pris de vertige, à l'idée de quitter le paradis perdu de l'enfance et de l'adolescence, un aller sans retour que le passage vers l'âge adulte. Il se raconte avec humour, déclenche de grands éclats de rire, mais sait aussi être saisissant. Quand, par exemple, alors qu'il est au fond du trou, il revit soudain en entendant un enfant de six ans fredonner la chanson suivante : « Si un cœur attrape un cœur qui vient à travers les seigles[1] ».

Le titre de *L'Attrape-cœurs – The Catcher in the Rye* en anglais – est une variation sur un poème de Robert Burns[2], *Comin thro' the Rye*[3]. La revue *Story* de Whit Burnett, à laquelle collaborait Salinger, avait consacré en 1940 un numéro spécial au poète écossais et, dans le roman, Phoebé, la petite sœur d'Holden, souligne que le vers original c'est « si un corps rencontre un autre corps qui vient à travers les seigles ». Une observation que l'écrivain relèvera plus tard à l'occasion d'une publication de son roman en hébreu sous un titre légèrement différent, pour en faciliter la compréhension au lecteur n'ayant

1. *Ibid.*

2. Robert Burns (1759-1796). Auteur de poèmes et chansons en dialecte écossais, parmi lesquels *Auld Lang Syne* (*Ce n'est qu'un au revoir*) chanté à la Saint-Sylvestre.

3. Venant à travers les seigles.

jamais entendu parler du poète écossais. *L'Attrape-cœurs* provient d'une « citation inexacte » de Robert Burns, s'empressa de préciser l'auteur, soulignant que le titre était expliqué dans le livre. Et de conclure : « Rien de mal à cela[1]. »

Tel un alchimiste, Salinger tire du poème de Burns une métaphore splendide. Dans un champ de seigle planté au bord d'une falaise, des enfants jouent, insouciants du danger. Éperdus dans leur course, ils risquent de tomber. Holden a peur pour eux. Il veut être « l'attrape-cœurs », les retenir, leur éviter la chute. Laquelle les mène tout droit vers l'âge adulte. La mort de quelque chose.

Mais *L'Attrape-cœurs* n'est pas que cela. C'est aussi l'histoire d'une défaite, terrible, d'un adolescent navré de constater le cours inexorable des choses et qui, impuissant à en modifier l'implacable déroulement, rentre chez ses parents, vaincu. L'ordinaire de la vie va reprendre le dessus. Il n'y a rien à faire.

1. Lettre à son agent littéraire Dorothy Olding du 7 septembre 1973, archives *Story*, BFP.

27

En quête de spiritualité

Le livre était publié. Que pouvaient valoir les critiques ? Pas grand-chose. Là-dessus, Salinger ne tarda pas à se faire une opinion. Les plus favorables, nombreux, lui paraissaient « pédants et boursouflés[1] ». Et la majeure partie d'entre eux, décidés à dire ce qu'ils en avaient *pensé* et non ce qu'ils avaient *ressenti* à la lecture, ne valait guère mieux. Comme s'ils s'étaient tous passé le mot. Résultat, au fil des recensions, les implications sociologiques du roman avaient été escamotées ou presque. Certains y faisaient référence, mais chaque fois, les exemples cités semblaient « laborieusement » choisis. Bref, toute la *beauté* du roman avait été laissée de côté. Elle leur aurait donc échappé ? Une chose dont ils pouvaient être sûrs désormais, la seule dont le romancier les gratifierait serait son « mépris impérissable[2] ».

Qu'importe après tout, c'était un fabuleux succès. À Westport dans le Connecticut, depuis quelque temps son lieu de résidence où il occupait une « grange[3] » en plein champ avec Benny, son schnauzer, pour seule compagnie permanente, le livre s'arrachait. Il en perdit à tel

1. Lettre à Hamish Hamilton du 4 août 1951, archives *Story*, BFP.
2. *Ibid.*
3. Lettre à Elizabeth Murray du 29 novembre 1948, HRC.

point sa tranquillité vitale pour travailler, qu'il se mit à chercher un endroit moins surfait en quelque sorte. Il atterrit à New York, au 300 Est de la 57e Rue, dans un sous-sol et rez-de-chaussée.

Petit et très bruyant, l'appartement recèle plein de jolies cachettes caractéristiques et il pense pouvoir y vivre en paix. Dans les limites qu'il s'est imparties, bien entendu. Il a maintenu le contact avec Claire Douglas. Elle s'est absentée pendant l'été pour être au chevet de son père atteint de démence sénile, et depuis retiré dans un monastère maison de retraite pour ecclésiastiques à San Girolamo, près de Florence. Les obsèques ont eu lieu à Sienne en grande pompe et elle est de retour d'Italie. Salinger occupe un décor noir et blanc. Dans la chambre, tout porte la couleur du deuil, la table basse, les étagères, les draps sur lesquels ils passent quelquefois la nuit, côte à côte, sans entretenir de rapports intimes. La précision est de Margaret Salinger. Au mur, est accrochée une photo de lui en uniforme.

Claire se souvient qu'à l'époque, « il sombrait dans de vrais trous noirs[1] ». Lui-même ne saurait la démentir. Dans ces moments d'abattement profond, il se mure dans le silence. Les nerfs à fleur de peau, dans un état de névrose extrême. Incapable de communiquer, la stagnation le guette. Plus rien alors ne lui fait envie. Pas même de se manifester auprès des amis, aussi aimants et compréhensifs soient-ils. Il a exprimé le désir de retourner en Europe à l'été 1952, de rendre visite à son « cher Jamie » qu'il appelle familièrement « mon vieux[2] », à Yvonne, sa femme, et à Alistair, leur fils. Sans oublier Robert Machell, le directeur littéraire de la maison

1. Margaret Salinger, *L'Attrape-rêves*, *op. cit.*

2. En français dans le texte. Lettre à Hamish Hamilton du 19 juillet (probablement 1952, l'année ne figurant pas dessus), archives *Story*, BFP.

d'édition Hamilton. Ensemble, ils se prélasseraient sur la pelouse, si belle et si verte de leur maison avec terrasse. Et puis non, il lui faut renoncer, se remettre un petit peu au travail, pour la première fois depuis des mois. D'ailleurs, a-t-il le choix, les impôts lui sont tombés dessus. Salement. Et comme il sait qu'il ne pourra pas produire autant en dehors de chez lui... Il essaie de mettre en forme un recueil de nouvelles pour son éditeur américain Little, Brown and Company. Une bonne quinzaine de jours déjà qu'il aurait dû le rendre, mais pas moyen de trouver un titre. Il s'escrime aussi sur deux nouvelles. Pour ne rien arranger, la ville, suffocante, est écrasée de chaleur, or la canicule lui est insupportable. S'il trouvait le moyen d'aller jusqu'au bureau de poste, il aimerait tout de même envoyer à son éditeur anglais le livre religieux « du siècle[1] » : *L'Évangile de Ramakrishna.* Ce guide spirituel, censé conduire à l'illumination, plaide la défense des religions, dès lors qu'elles procèdent de l'omniscience d'un mystique hindou. Un texte englobant tous les cultes, mais au bénéfice d'un seul gourou.

Claire affirme que c'est l'année de la sortie de *L'Attrape-cœurs* que Salinger s'est tourné vers le Bouddha. Un investissement personnel très intensif. Il se lie d'amitié avec le philosophe japonais Daisetz Teitaro Suzuki[2], promoteur de la prodigieuse expansion du bouddhisme zen en Occident dans les années 1950, et opte pour le Védânta, une philosophie indienne issue de l'hindouisme dont il persillera certaines de ses nouvelles. Salinger fréquente surtout assidûment le centre Ramakrishna-Vivekananda à Manhattan, la succursale new-yorkaise de l'Ordre fondé en Inde, et se rend l'été au centre zen à Thousand Islands Park, toujours à New York. Auprès du

1. *Ibid.*
2. Daisetz Teitaro Suzuki (1870-1966).

Swami Nikhilananda, le grand prêtre du lieu considéré comme un vieux sage et traducteur de l'œuvre de Ramakrishna en anglais, il étudie les principes philosophiques. Leur échange de correspondance se limite surtout à l'acquisition par Salinger d'ouvrages écrits par les maîtres à penser de l'organisation. Que ceux-ci aient trait à leur propre expérience de la vie, la recherche d'une certaine sagesse ou la quête de l'immortalité. Entre eux, les rapports sont cordiaux. Chaque fois que Salinger adresse un don de cinq cents dollars au centre afin d'encourager ses activités – ce qu'il fera de 1962 à sa mort –, il a droit à une lettre de remerciements onctueux en retour.

En mai 1967, ayant eu vent que la fille de Joseph Staline, en rupture de ban avec son pays natal, avait exprimé de la curiosité pour le mouvement, l'écrivain va jusqu'à inviter son « cher Swami » à offrir à l'exilée trois livres susceptibles de l'aider à mieux appréhender les États-Unis, la population, la presse, la gentillesse des Américains, leurs préjugés, leur générosité, bref les avantages et les inconvénients de l'*American way of life.*

L'Évangile de Ramakrishna étant paru aux États-Unis dans une version abrégée en 1942 avec une introduction de l'écrivain anglais Aldous Huxley, l'auteur du best-seller *Le Meilleur des mondes,* Salinger considère que ce pavé de plus d'un millier de pages devrait être accessible au public dans son intégralité. Il sollicite l'avis de son ami « Jamie » Hamilton, lui en envoie une copie. Faute d'une prompte réponse, il revient à la charge, veut savoir s'il lui semble ou non digne d'être imprimé *in extenso.* « Terriblement coupable[1] » de ne pas avoir donné suite et soucieux de ne pas le décevoir sachant la haute opinion qu'il a de ce livre « tellement remarquable[2] », Hamish

1. Lettre de Hamish Hamilton du 25 novembre 1952, archives *Story,* BFP.
2. Lettre à Hamish Hamilton du 17 novembre 1952, archives *Story,* BFP.

Hamilton se met à la tâche. L'ouvrage, toujours à portée de main, trônait sur son bureau. Ayant fini par l'ouvrir, il assure à Salinger en avoir lu une bonne partie avec plaisir et en avoir même tiré profit. Cependant, un succès de l'intégrale en librairie paraît loin d'être acquis. L'aveu consenti, il n'en sera plus question entre eux.

L'écrivain reclus a-t-il cherché l'équilibre dans le bouddhisme, lui qui a un temps envisagé de devenir moine, une assertion de Claire rapportée par leur fille Margaret? Les textes écrits ces années-là reflètent ses préoccupations dans ce domaine. Holden Caulfield est d'un athéisme « sacrilège », Teddy, en revanche, le héros de la nouvelle éponyme, âgé de dix ans, est un « petit garçon très singulier[1] » qui, chaque matin, s'adonne à des exercices de méditation et croit à la réincarnation. Dans sa première vie, il était un « saint homme[2] » de l'Inde, enfin une personne assez avancée sur le plan spirituel. Précoce de surcroît, puisqu'il n'avait que six ans au moment de sa première expérience mystique. La nouvelle ne le précise pas mais c'est l'âge auquel Ramakrishna connut, lui aussi, sa première expérience extatique. Teddy perd la grâce avant l'ultime « illumination » : la rencontre d'une « dame » l'ayant incité à cesser de méditer. Un phénomène identique aurait-il frappé Salinger? Lui aussi fait des rencontres galantes. Une idylle d'abord dont il est incapable de prévoir le cours et qui ne survivra pas, bien que les deux chéris l'aient analysée et rationalisée à mort. Il en a même perdu dix kilos en quelques mois. Pour la bonne cause, s'entend : « L'amour[3] – *my God* ». Lui-même en plaisante volontiers,

1. *Ibid.*
2. *Teddy*, parue dans le recueil intitulé *Nouvelles.*
3. En français dans le texte. Lettre à Hamish Hamilton du 11 décembre 1951, archives *Story*, BFP.

la seule chose en mesure de le tenir éloigné longtemps de ses amis est soit une femme, soit un roman. Pendant plus d'un an, il a courtisé une dénommée Mary avec une telle assiduité qu'il n'en lisait plus les journaux. La perspective d'un mariage a tourné court, ils ont cependant décidé de rester bons amis. Salinger peut se remettre derrière sa machine à écrire et se couper à nouveau du monde. Il approfondit son œuvre, rassemble ses souvenirs, organise ses personnages, imagine des situations cocasses ou tragiques, ne se laisse guère troubler. Il travaille la nuit, se repose le jour, à un rythme si soutenu que, ayant perdu le contact avec pratiquement tout le monde, lucide sur lui-même, il en arrive à se comparer à un vieux reclus excentrique vivant retranché dans un appartement encombré de cannettes de bière et de journaux depuis longtemps périmés. Ah si, il s'est arraché à sa solitude le temps d'organiser une petite soirée chez lui pour l'anniversaire d'un ami, Michael Mitchell, l'auteur du dessin de couverture de l'édition originale de *L'Attrape-cœurs*, représentant un cheval de bois cabré, sur fond rouge, identique à celui qu'enfourche Phoebé, la petite sœur d'Holden dans le roman. Rêve de gosse. Tournez manège. Salinger aime beaucoup « Mike », ainsi que sa femme Bet. Des amis comme on n'en fait plus. Les plus chers qu'il ait jamais eus, écrit-il[1]. Il a aussi répondu à une invitation de l'écrivain Sid Perelman, un très proche à l'époque. Ils déjeunent souvent ensemble. Ce soir-là, d'avoir ingurgité un peu trop d'alcool, il en a oublié de lui demander s'il était content de son éditeur britannique, étant tout prêt à lui recommander le sien, orfèvre dans l'art de fabriquer ses livres. Car il y met un soin méticuleux, une qualité qui lui vaudra sa gratitude

1. Lettre à Michael Mitchell du 6 avril 1985, dossier Salinger, Morgan Library, New York.

éternelle. Le *Time* américain a demandé à Salinger de citer les cinq livres qu'il a le plus aimés dans la production de l'année écoulée, trois de la liste viennent de chez Hamilton. Hélas les « salauds[1] » n'ont mentionné que le titre, pas le nom de l'éditeur. Les premiers temps, lorsqu'il est sollicité pour un conseil, une recommandation, la lecture d'un ouvrage de ses contemporains aujourd'hui oubliés et dont même le tentaculaire moteur de recherche Google n'a pas retenu les notices biographiques dans ses banques de données, jamais il ne se défile. Mais, ses lettres de noblesse acquises, il est assailli par les maisons d'édition qui l'abreuvent de leur production. Certaines désireuses de s'adjoindre sa collaboration, d'autres d'obtenir son avis sur un livre de leur collection. Evan Thomas, qui a publié *La Nuit du chasseur* de Davis Grubb, bientôt adapté au cinéma par l'acteur et réalisateur britannique Charles Laughton, avec le retentissement que l'on sait, l'a démarché au nom d'un de ses auteurs. Salinger a décliné la proposition, sous prétexte qu'il ne peut commenter favorablement le livre de A et défavorablement celui de B. Certifiant ne jamais lire de livres envoyés par les éditeurs, il s'en excuse, désolé. Harold Strauss, le grand patron de la prestigieuse maison américaine Knopf, lui a fait une offre mirifique, suggérant que s'il devait quitter Little, Brown and Company il serait honoré de le récupérer. Chez lui, Salinger peut en être certain, il ne courra pas le risque de se retrouver exposé au côté commercial qu'il abhorre. Il sera traité avec toute la « compréhension », tout le « discernement » et tout le « respect » qui lui est dû, après le succès « éclatant[2] » de *L'Attrape-cœurs.* La tentative de débauchage échouera.

1. Lettre à Hamish Hamilton du 11 décembre 1951, archives *Story*, BFP.
2. Lettre de Harold Strauss à J.D. Salinger du 11 février 1952, archives Salinger, HRC.

Whit Burnett, lui-même, a refait surface. Il lui a proposé de figurer dans un numéro de *Story* consacré aux écrivains « les plus remarquables[1] » de sa revue. Il n'est pas en mesure de lui promettre des merveilles sur le plan financier, mais la publication ensuite d'un recueil de nouvelles constituera un complément substantiel. Et puis, ce serait un tel plaisir, après tout ce temps, d'avoir quelque chose de lui. Mais Salinger n'a pas davantage donné suite.

Le *London Magazine* aussi aurait été flatté de le compter parmi les collaborateurs de la revue. Or la malchance veut qu'un contrat d'exclusivité le lie déjà au *New Yorker*. Chaque fois, la réponse tombe, négative, courtoise et sans appel.

En revanche, malheur à qui s'avise de la moindre indiscrétion le concernant. Quelqu'un de chez Little, Brown and Company l'a un jour appelé à Westport pour lui annoncer la parution de *L'Attrape-cœurs* dans la collection The Book of the Month Club[2]. Salinger a décroché le combiné, essoufflé. Il venait de monter quatre à quatre les marches du sous-sol où il était en train de laver sa voiture. L'anecdote, dénuée d'intérêt et déformée par tous les « crétins de journalistes[3] », a alimenté les gazettes. Fâché de passer pour un « imbécile », l'écrivain, mécontent, a déversé son aigreur sur le fautif en ces termes : « C'est un éditeur, pas un agent de publicité[4]. »

À part les commérages qu'il fuit, les critiques et son éditeur américain qu'il trouve un peu lent à débloquer les royalties, il ne se plaint de rien. L'*Observer* de Londres ayant recensé son roman, il a quand même voulu en prendre connaissance, lui pourtant si réticent à l'égard des journalistes.

1. Lettre de Whit Burnett du 19 février 1952, archives *Story*, BFP.
2. Le Club du livre du mois.
3. Lettre à Hamish Hamilton du 11 décembre 1951, archives *Story*, BFP.
4. *Ibid.*

C'est alors qu'est survenue la mort d'Herbert Ross, le fondateur du *New Yorker*, un homme intuitif et bon, à l'esprit rapide. Il avait conservé une âme d'enfant. Salinger s'est rendu aux obsèques. Le chapelain, dépêché de l'université de Yale pour prononcer l'oraison funèbre alors même qu'il ne connaissait pas le défunt, lui a souverainement déplu. Celui-ci roulait les « r », appuyait sur toutes les dernières syllabes, dévidait un vocabulaire d'un chic paroissial malvenu. La cérémonie funéraire était dépouillée de solennité. Elle a pris une tournure de bazar païen qui l'a révulsé.

La guerre de succession qui s'est engagée au sein du magazine à la suite de cette disparition l'a d'autant moins laissé indifférent qu'il compte au nombre des signatures exigeantes et choyées. Gus Lobrano, le conseiller littéraire, convoitait le poste. Dans la rédaction, c'est lui, le futur dédicataire de son recueil *Nouvelles*, et William Maxwell, qui traitent directement avec l'écrivain. Mais la direction de l'institution lui a échappé au profit de William Shawn, une autre figure de la maison, respecté, secret, un tantinet excentrique. Salinger s'en est rapidement fait un allié. Pourtant, la transition avait mal commencé, la nouvelle direction du *New Yorker* lui ayant refusé une nouvelle, *La Période bleue de Daumier-Smith*[1].

Dépité, Salinger a regagné sa thébaïde, connu un passage à vide, un de plus, se disant qu'une exposition au soleil, Mexique ou Floride, lui serait bénéfique. Par moments, il se sent prêt pour un deuxième roman. Mais l'achèvement d'un recueil de nouvelles l'attend. Son éditeur anglais s'en fait par avance une joie. Or lorsque Salinger lui a écrit qu'il voulait l'intituler sobrement

1. Nouvelle parue dans le numéro de *World Review* de mai 1952. Puis dans le recueil *Nouvelles*.

« Nine stories » (neuf nouvelles), Hamish Hamilton est tombé des nues. « Nous pensons sincèrement que tu n'es pas sérieux[1] », hasarde-t-il. Tentant de lui faire comprendre que ce serait un « gros handicap », il suggère de lui donner le nom de celle qu'il préfère : *Pour Esme, avec amour et abjection.* La « meilleure que j'ai lue d'un auteur ces dix dernières années, toutes langues confondues[2] », assure-t-il. La mention « Et autres nouvelles » figurera évidemment sur la couverture. Personne n'est en mesure de fléchir Salinger, hostile à ce qu'une seule nouvelle labellise le recueil. Il a transmis la liste des textes sélectionnés par ses soins, en a donné l'ordre d'agencement. Rien ne l'en fera dévier. À la parution, sous le titre qu'il a imposé, l'ouvrage, porté par l'élan qui a accueilli *L'Attrape-cœurs,* connaît aux États-Unis un succès phénoménal. Au Royaume-Uni, les ventes s'avèrent plus contenues.

1. Lettre de Hamish Hamilton à J.D. Salinger du 25 novembre 1952, archives *Story,* BFP.
2. *Ibid.*

28

Le choix du silence

Contrecoup de l'effort des semaines écoulées, sitôt le manuscrit des *Nouvelles* parti pour l'impression, l'écrivain s'est senti fatigué, maussade, agité. Le résultat des élections présidentielles qui ont porté Eisenhower à la Maison-Blanche, et son colistier Richard Nixon à la vice-présidence, n'est pas de nature à lui remonter le moral. À tout prendre, il aurait préféré la victoire du candidat démocrate Adlai Stevenson, un illustre oublié. L'ancien commandant en chef des armées alliées pendant la Seconde Guerre mondiale a remporté le scrutin haut la main. Salinger le connaît – pas personnellement – mais, pour avoir servi dans les rangs de l'armée, il en a une idée précise. Si bien que de le voir parader, jour et nuit, dans tous les journaux et les films d'actualité, l'index et le majeur levés en signe de V de la victoire – une « saleté » de geste « obscène[1] » –, lui soulève le cœur. La majorité du pays aime ça et cela le désole. Il n'use d'ailleurs pas de la familiarité en vogue consistant à le désigner par son surnom : « Ike ». Pour lui, le nouveau président des États-Unis n'est qu'un monstre d'ambition, de tromperie et d'opportunisme. Aussi espère-t-il que les journaux britanniques ne le traiteront pas « trop

1. Lettre à Hamish Hamilton du 17 novembre 1952, archives *Story*, BFP.

gentiment[1] ». Encore qu'il se montre sans illusion, la presse étant la même partout dans le monde.

Salinger ressemble à Holden. N'ayant par moments goût à rien, il n'aspire qu'à des instants de calme où on se sent si bien qu'on dirait du bonheur. Un bon moyen, selon lui, de se préserver du « comportement de l'être humain » consiste à se replonger dans l'écriture. « Je travaille vachement et c'est à peu près tout ce que je sais[2]. » Alors à quoi bon partir, changer d'air, s'absenter, et pour aller où ? Londres où il est chaque année invité ? Si seulement il pouvait savoir d'avance ce que seront ses projets et quelle tournure ils prendront. Qu'on ne pense pas qu'il est un « reclus névrosé[3] ». Il est las de cette étiquette infamante dont il se sait prisonnier. Il est d'ailleurs reconnaissant à quiconque ne la lui renvoie pas à la figure dès lors qu'il veille à ne pas se disperser, c'est-à-dire sortir, aller boire un verre à droite ou à gauche, plutôt que de se concentrer sur le long texte auquel il s'est attelé : *Franny*[4]. Les astreintes qu'il s'impose ne l'empêchent pas de demander des nouvelles des uns, des autres, de se rappeler à leur bon souvenir. Les lettres sont affectueuses. Mais les visites lui coûtent. Au dernier moment, le cœur lui manque d'aller plus loin. Ne serait-ce que se rendre à New York pour voir son éditeur anglais de passage, ou rencontrer de vieilles connaissances, pourtant pétries de bonnes intentions à son égard. Les incursions à Manhattan s'espacent. Il l'admet volontiers : il pourrait compter ses amis sur « un doigt et demi[5] ». Autant s'empresser de rire de tout.

---

1. *Ibid.*
2. Lettre à Hamish Hamilton du 10 mars 1954, archives *Story*, BFP.
3. Lettre à Hamish Hamilton du 12 janvier 1954, archives *Story*, BFP.
4. Nouvelle parue dans le *New Yorker* le 29 janvier 1955. Puis sous forme de livre le 14 septembre 1961.
5. Lettre à un ancien camarade de l'armée prénommé Basil du 7 mars 1953, archives *Story*, BFP.

Sur le plan affectif, le 17 février 1955 a marqué un nouveau départ dans sa vie. À Barnard, une petite commune du Vermont, il a épousé Claire Douglas, étudiante de son état. Six jours plus tôt, ils ont effectué un test sanguin prémarital afin de vérifier la compatibilité de leur rhésus au cas où ils décideraient d'avoir des enfants, et de s'assurer qu'ils ne sont pas porteurs de la syphilis.

Ils vivaient déjà ensemble depuis deux mois au moins lorsque la cérémonie nuptiale a eu lieu devant le juge de paix Vanlora A. Watts, mais sur le registre du mariage, on les voit domiciliés, elle à New York City, lui à Cornish dans le New Hampshire. Sur le document administratif, il n'est pas fait mention de la précédente union de Salinger avec Sylvia Welter. Claire a vingt et un ans, lui trente-six. Ses études au très sélect collège de Radcliffe sont derrière elle et elle a laissé tomber un emploi de portemanteau exercé un été chez Lord & Taylor à New York, le plus vieux magasin d'habillement de qualité sur la Cinquième Avenue. Elle s'est gardée d'en piper mot à «Jerry», certaine qu'il désapprouverait. Cinq ans sont passés depuis leur première rencontre. Elle est restée très «petite fille» avec ses grands yeux éthérés un peu troublés, ses joues pleines, son bout du nez retroussé, ses sourcils comme dessinés au crayon noir. Et hyperactive, un trait de sa personnalité par lequel elle s'est distinguée au collège comme vice-présidente de sa classe, présidente de l'équipe de hockey, ainsi que pour son investissement dans le sport – basket-ball, base-ball, tennis – et le théâtre. «J'ai tellement à faire», était son expression fétiche. Son goût pour les parfums français atteste, s'il en est besoin, que c'est une personne de qualité et de bonne famille.

Une réception a couronné la célébration des noces. Une nouvelle vie, rustique, commence pour elle, radicalement différente de ce qu'elle a connu jusque-là, elle qui, enfant, trouvait un « grand réconfort[1] » quand, en visite chez sa grand-mère maternelle, elle s'endormait sous un tableau de Giotto, *La Madone à l'Enfant*. Elle est née à Londres mais a reçu la nationalité américaine quand ses parents, fuyant le Blitz, cette vague de bombardements allemands pendant la guerre, ont choisi New York pour résidence.

À Cornish, s'occuper de Salinger est un travail à plein temps, même s'il passe la plus grande partie de la journée studieux, enfermé dans sa petite cabane verte au bout du jardin, dont il a fait sa tour d'ivoire. À l'intérieur, un lit de camp de l'armée, un poêle et une banquette arrière de voiture en cuir marron qui lui sert de fauteuil. Sur le bureau, sa machine à écrire et un peu partout collés à portée de main sur le mur et sur l'abat-jour, des bouts de papier jaune remplis de notes.

Il a acheté la maison et les quatre-vingt-dix-neuf ares de terre attenants, en grande partie boisés, deux ans plus tôt, pour le prix d'une voiture. Elle est à bardeaux recouverts d'un rouge sombre auquel il a fini par remédier. Petite, c'est ainsi qu'il l'a voulue même s'il l'a fait agrandir par la suite, et perchée sur une colline couverte de futaies, coupée du monde. Un ruisseau traverse la propriété.

Perdu au beau milieu d'une végétation luxuriante, Cornish, un endroit étrange, ne ressemble à aucun autre. La logique des villes et des villages d'Europe, ordonnancés autour d'un centre névralgique, échappe à sa topographie. Ici, la place publique, la mairie, l'église, l'école communale, l'épicier sont disséminés en pleine nature, foisonnante et soignée. Pas de centre-ville, ni de lacis de rues ou de ruelles. Un décor éclaté et sommaire,

1. Margaret Salinger, *L'Attrape-rêves*, *op. cit.*

quasi minimaliste. L'environnement urbanistique de Salinger se compose de quelques maisons en bois colorées, construites dans le plus pur style Nouvelle-Angleterre des pionniers. Éparpillées au gré du paysage, les habitations jalonnent une sorte de triangle scalène, répondant au nom de Cornish Mills, Cornish Colony, Cornish Flat – des lieux-dits, plutôt que des hameaux, figés dans l'immobilité et le silence. Un décor parfait, presque métaphysique, apte à figurer un tableau d'Edward Hopper. Ici, le poste à essence en lisière de la forêt épaisse et oppressante, là une église blanche en bois sertie dans un écrin de verdure, alentours, des lignes de fuite et de rares silhouettes dégagent cette même atmosphère de désolation picturale. Salinger vit au centre de cette géométrie biscornue, en ermite, à un endroit qu'aucun cadastre ne mentionne.

Pour qui apprécie, comme lui, la campagne sauvage, le cui-cui des oiseaux le matin au réveil, l'emplacement est sensationnel. Très vite, il a amélioré l'isolation intérieure de la maison en faisant poser des cloisons et de nouvelles fenêtres afin de se calfeutrer les jours de tempête. Elle sera bientôt équipée de tous les gadgets et appareils électriques possibles et du chauffage, lui aussi électrique. Le luxe, cependant, manque à l'appel. Salinger coupe son bois, va chercher l'eau du puits qu'il faut faire chauffer sur un poêle à l'heure de la toilette. Un seul vrai inconvénient le désole : il n'y a pas un village anglais, écossais ou encore irlandais à la ronde, ni un pub où aller siroter une pinte à la fin de la journée de labeur. D'une gaieté naturelle presque à toute épreuve, Claire se montre « incroyablement[1] » agréable et joyeuse à endurer cette vie spartiate, en dépit du singulier calendrier de travail de son mari. Les premiers temps, à tout le moins.

1. Lettre à Hamish Hamilton du 19 juin 1957, archives *Story*, BFP.

Heureusement pour elle, la famille n'a pas tardé à s'agrandir. Le 10 décembre 1955, Margaret, alias Peggy, est venue au monde.

Salinger frétille d'aise, pas peu fier de la présenter aux amis. Hamish Hamilton d'abord. Pour cela, il s'est extrait de son havre de paix au confort ascétique, et il est descendu jusqu'à New York, le temps d'exhiber la petite à son éditeur anglais et à son épouse. « Yvonne ne pourra que l'aimer. Je compte beaucoup là-dessus[1] », a-t-il anticipé, sans risquer d'être démenti. Il aimerait faire de même avec Elizabeth Murray, pour qui il a conservé une amitié fidèle intacte, tant leur compréhension mutuelle est intemporelle, même si la correspondance entre eux s'est raréfiée les dernières années. Margaret est une enfant très drôle, du moins le pense-t-il. Elle n'avait pas deux ans qu'il s'émouvait à regarder « sa » douce Peggy, danser, pensive, sur un air de jazz diffusé à la radio, un ours en peluche dans les bras. Un spectacle que sa vieille amie, priée de s'arracher à son enracinement de Manasquan pour leur rendre visite à l'été, à l'automne ou à l'hiver – à sa guise – ne manquerait pas de trouver attendrissant. Et puis, les saisons sur les hauteurs de Cornish sont si spectaculaires qu'elle ne le regrettera pas.

À ce moment-là, la vie sociale des Salinger équivaut, pour ainsi dire, à zéro. La présence dans le voisinage des Hand, Learned et Frances, à la belle saison, un couple de New-Yorkais avec lequel ils se sont liés d'amitié, apporte un peu de joie et de paix dans la maison. Lui, déjà octogénaire, est une sommité de la magistrature retirée du service actif, mais que l'on consulte et dont les arrêts ont longtemps fait autorité dans les plus hautes sphères politiques et judiciaires du pays. Quand ils sont dans les environs, ils dînent une fois par semaine ensemble, tantôt

1. Lettre à Hamish Hamilton du 30 janvier, archives *Story*, BFP.

chez les uns, tantôt chez les autres. La soirée souvent s'achève par une lecture à haute voix. Tolstoï recueille leur préférence. Mme Hand, âgée elle aussi, ne dit pas grand-chose. Le couple s'emploie à gâter Peggy.

Salinger les a connus par le biais de son éditeur anglais. Les lettres qu'il leur envoie débordent d'affection. Il leur parle de la pluie, du beau temps, des hivers interminables, et c'est comme ça que les Hand en sont arrivés à lui prêter leur garage dans le New Hampshire afin qu'il puisse mettre sa voiture à l'abri des intempéries. « Quel formidable soulagement[1] » pour lui.

En dehors de ces contingences météorologiques, il leur fait part des menus riens de l'existence confinée, s'enquiert de leurs problèmes de dos et autres désagréments de la vieillesse, et surtout leur dit, en toute occasion, combien ils lui manquent et combien il sera heureux de les revoir, le printemps revenu. Car ils passent la période des frimas à New York, bien au chaud dans leur appartement de la 65e Rue, équipé d'une grande cheminée. Ils ont un domestique et un cuisinier et des petits-enfants dont l'auteur de *L'Attrape-cœurs* est toujours désireux de savoir s'ils « se portent bien[2] ».

Le juge Hand a succombé à une crise cardiaque le 18 août 1961. Il avait quatre-vingt-neuf ans.

---

1. Lettre au couple Hand du 19 février 1961, archives *Story*, BFP.
2. Lettre au couple Hand du 18 avril 1960, archives *Story*, BFP.

29

Un Américain intranquille

Salinger est conscient de l'abnégation de son épouse à vivre ainsi isolée du reste du monde. Revoir l'Écosse le tente, d'autant que Claire, y comptant de lointains ancêtres, adorerait. Il comprend ce sentiment, il le partage. Dans l'annuaire de son école en Pennsylvanie n'a-t-elle pas écrit : « Mon cœur est dans les Highlands, mon cœur n'est pas ici » ? Comme il aimerait louer un cottage là-bas pour, disons, une année. Il espère pouvoir le faire, dans un an peut-être, pour la simple raison que d'ici là, il doit impérativement passer de longues heures à travailler. *Zooey*[1], une nouvelle-fleuve, a fini par paraître dans le *New Yorker.* L'écrivain en a bavé pour en venir à bout, à s'en rendre malade, littéralement. À force de tension nerveuse, une éruption squameuse lui a envahi tout le côté gauche du visage. À présent, avec *Seymour, une introduction*[2], dernière création en gestation, qui sait s'il ne court pas le risque que ses oreilles se décollent et tombent ! « Je plaisante, bien sûr, et je ne me plains

1. J.D. Salinger, *Zooey.* Parue dans le *New Yorker,* le 4 mai 1957. Puis sous forme de livre le 14 septembre 1961, sous le titre *Franny and Zooey* (*Franny et Zooey*).

2. Titre original : *Seymour : An Introduction.* Nouvelle parue dans le *New Yorker,* le 6 juin 1959. Puis sous forme de livre le 28 janvier 1963 suivie de la nouvelle *Raise High the Roof Beam, Carpenters* (*Dressez haut la poutre maîtresse, charpentiers*).

pas[1]. » Au contraire. Ayant encore beaucoup de choses dans sa besace sur la famille Glass, le patronyme de Seymour ainsi que de Franny, sa sœur, Zooey, son frère, il a imaginé, pour les besoins du récit, de les inviter à un mariage où règne une grande confusion. Encore doit-il en venir à bout. Cela vient doucement, mais au moment d'écrire, il en savoure chaque instant. Au point d'en arriver parfois à un état de transe, un peu dur à supporter pour Claire, il faut le reconnaître. L'esprit fertile, il se dit que, pour la distraire, il pourrait inventer quelque chose dans la meilleure tradition des romans policiers d'Agatha Christie ou de Josephine Tey[2]. Par exemple, la visite amicale, l'après-midi, de l'épouse d'un bon vieux vicaire anglais en tweed qui lui tiendrait compagnie, en lui donnant des nouvelles du coupe-papier pièce à conviction, trouvé à l'arrière du pavillon du colonel Frobisher ou des histoires de ce genre. Quel farceur, ce Salinger ! Car enfin, être mariée à un homme qui vous offre un week-end tous les cinq ans dans le parc Ashbury, sur la côte balnéaire du New Jersey, de l'autre côté de l'Hudson River, n'est vraiment pas une sinécure. Le moral de Claire s'en ressent.

« Au milieu de l'hiver 1957, quand j'avais environ treize mois, l'équilibre de ma mère, déjà fragile, faillit lâcher[3] », rapporte Margaret. Elle était trop petite pour s'en souvenir, elle le confesse, et c'est plus tard que Claire lui a relaté l'enfer à n'en plus finir qu'ils ont traversé alors, jusqu'à la rupture définitive. Se sentant supplantée par sa fille dans l'affection de son mari, de jalousie, elle sombre dans l'étreinte de l'« oubli » et de la

1. Lettre à Elizabeth Murray du 6 juillet 1957, HRC.

2. Josephine Tey (1896-1952). L'un des pseudonymes d'Elizabeth Mackintosh. Auteure prolifique de romans policiers dont le héros est l'inspecteur de Scotland Yard Alan Grant.

3. Margaret Salinger, *L'Attrape-rêves*, *op. cit.*

« dépression[1] ». Elle s'enfuit alors de Cornish, Peggy sous le bras, pour New York, où son beau-père leur a trouvé un appartement et une nourrice. Trois fois par semaine, Claire consulte un psychiatre, mais au bout de quatre mois de thérapie, Salinger parvient à la convaincre de réintégrer le domicile conjugal.

C'est alors qu'à Cornish, ils se lancent dans les travaux. Elle conçoit l'aménagement et la décoration d'une chambre d'enfant que lui seul réalise.

À la maison, désormais, des visiteurs, autres que les Hand, de loin les plus réguliers, sont tolérés. Parmi eux, un étrange prêtre auquel Salinger offre le gîte pour la nuit. L'hospitalité a duré des années, le temps que le saint homme s'envole vers d'autres cieux, les mers du Sud ou Dieu sait où. Il y a aussi cette vieille dame, installée dans la région depuis la mort de son mari, qui, chaque été, parvient à le faire sortir de chez lui pour le pique-nique du 4 Juillet, la fête nationale de l'Indépendance, et quelques autres festivités. L'écrivain William Maxwell du *New Yorker* – Bill pour les intimes – et son épouse Emily passent également quelquefois, avec leurs filles de l'âge de Margaret.

L'orage conjugal a été sévère.

Sur le plan climatique, les hivers suivants ne sont pas moins rudes et moins longs à Cornish et les échappées vers l'Europe, chaque fois remises à plus tard. Celui de 1959 venu, Salinger prend la direction d'Atlantic City, sur la côte du New Jersey, pour aller terminer loin des siens sa nouvelle *Seymour, une introduction.* Il écrit. Encore et toujours. Avec une régularité de métronome et à un rythme qui n'est pas pour lui déplaire. Il veille aussi étroitement à la défense de ses intérêts lorsqu'il est

1. *Ibid.*

question d'une édition de poche ou de la reproduction de son œuvre, sous une forme ou une autre, scrutant chaque détail avec ses « deux petits yeux méchants hypercritiques[1] ». Un groupe de presse australien, l'Australian Consolidated Press, ayant offert de publier *L'Attrape-cœurs* en feuilleton, dans la grande tradition en vogue au XIXe siècle, la réponse tombe tel un couperet, négative. Ses nouvelles apparentées *Franny* et *Zooey*, publiées à plus de deux ans d'intervalle dans le *New Yorker*, doivent être réunies dans un même volume. Les conditions qu'il impose dans le contrat sont drastiques. L'éditeur est tenu de s'engager à ne pas faire de publicité sur l'auteur, à moins que celui-ci l'autorise, et à ne pas diffuser sa photo. Salinger s'arroge aussi le droit d'avoir le dernier mot sur les épreuves, dont pas un jeu ne doit être communiqué à quiconque. Et surtout pas aux journalistes. Une consigne de l'écrivain, d'une intransigeance d'airain.

Une maison d'édition anglaise lui proposait de publier deux chapitres de *L'Attrape-cœurs* dans une anthologie. Même refus farouche, sous prétexte que ce type de livres finit toujours dans l'indifférence d'une salle de classe. Or il n'y a rien de pire que ce « racket[2] » contre lequel il voudrait que les écrivains se mobilisent des deux côtés de l'Atlantique. Un vœu pieux.

Salinger se plaît à regarder grandir sa fille. Le soir, à l'heure du coucher, il lui invente des histoires, créant de toutes pièces des personnages de fantaisie censés hanter les parages de Cornish – Irving, Julius Gros-bec et d'autres, qui égaient la fillette. À quatre ans, elle avait exprimé le souhait enfantin d'aller – « avec Papa » – à

1. Lettre à Roger Machell, directeur littéraire de la maison d'édition britannique Hamish Hamilton Ltd, du 22 mars 1960, archives *Story*, BFP.
2. Lettre à Hamish Hamilton du 4 avril 1958, archives *Story*, BFP.

New York manger des bonbons et rendre visite à sa grand-mère aux environs de Pâques. Il l'emmène en voiture. Elle y comptait et lui s'en amusait. Puis Peggy a eu un petit frère, Matthew, né le 13 février 1960. Bien qu'attendue, l'arrivée d'un deuxième enfant provoque du remue-ménage sous le toit familial. La maisonnée s'en trouve sens dessus dessous et il s'écoule des semaines avant qu'elle revienne à la normale, si tant est que cela veuille dire quelque chose. Peggy doit s'y faire. Elle n'est plus seule. La présence de ce petit compagnon perturbe ses habitudes d'enfant jusque-là unique. De voir ses parents prendre le petit Matthew dans les bras ou jouer avec lui de bon cœur lui est pénible. Elle a beau être « folle de joie, vraiment[1] », d'avoir un petit frère, le voir aimé et admiré, lui aussi, lui coûte.

Son père s'est fait une raison : Peggy, égale à elle-même, reste et restera, au fond, toujours en proie à la terreur de ne pas assez compter dans le cœur de ses géniteurs, quelles que soient les démonstrations d'affection qu'ils lui prodiguent. Aussi ne changera-t-elle jamais.

Penché sur le dernier-né de sa progéniture, Salinger s'abandonne au plaisir d'en imaginer un portrait prospectif, idyllique et flatteur. Avec amour et affection. Il trouve Matthew d'un tempérament très doux, ayant tout du bébé intelligent, souriant, plein de gaieté, extrêmement peu farouche et, de surcroît, délicat. Il le voit, plus tard, allant des livres plein les bras, parce qu'il lui prête l'étoffe d'un érudit. Son père le sent même dépourvu de la « capacité de résistance » (*toughness*) de sa sœur et de son ressort criant. Matthew était encore dans les langes qu'il ne faisait déjà nul doute aux yeux de son père qu'à l'avenir, il serait mince, timide, hirsute et disposerait de quelques ressources bien à lui. Un tableau assez éloigné

1. Lettre au couple Hand du 16 février 1961, archives *Story*, BFP.

de l'acteur de deuxième catégorie qu'il deviendrait, physique, fonceur, tout d'un bloc, aux états de service relativement mineurs, tant à Hollywood qu'à Broadway.

Son père souhaite surtout qu'il ait cette aptitude à prendre les choses comme elles viennent, certaines d'entre elles en tout cas, une disposition qu'il regrette qu'elle lui ait personnellement fait défaut. Aussi bien dès l'enfance que, plus tard, dans ses rapports avec les éditeurs.

L'agrandissement de la famille nécessite bientôt l'extension de la maison ; chacun des enfants aura donc sa chambre. Salinger en profite pour se faire aménager un petit appartement au-dessus du garage, qu'un souterrain relie à la maison principale et doté d'une salle de bains et d'une cuisine. Il en fait sa retraite. Le gazouillis des enfants et leur épanouissement quotidien ne parviennent pas à le détacher complètement de son travail. Rivé à son bureau des heures entières, il se sent, quelquefois, de plus en plus extérieur à « l'orchestre » et aux « danseurs de valse[1] ». Des années durant, il a espéré trouver cette sorte de commodité sédentaire, aussi comment pourrait-il légitimement se plaindre de son sort ? Cependant, il n'est pas drôle de voir Claire se distraire, en désespoir de cause, en feuilletant les magazines de mode ou les brochures de voyage. Il le reconnaît volontiers. Non pas qu'elle soit comme la petite fille aux allumettes d'Andersen, réduite à des expédients pour se réchauffer, mais pour une fille de vingt-six ans, quoi de plus normal que d'être en quête de rêve et d'évasion ? Encore que, pour une jeune femme ayant fréquenté l'école de bonnes sœurs de Shipley, il doive bien exister quelque part un endroit meilleur et une façon de vivre

1. Lettre au couple Hand du 18 avril 1960, archives *Story*, BFP.

plus agréable. D'une bonté naturelle, elle ne se lamente pas, même si pendant de longues périodes, elle n'a rien à faire. Alors, pour la sortir de cet étouffoir, lui faire miroiter une lueur d'espoir, il lui assure qu'une fois sa masse de travail achevée, ils bougeront, feront un long voyage, prendront le bateau. Puis l'immobilisme l'emporte, ça repart jusqu'à l'année suivante. Comme dans le théâtre de Tchekhov. Les rapports entre eux se détériorent chaque jour un peu plus. « Elle se plaignait souvent que vouloir plaire à mon père, c'était comme de s'acharner à viser une cible en perpétuel mouvement, analyse Margaret Salinger. Mais il me semble que c'est elle qui ne cessait de remuer. Ce qui la faisait rire le lundi me valait une tape le mardi[1]. »

La vie sociale de Salinger se réduit à sa plus simple expression. Il ne se montre guère. À Washington, le Département d'État n'en a que faire. Le chef du bureau chargé des affaires éducatives et culturelles, section Spécialistes américains, s'est penché sur son cas. Sous le sceau du secret, Frederick A. Colwell, un fonctionnaire mandaté, a tenté de recueillir l'avis du juge Hand sur les qualités professionnelles et personnelles de l'écrivain. À quelle fin ? L'explication n'est pas très limpide et même plutôt emberlificotée. « C'est un ami intime et j'ai la plus grande considération, non seulement pour son intelligence, mais aussi pour sa personnalité[2] », botte en touche le juge, un orfèvre de la dialectique.

Quand, neuf mois plus tôt, *Newsweek* l'avait contacté pour une interview sur Salinger, il avait décliné la proposition de crainte de commettre une « intrusion » dans la vie privée de l'écrivain, rétif à toute forme de publicité.

1. Margaret Salinger, *L'Attrape-rêves*, *op. cit.*
2. Lettre du juge Hand au Département d'État américain du 28 septembre 1960, archives *Story*, BFP.

Difficile d'opposer un même refus au gouvernement américain qui cherche à connaître la « spécialité » de l'auteur de *L'Attrape-cœurs.* Le juge Hand indique que celui-ci a une connaissance approfondie de la littérature hindoue, laquelle remonte aux textes fondateurs, les Veda et les Upanishad, ainsi que de bon nombre de swamis et autres praticiens reconnus de la religion hindoue. Il suffit de le lire. Il précise que l'écrivain est engagé dans une grande œuvre de fiction « de plus d'un volume » dont une partie a été publiée dans le *New Yorker.* On ne voit pas bien à quel texte cette indication se réfère étant donné que *Franny, Zooey* et *Seymour, une introduction,* sont déjà parus et que le dernier à venir, *Hapworth 16, 1924,* ne le sera que presque cinq ans après cet échange de correspondance. Bref, le juge Hand invite le chef du bureau à se reporter à la lecture de l'hebdomadaire, d'autant que les nouvelles de Salinger recueillent, « comme vous le savez » (*as you know*), un grand succès aux États-Unis et en Angleterre. « Il travaille avec l'application la plus infatigable, écrivant et réécrivant, jusqu'à ce qu'il considère être parvenu à exprimer le fond de sa pensée aussi bien qu'il lui est possible de le faire[1] », ajoute le juge Hand, « quelque peu embarrassé » pour en parler plus avant. Parce que, conclut-il, intrigué : « je ne sais tout simplement pas quel type d'emploi vous avez en tête pour lui[2] ».

Le Département d'État revient à la charge. Pas pour demander explicitement à l'écrivain de devenir un agent du gouvernement américain alors en pleine guerre froide, l'Union soviétique ayant le doigt sur la détente en permanence, mais cela y ressemble bigrement. Bref, on veut l'utiliser, sans le dire ouvertement, à des fins de propagande. La tâche, concède l'agent, sera aisée. Son rôle

1. *Ibid.*
2. *Ibid.*

consistera à faire des interventions publiques « informelles[1] » devant un public de professionnels « intéressés » et de groupes « laïques » dans les différents pays qu'il visitera. Le but de l'opération est, bien entendu, de « développer la compréhension mutuelle à l'échelle internationale », et d'encourager la « bonne volonté à l'égard des États-Unis[2] ». Une phraséologie fleurant bon les années 1960, la course à l'armement stratégique et la dissuasion nucléaire. Imaginer Salinger en montreur d'ours est assez incongru et risible quand on y pense.

Le juge Hand a fini par clore le chapitre. « Je peux difficilement imaginer quelqu'un de moins enclin à animer des tables de discussions informelles et passer du temps dans des parlottes avec ses homologues. » Et de certifier qu'il sera ardu de convaincre l'écrivain, celui-ci aimant « être seul et vivre seul[3] ».

1. Lettre du Département d'État américain au juge Learned Hand du 5 octobre 1960, archives *Story*, BFP.

2. *Ibid.*

3. Lettre du juge Hand au Département d'État américain du 11 octobre 1960, archives *Story*, BFP.

30

Hors du temps

De sa fenêtre, Salinger contemple avec une parfaite délectation le mont Ascutney (958 mètres), son refuge désormais et celui des siens, exposé aux charmes et aux caprices des saisons. Au XIXe siècle, le sculpteur Augustus Saint-Gaudens avait élu domicile à Cornish. Le domaine figure aujourd'hui parmi les sites d'intérêt à visiter dans la région. On y trouve toutes sortes d'essences de bois et d'espèces végétales : des frênes, des hêtres, des chênes, des bouleaux, des fougères... Le décor sauvage est en adéquation avec la philosophie de l'auteur de *L'Attrape-cœurs,* citadin défroqué et ascète non revendiqué, détaché des biens matériels. Il ne manque cependant de rien et y jouit d'une tranquillité absolue. Qu'il pleuve, qu'il vente, qu'il gèle, qu'il fasse soleil. Mais il y a des jours où Claire en a assez, plus qu'assez. D'être sur tous les fronts, de n'avoir pour seul horizon que l'intendance à gérer, l'entretien de la maison et du jardin ou l'éducation des enfants. D'autant qu'année après année, à l'approche des frimas, sensibles aux baisses vertigineuses du thermomètre, ils attrapent refroidissement sur refroidissement. Doublé d'un rhume, quand ça ne tourne pas à la bronchite. Inquiet pour la santé de ses rejetons, Salinger déplore que Claire ne suive pas à la lettre ses recommandations hebdomadaires d'un régime sans protéines, composé de vitamine C et d'aliments crus. Une rengaine qu'il égrène à longueur de ses correspondances. Adepte de l'homéopathie, il passe des heures plongé dans ses livres en quête du remède salvateur. Margaret raconte qu'un jour que Matthew était grippé, convaincu que l'acupuncture le soulagerait, son père lui a appuyé de toutes ses forces deux bâtonnets sur le bout des doigts. Le gamin en a hurlé de douleur. «Je n'ai jamais vu des gens aussi douillets que vous tous, ta sœur, ta mère et toi, s'emporta Salinger. Qu'est-ce que ce serait si tu avais reçu un éclat d'obus, non d'un chien[1] ! »

Ces désagréments à répétition ont quelque chose de désespérant. Surtout en raison de l'isolement et du manque criant de commodités. Même si après la naissance de Matthew, une jeune fille que l'écrivain a connue lorsqu'elle était collégienne à la Windsor High School a été embauchée pour faire le ménage et jouer avec Margaret. Son mari, un garçon de ferme, s'occupe de tailler les arbres et débroussailler, tondre la pelouse et entretenir le jardin.

Claire rit pour ne pas pleurer, frustrée de se sentir privée d'une activité intellectuelle. Invitée à une réunion des anciens élèves de Shipley en février 1961, elle s'excuse, par écrit, de ne pouvoir être présente. Les enfants sont petits. Peggy n'a que cinq ans, Matthew un an et demi, etc., se justifie-t-elle. Le temps qu'ils soient en âge d'aller à l'école, il y a belle lurette que son cerveau, atrophié, aura été réduit à une simple liste de commissions. Voilà comment elle voit la situation se détériorer.

Cette année-là, Salinger s'est résolu à les expédier tous trois quelques semaines à Saint Petersburg Beach, afin que les petits se refassent une santé. Il ne les a pas accompagnés et le trio lui a manqué. Le temps là-bas n'a pas

1. Margaret Salinger, *L'Attrape-rêves*, *op. cit.*

été mirifique, ils en sont néanmoins revenus rétablis et halés. La Floride est la destination rituelle lorsqu'ils partent tous ensemble, ce qui devient de plus en plus rare, lui préférant New York où il vaque à ses affaires. C'est d'ailleurs de son hôtel sur la Cinquième Avenue, le Sherry Netherland, que l'année suivante, en 1962, il leur écrit à la Barbade, où Claire, accompagnée de sa mère, a emmené les enfants en vacances. Il promet, sitôt rentré, d'aller récupérer le chien Joey au chenil, un teckel à la queue de travers depuis qu'elle a été coincée dans une porte.

Loin de Cornish et de Salinger, Claire revit, elle se sent comme transfigurée. Elle renouvelle donc l'expérience en Italie, à Venise cette fois. Et comme l'éloignement la rend joyeuse et légère, elle multiplie les séjours chez sa mère. Dans sa maison de campagne de Mount Kisco, dans le comté de Westchester, où les enfants s'ébattent à loisir dans la piscine du parc, ou encore dans l'appartement qu'elle possède au coin de Madison Avenue et de la 79e Rue à New York. Il est si richement décoré de tableaux de valeur qu'on dirait une annexe du Metropolitan Museum of Art, voisin.

En l'absence de sa petite famille, Salinger perd la notion du temps, écrivant, mangeant, dormant à des horaires inhabituels, dans une sorte de dérèglement. Certaines fois, des idées bizarres lui traversent l'esprit. Sans trop savoir pourquoi, il se prend à espérer que Matthew grandisse et devienne marin. Pourquoi marin ? Il ne saurait dire. C'est une de ces pensées creuses comme il arrive à Holden d'en avoir durant sa vadrouille dans New York, et qu'il résume par cette phrase : « Vous voyez ce que je veux dire[1]. »

1. Lettre au couple Hand du 19 février 1961, archives *Story*, BFP.

Cet isolement lui procure, néanmoins, un réel plaisir. Il noircit des pages et des pages. Les feuillets s'empilent. Cependant, l'art étant difficile, à moins d'un coup de chance, il lui paraît improbable qu'il ait quoi que ce soit de prêt au printemps. Peaufiner un texte lui prend des mois. Quatre. Cinq. Parfois davantage. À quel genre d'ouvrage travaille-t-il d'ailleurs ? Une nouvelle ? Un roman ? « Aucun titre d'aucun livre ne fut jamais prononcé à la maison[1] », atteste sa fille Margaret. On est en février 1961. Le gros de son œuvre a été publié et ne donnera, dès lors, lieu qu'à la réunion de nouvelles déjà parues dans le *New Yorker.* À l'exception de *Hapworth 16, 1924*, présenté sous forme de longues lettres, quelque peu bavardes et sentencieuses, adressées par Seymour Glass à ses parents ainsi qu'à cinq membres « de la famille de son cœur[2] ». Le narrateur a sept ans, un petit frère de cinq ans, prénommé Buddy, avec lui dans le camp de vacances d'où il envoie ses missives, et la science infuse. Il se place clairement au-dessus de la marée humaine, faisant étalage de ses connaissances philosophico-livresques. On reconnaît là, en maints endroits, les thèmes de prédilection de Salinger : l'attention au karma et les mystères de la sensualité. Ni Buddy ni lui n'ont « la moindre intention de mourir par le phallus, et pas davantage par l'épée », écrit Seymour-Salinger, rigolard. De Holden à Seymour, de Franny à Zooey, la sexualité, que le héros de *L'Attrape-cœurs* n'arrive pas à « comprendre », traverse l'œuvre de loin en loin, mais l'acte d'amour physique, l'étreinte même, en sont absents, comme l'est la description du corps, mâle ou femelle. « On a pas besoin de trucs vraiment sexuels pour connaître une fille[3] », constate Holden. Seymour, quant à lui, jette sur le

1. Margaret Salinger, *L'Attrape-rêves, op. cit.*
2. Notre traduction. Nouvelle parue dans le *New Yorker*, le 19 juin 1965.
3. J.D. Salinger, *L'Attrape-cœurs, op. cit.*

monde et la société des hommes un regard supérieur et désabusé. Le constat qu'il dresse se veut sévère : la révolution n'est motivée que par l'envie, la jalousie, l'aspiration à atteindre pour soi à l'aristocratie. Et ce, depuis la nuit des temps. Une attitude « entièrement cynique, note-t-il. Malheureusement, je ne vois pas de solution immédiate à la situation[1]. » Un détachement énoncé, sans révolte, qui laisse toutefois poindre un soupçon de condescendance. Le monde peut bien aller comme il va, Seymour-Salinger en a pris son parti. Du moins le feint-il.

1. Notre traduction.

31

Une vie de reclus

Ensuite, Salinger n'a plus jamais donné de nouvelles. Pourtant, la vie, la sienne, a continué. Il n'a que quarante-six ans au moment de la parution de son dernier texte auquel le *New Yorker* a consacré presque la totalité de son numéro en raison de la longueur du récit. À sa mort, il en a quatre-vingt-onze. Qu'a-t-il fait durant ces années, une éternité, qui lui sont restées à vivre ? S'est-il enfoncé dans une lente et inexorable dépression ? Ou, comme son héros Holden, est-il parvenu à en maîtriser la vague ? *L'Attrape-cœurs* se vend. Les royalties tombent dans son escarcelle, tant mieux pour lui. Il est dégagé des soucis matériels. Il s'en félicite d'autant plus que le « filon[1] » que constitue l'œuvre publiée rapporte assez pour lui permettre d'assurer ses arrières et de ne pas avoir à publier prématurément ou sans que cela lui soit nécessaire. Il est « solvable ». Il n'irait pas jusqu'à dire que la bonne fortune lui a souri dans une quantité incalculable de directions, mais elle l'a gratifié dans celle où il en avait le plus besoin ou du moins un petit peu besoin.

Depuis que le magazine *Time*, tiré chaque semaine à plus de cinq millions d'exemplaires, lui a consacré sa

1. Lettre à Donald Hartog du 11 avril 1991, Salinger Letters, UEA.

couverture le 15 septembre 1961 – un honneur rare pour un écrivain –, il jouit d'une renommée formidable dans les coins les plus reculés du pays. Il est reconnu et, à son grand déplaisir, reconnaissable. Pour éviter les importuns, lors d'un voyage qu'il fait cette année-là en famille à Fort Lauderdale en Floride, il décrète qu'ils adopteront le nom on ne peut plus passe-partout de Smith, lui se prénommant John. Claire sera Mary qu'il surnomme Ruby pendant le séjour, Margaret, Annabelle et Matthew, Robert. Le mythe se construit, et le mystère s'épaissit.

Régulièrement, la rumeur enfle qu'il aurait cédé les droits de son roman à Hollywood, un rêve que caressent pas mal de cinéastes. Le réalisateur et metteur en scène Elia Kazan, connu pour avoir tourné avec les plus grands, de James Dean à Marlon Brando, est l'un des premiers sur les rangs, à la sortie du roman. Il se présente chez l'écrivain, frappe à sa porte. « Monsieur Salinger, je me présente, Elia Kazan. – C'est bien[1] », lui rétorque-t-il, avant de fermer la porte sur lui.

Dix ans que les producteurs sont aux aguets. Salinger connaît la chanson et ressort sa « vieille scie[2] ». Les droits de *L'Attrape-cœurs* ne sont pas à vendre et ils ne le seront jamais.

Qu'on lui fiche la paix à présent, une bonne fois pour toutes, c'est là sa prière la plus ardente.

La déception causée par la non-publication de *L'Évangile de Ramakrishna* l'a éloigné de Hamish Hamilton. Au point qu'il ne lui a même pas fait part de la naissance de Matthew. Il n'a toutefois pas coupé les ponts avec lui, conscient que quand on a la chance d'avoir pour éditeur

1. Anecdote rapportée dans David Shields et Shane Salerno, *Salinger, op. cit.*
2. Lettre à Gloria Murray du 22 juin 1962. HRC.

un alchimiste de son espèce, il serait idiot de s'en séparer. Mais entre eux, la chaleur des premiers échanges a disparu. Les promesses récurrentes de se retrouver à Manhattan restent lettre morte. Le cœur n'y est plus. De surcroît, Salinger ne sort pratiquement plus de chez lui. La dernière fois qu'il est allé à New York, il a loué une chambre d'hôtel à trois portes de chez son dentiste, juste le temps d'un aller et retour pour des soins. « C'est ainsi que, dans l'ensemble, va la vie[1]. » Il exagère à peine.

Au printemps 1963, le président des États-Unis, John Fitzgerald Kennedy, l'a invité ainsi que son épouse à une réception organisée à la Maison-Blanche, en l'honneur des écrivains et artistes américains ayant contribué au prestige des États-Unis dans le monde. Le dîner se déroulera sans lui. Il n'a même pas daigné accepter. Claire, qui a décroché le téléphone quand Jackie Kennedy en personne a appelé pour dire combien elle serait charmée de les rencontrer, est dépitée. La belle robe qu'elle croyait pouvoir porter ce soir-là restera accrochée dans la penderie. Lui fuit les vanités. L'a-t-il un moment regretté ? Chez les Salinger, mère et fils, on ne s'épanchait pas. Ni confessions ni effusions ni regrets, une tradition ancestrale. Un jour que sa sœur Doris avait cherché à savoir auprès de sa mère ce que faisaient ses grands-parents maternels, Marie rétorqua : « Les gens meurent, non[2] ? » Et ce fut tout.

Une image, pourtant, est restée gravée dans la mémoire de Margaret. Celle de son père pleurant devant son téléviseur, lors de l'assassinat du président Kennedy le 22 novembre 1963 à Dallas, au Texas. « Le jour de l'enterrement, papa resta cloué devant la télévision,

1. *Ibid.* Notre traduction.
2. Margaret Salinger, *L'Attrape-rêves*, *op. cit.*

relate-t-elle. Le teint verdâtre, les joues ruisselant de larmes, le regard fixe. La seule et unique fois de ma vie où j'ai vu pleurer mon père fut ce jour-là[1]. » La preuve, si besoin est, qu'il était capable de manifester ses émotions autrement que par la dérision.

1. *Ibid.*

32

L'éclatement de la cellule familiale

Cela devait arriver. La mésentente était par trop flagrante, et l'incompatibilité d'humeur entre eux si vive que la rupture était devenue inéluctable. Qui de Salinger ou de Claire en a pris l'initiative ? Sur ce point, aucune certitude. À qui aurait-il pu s'en ouvrir ? Pas grand monde quand on sait sa réticence viscérale à mettre son cœur à nu. Sa vieille amie Elizabeth Murray, la seule de taille à recevoir ses confidences, lui est à présent devenue étrangère ou si ce n'est le cas, c'est tout comme. Le tout dernier courrier qu'il lui a adressé, une carte de fin d'année représentant les Rois mages[1], se résume à une vague de nostalgie, toute de délicatesse et d'affection. Les bons moments lui reviennent, comme un ressac. Que de merveilleux souvenirs il garde d'elle, vraiment ! Il la revoit à Manasquan, fille de la mer. Un instant fugace et impérissable. Peu importe. Il chérit l'amitié partagée, les jours heureux, simples et tranquilles, où il prenait le thé avec elle et sa mère, Mme Faison, qui n'est plus. Il aimerait qu'elle et lui puissent encore en reprendre une tasse, un de ces mois prochains, une de ces années prochaines. Il ne se ment pas. Il sait pourtant qu'ils ne se reverront

1. Carte postale à Elizabeth Murray du 23 décembre 1963. HRC.

plus, tellement il reste rivé à une sorte d'immobilisme existentiel.

Sur les circonstances de la séparation d'avec Claire, un témoignage existe, direct, celui de Margaret Salinger. Peggy a dix ans et son frère Matthew six, quand leurs parents leur annoncent qu'ils vont divorcer. Elle s'en souvient comme si c'était hier. Elle rentrait d'une colonie de vacances. Sa mère s'étiolait à Cornish, cela ne lui avait pas échappé. Pas plus que les disputes conjugales récurrentes.

Ce jour-là, les enfants jouaient dehors. Et, chose inhabituelle, ils furent priés de rentrer tous les deux à la maison. Peggy comprit d'emblée que le sujet dont ils voulaient les entretenir était d'importance. Elle se laissa choir dans un fauteuil et avant qu'ils eussent le temps de dire ouf! c'est elle qui lâcha tout à trac : « Vous divorcez, c'est ça[1] ? » Ils en eurent le souffle coupé. Claire reprit le sien pour dire que oui, c'était bien ça. Matthew sortit en trombe, les larmes aux yeux. Sa sœur le rattrapa, et, sous le regard désemparé des parents, elle le consola.

C'en serait fini de l'ambiance familiale à couper au couteau, et de l'angoisse que provoquait la menace permanente d'un éclat de voix. Car il y a eu entre eux, au cours des dix années écoulées, quelque chose qui n'a cessé de se détraquer et qu'ils ne pourraient jamais rafistoler.

Pour se donner de l'air, Salinger prend le large. Un professeur de littérature de la prestigieuse université Dartmouth College à Hanover, Colin McAndrew, l'ayant plusieurs fois convié à une croisière sur son voilier, cette fois il accepte. Ils emmènent les garçons. Manque de chance, la mer est houleuse. Il y a de l'orage. Le barreur

1. Margaret Salinger, *L'Attrape-rêves*, *op. cit.*

excepté, les passagers ont un mal de mer inoubliable. L'expédition n'a rien d'une partie de plaisir. Qui plus est, pour s'être cogné, Salinger a un genou enflé qu'il essaie de soigner à l'arnica.

L'éclatement de la cellule familiale est une épreuve douloureuse pour tout le monde. Avec le recul, Margaret Salinger prend fait et cause pour son père. «Je le savais capable de maîtriser ses pulsions, contrairement à ma mère[1].» Longtemps bridée par son éducation religieuse, guère épanouie sur le plan personnel, Claire découvre, à partir de ce moment-là, sa sexualité. Comme jamais et sur un mode que sa fille condamne dans son livre. Sans aucune indulgence. Qu'on se rassure, le père en prend aussi pour son grade.

Par jugement, Salinger est condamné à verser 5000 dollars par an de pension alimentaire à son ex-épouse et à payer les études des enfants. Il s'en acquitte, mais il l'a mauvaise. Non pas qu'il ait des oursins dans les poches, mais il regarde à la dépense. Quand après une période de battement et une succession de petits boulots, Peggy décide de reprendre ses études à vingt ans révolus, elle appelle son père à la rescousse. Celui-ci, irrité, refuse de l'aider. Claire l'ayant menacé de le dénoncer à la presse, il finit par passer à la caisse, la mort dans l'âme. Le supplice sera de courte durée.

Salinger n'a jamais eu d'affinités avec sa belle-mère, mais à sa mort, elle lègue une bonne partie de sa fortune à sa fille et à ses petits-enfants pour leur permettre de suivre des études sans travailler. Et pour Peggy et sa mère, qui en avaient exprimé le besoin, des séances de thérapie. Son doctorat en poche, Claire part s'installer en Californie comme psychologue. Où, aux dernières nouvelles, elle exerce toujours.

1. *Ibid.*

Le divorce prononcé, l'ordinaire reprend son cours. Son attention pour Peggy et Matthew ne se relâche pas d'un pouce, malgré le regard critique que jette Margaret sur cette période. Salinger se montre en père tranquille, aimant, donnant des leçons de piano à sa fille, jouant aux billes ou aux petites voitures avec son fils. Une fois celui-ci devenu plus grand, ce sera au golf, sur le green de Windsor. Les photos seraient-elles trompeuses ? Sur les visages, souriants, pas l'ombre du malheur. Un jour de l'année 1967 qu'il est allé la chercher à l'école, il remarque qu'elle a le signe de la paix dessiné sur une jambe, le symbole du ralliement des militants pacifistes contre la guerre au Vietnam. Salinger monte d'un ton : « Dieu tout-puissant ! As-tu la moindre idée de ce qui se passerait si nous quittions le Vietnam ? Un bain de sang, voilà ce qu'il y aurait ! Les communistes s'empareraient du pays et ce serait le massacre[1]. »

D'une indépendance farouche, il n'est pas sujet à l'embrigadement et ne l'a jamais été, se considérant d'un esprit supérieur à la moyenne, à l'image d'un Seymour Glass, le modèle de sa nouvelle *Zooey*, le grand frère tutélaire d'une famille de sept enfants, qui se suicide d'une balle dans la tête dans *Un jour rêvé pour le poisson banane*[2].

Salinger est patriote, son engagement dans l'armée américaine le démontre. Il n'est cependant pas homme à rédiger de manifeste. Qu'on ne compte pas non plus sur lui pour défiler, le poing levé, en groupe, en ligue, ou en procession. S'il lui est arrivé quelquefois d'émettre une préférence pour un candidat à une élection présidentielle, la politique, dans l'ensemble, n'est pas son fort.

1. *Ibid.*
2. Texte paru dans le recueil *Nouvelles.*

Et les hommes qui en font profession ne lui inspirent guère de commentaires amènes; il n'a rien en commun avec eux. Quand on lui demande s'il y en a un qui sort du lot, jamais un nom ne lui vient à l'esprit. Et pour cause : leur rôle est d'essayer de limiter l'horizon de leurs concitoyens, alors que le sien consiste au contraire à l'élargir. Les questions économiques ou énergétiques recueillent de sa part une même indifférence. Il lit les journaux, regarde la télévision. Cela s'arrête là. Lors du premier choc pétrolier en 1973, quand, sous la pression des pays producteurs de pétrole, le prix du baril flambe, provoquant une crise internationale et durable, il ne voit pas à quoi tout cela se réfère. Ces questions lui sont étrangères. C'est un domaine auquel il ne connaît rien, admet-il modestement. Son champ d'action, ses thèmes de réflexion relèvent de l'ordre métaphysique, existentiel, mais absolument pas matériel.

L'année du divorce, Claire lui ayant amené les enfants pour des vacances, il les emmène en Europe. En avion, pas en paquebot comme il en a l'habitude, lorsqu'il part seul. Une aventure pour les gosses âgés de douze et huit ans. Ils voyagent en première, le grand luxe qui permet d'allonger les jambes et de dormir confortablement. Pour les enfants – pas pour son confort personnel –, il ne lésine pas sur le prix des billets. Margaret se souvient qu'il leur en a fait la remarque. Ils décollent de l'aéroport international JKF à New York à bord d'un vol de la TWA et atterrissent à Heathrow. À Londres, il avait réservé deux chambres mitoyennes, une pour Matthew et lui, une autre pour Peggy, au troisième étage du Cadogan Hotel, un trois-étoiles victorien, assez défraîchi à l'époque, dans le quartier d'un chic raffiné à Sloane Square. C'est un pur émerveillement. Ils se promènent à Saint James' Park, donnent à manger aux canards et aux écureuils, assistent à la relève de la garde au palais de Buckingham, empruntent un bateau-mouche sur la Tamise jusqu'à Greenwich et retour, s'en donnent à cœur joie. Un Anglais lui ayant parlé avec hauteur, Salinger prend la mouche : « Ils oublient que c'est nous qui les avons tirés de la guerre[1] », souffle-t-il à sa fille. Ils déjeunent bien entendu dans un restaurant indien, l'Inde étant, à ses yeux, en raison de la religion, le phare de l'Orient, même s'il n'en a qu'une connaissance livresque, théorique et spirituelle. N'y ayant jamais mis les pieds, il ne lui a pas été permis d'en mesurer le degré de misère, de corruption et de violence. Un autre jour, ils s'arrêtent dans un Wimpy, l'ancêtre de McDo, une chaîne de restauration servant du hamburger grillé et une rondelle d'oignon, à des clients assis sur des banquettes en skaï d'un rouge sang de bœuf marronnasse.

Chez Harrod's, le grand magasin de Knightsbridge, ils déambulent dans les allées de la grande épicerie, puis dans les rayons habillement où il effectue des emplettes pour les enfants. Bien que Salinger lui-même ait une préférence marquée pour Paul McCartney, Peggy étant folle des Beatles alors au faîte de leur gloire, un détour par Carnaby Street, le temple des sixties, s'impose. De là, ils rendent visite à des connaissances. Une famille du Maine en année sabbatique à Londres, Bet Mitchell, divorcée de son mari Michael, l'auteur de la couverture originelle de *L'Attrape-cœurs,* les voisins bien-aimés de Salinger quand il habitait à Westport, dans le Connecticut. Toujours accompagné de ses rejetons, il rencontre la romancière et nouvelliste Edna O'Brien, dont il apprécie l'audace de l'œuvre sans tabou en matière de sexualité. Prévenante, la romancière les invite à un spectacle pour enfants en plein air.

1. Margaret Salinger, *L'Attrape-rêves, op. cit.*

La première partie du voyage s'achevant, un avion les conduit en Écosse pour une seconde partie, moins réussie. Salinger entretenait une relation épistolaire quasi amoureuse avec une admiratrice qu'il n'avait jamais rencontrée. L'occasion lui en est enfin donnée. Mais quand il fait la connaissance, à l'aéroport, de cette jeune fille commune, son manque d'attrait le refroidit. Il veut revoir les Highlands, et montrer aux enfants le lieu de tournage du film d'Hitchcock *Les Trente-Neuf Marches*, de loin le préféré de Phoebé dans *L'Attrape-cœurs*. Les ayant accompagnés sur la côte ouest, la jeune fille partage sa chambre avec Peggy. Puis ils se disent au revoir. Ou plutôt adieu, le voyage touchant à sa fin. À Southampton, au sud de l'Angleterre, les Salinger montent à bord du *Queen Elizabeth II*, le paquebot du retour. Ainsi s'achève le voyage.

33

Face à la mort

À New York, les parents de l'écrivain sont à présent deux vieillards retraités. Malgré l'incompréhension du père pour les aspirations littéraires du fils à l'âge de l'adolescence de celui-ci, il n'y a, entre eux, jamais eu de rupture, comme il en existe quelquefois dans les familles. Des grincements de dents, des sarcasmes échangés, des points de divergence inconciliables, oui, mais guère plus. Sol Salinger, qui a toujours fait en sorte que « Sonny » ne manque de rien sur le plan matériel, a travaillé jusqu'à ses quatre-vingts ans. Puis il est assez rapidement tombé malade. Il a été suivi médicalement pendant des mois et des mois. Quand sa mort survient en 1969, on ignore quelle est la réaction de Salinger, si même la disparition l'affecte et dans quelle proportion, ou s'il s'est fait une raison. C'est cependant lui qui en informe sa fille par courrier, mais une fois l'enterrement passé. Il ne s'est pas soucié de savoir si elle aurait eu envie d'accompagner son grand-père à sa dernière demeure. Doris, sa sœur aînée, et lui ont fait le nécessaire « sans toutes ces conneries de pompe et de cérémonie[1] », dit-il. La sobriété funéraire est de mise. Après soixante-dix ans de mariage, Marie se retrouve veuve, inconsolable de ne plus voir le

1. Margaret Salinger, *L'Attrape-rêves*, *op. cit.*

matin au réveil l'éclat de la chevelure foisonnante d'une blancheur passée de son cher disparu.

Salinger demeure tout aussi insondable l'année suivante, au moment du décès de sa mère. Elle était malade, il n'en a rien dit à personne, et s'est montré tout aussi discret lorsqu'on lui a annoncé qu'elle avait rendu son dernier soupir. L'histoire se répète. La douleur est muette. Des années plus tard, les enfants ayant atteint l'âge adulte, il se serait cependant bien vu lui raconter ces riens de l'existence dont elle peuplait ses jours, assise près de la fenêtre avec ses cigarettes, elle qui avait un réel appétit pour la vie par procuration, quelle qu'en fût la forme. C'est à la lecture d'un journal local que Claire, son ancienne épouse qui habitait alors à Norwich, un village voisin du Vermont, a appris que son ex-belle mère était morte. Hôpitaux, enterrements... aussi violents et douloureux que soient les événements, l'écrivain se réfugie dans le mutisme. Et chaque jour que Dieu fait, s'enferme dans son bureau, les rideaux à moitié fermés, de jour comme de nuit. Il lit le journal.

Le *New York Times Magazine* du 23 avril 1972 a attiré son attention. Une jeune fille à l'allure décontractée, un pull gris souris sur le dos, en jean et baskets rouge et blanc, les cheveux longs, des yeux qui lui mangent la figure, la tête appuyée sur la main gauche, s'étale sur la couverture du supplément couleur. Assise par terre sur le sol de la bibliothèque, elle n'a pas l'air de faire son âge. « Regard d'une jeune fille de dix-huit ans sur la vie[1] », a titré le supplément dominical de l'hebdomadaire. L'article est signé d'une étudiante de l'université de Yale à New Haven, dans le Connecticut, Joyce Maynard. Sur neuf pages illustrées de photos de Chubby Checker dansant le twist, le clan Kennedy aux obsèques

1. « An 18-year-old looks back on life ». Notre traduction.

de John Fitzgerald, Joan Baez, la « championne du non-conformisme », elle raconte ce que c'est de grandir dans ces années d'appels à la liberté, de luttes féministes et pour les droits civiques, indépendamment de la couleur de peau des citoyens. Il y avait la prospérité, le plein emploi. Joyce Maynard en retient surtout un sentiment de profonde lassitude et d'exclusion, un désir aussi d'aller vivre à la campagne, retirée du monde, les paradis artificiels obtenus par des substances psychédéliques n'ayant pas permis l'évasion rêvée à l'aube de la nouvelle décennie, celle des années 1970. Elle, cependant, trop sage, trop coincée par son éducation, ne mange pas de ce pain-là. Les jours qui suivent la parution de ce témoignage au long cours, elle reçoit un tombereau de lettres, parmi lesquelles une dactylographiée sur papier pelure de J.D. Salinger, postée le mardi suivant, 25 avril. Il n'a pas perdu de temps. L'adresse est rédigée de sa main et au dos il a inscrit la sienne en poste restante. « Chère Mademoiselle Maynard ». La nature de ce qu'il a à lui dire doit rester du domaine strictement privé. En préambule, il tient à la mettre en garde contre la voracité des éditeurs que ce petit succès d'estime ne manquera pas de déclencher, et il l'invite à ne pas gâter son talent en brûlant les étapes. Presque une leçon de choses, dispensée par le maître à l'élève. Elle n'a pas vingt ans et lui cinquante-trois. Une photo d'elle publiée en pages intérieures du magazine la montre, assise sur une table à tréteaux, le coude appuyé sur ses jambes croisées, les yeux ronds, attentive. La photo a été prise à un cours de danse, l'année de ses seize ans. Salinger trouve que sa tenue ressemble à un costume de Minnie Mouse. Comme elle est sensible à l'autodérision, la remarque la fait rire d'autant plus qu'elle s'en était, elle-même, fait la réflexion. Il lui dit qu'il est à moitié juif, droitier et habite dans le New Hampshire. Trois signes distinctifs dans lesquels elle se reconnaît.

Joyce Maynard a grandi à Durham, son village natal, pas loin de Cornish. Elle tient fourchette et crayons de la main droite. Ses parents, des missionnaires fondamentalistes, un mouvement protestant créé en réaction au libéralisme théologique, ont déserté l'Armée du Salut pour rejoindre les Frères de Plymouth, une branche du protestantisme évangélique encore plus rigoriste, qu'elle assimile à une secte. Son père est d'origine britannique, sa mère, d'ascendance juive, canadienne. Ils se sont rencontrés à Winnipeg, ont eu deux filles. Rona, l'aînée, née en 1949, et Joyce, née en 1953 dont le prénom est Daphné. Elle a eu des rêves, celui d'être reconnue, de devenir quelqu'un, une vedette, et comme ceux de sa mère, brillante diplômée ayant reporté toutes ses ambitions sur sa fille, ils semblent s'être fracassés sur la dure réalité de l'existence. Joyce éprouve aussi des joies et des peines qu'elle confie, à douze ans, à son journal intime. L'embarras que lui cause sa mère, en lui donnant encore le bain à cet âge-là, y est consigné. La crise d'anorexie qui lui fait une silhouette de top model d'avant-garde n'est pas terminée lorsqu'elle entre en relation avec Salinger. Elle n'a encore rien lu de lui, pas même *L'Attrape-cœurs*, elle sait seulement qu'il fuit la publicité.

La fréquence de leur correspondance dénote entre eux quelque chose de pressant. Un élan, une hâte, l'envie de faire plus ample connaissance. Elle lui a répondu dès la réception de la première lettre qu'il lui a envoyée. Et pour la deuxième, il l'a rédigée, sans attendre d'être de retour chez lui, dans l'avion qui l'emmenait du New Hampshire à New York. Il s'excuse de son insistance à vouloir protéger sa vie privée, lui assure qu'elle est d'une plus grande maturité que lui au même âge, et qu'elle a la fibre d'un écrivain. Les compliments pleuvent. Elle en est tourneboulée. Au fond, ils sont du même bois. D'ailleurs, ne sont-ils pas, elle et lui, *landsmen*, autrement dit « pays » comme on dit en Auvergne ? Pourtant, les différences qui les distinguent ne sont pas minces. Il a grandi à New York dans un milieu privilégié, elle dans un petit village, au sein d'une famille moins aisée. Il a été marié à deux reprises, elle n'a embrassé qu'un seul garçon de toute sa vie. Enfin, il aime l'ombre, elle recherche la lumière.

Cela fait cinq ans qu'il vit seul dans sa maison de Cornish. La lecture d'un roman de Jane Austen ou d'un vaudeville, un match de basket de sa fille ou de base-ball de son fils, une série quelconque à la télévision, et la journée a filé. D'autant plus qu'il en passe une grande partie dans l'étude des religions et l'exercice de la médecine homéopathique. Sa marotte. Il peut rester des heures au téléphone à discuter avec un spécialiste en la matière, le Dr Lacey, installé dans le Colorado. Il a fait appel à lui un jour que Peggy était souffrante. Salinger en était certain : elle guérirait quand elle cesserait de « croire à l'illusion de son mal[1] ». Un précepte enseigné par l'Église de la science du Christ, un mouvement religieux développé dans le New Hampshire à la fin du XIXe siècle auquel il s'est intéressé au point de lui accorder quelque crédit. Des attestations de paiement à des médecins membres de cette chapelle ont été retrouvées dans ses déclarations d'impôt. Lors de la mononucléose infectieuse de sa fille, il lui conseille de consulter un chiropracteur, un acupuncteur et un homéopathe, le *nec plus ultra*, selon lui, pour garantir un traitement. Il l'abonne aussi à une brochure mensuelle de l'Église de la science du Christ ayant publié des témoignages de guérisons miraculeuses. Au bout de deux ans, Peggy se rétablit, sans avoir eu recours à ces expédients.

1. Margaret Salinger, *L'Attrape-rêves*, *op. cit.*

À la seule lecture des lettres de Salinger, Joyce Maynard tombe sous le charme. Tenace. Vénéneux. «Je suis tombée amoureuse de la voix qu'il y mettait[1].» Et ce dès le départ. Dans la troisième, il lui suggère, en conclusion, de l'appeler monsieur Salinger ou bien comme la plupart des gens Jerry, le nom qu'elle retiendra pour la suite de leur relation. Il l'invite à prendre un verre, un scotch, elle qui, sortie tout droit de chez ses parents pour l'université, n'a jamais été conviée à une invitation pareille. Sauf par son père, un professeur de littérature anglaise, assez porté sur la bouteille, au grand désespoir de sa fille. Son quart d'heure de célébrité étant venu avec l'article du *New York Times Magazine*, Joyce Maynard reçoit un tas de propositions des plus alléchantes, de l'interprétation du principal rôle féminin dans le film d'horreur de William Friedkin *L'Exorciste*, lequel sera finalement confié à Linda Blair, à la signature d'un contrat avec la maison d'édition américaine Doubleday pour un roman. Des offres grisantes. Mais elle le sent imperceptiblement, l'influence de Salinger sur elle l'enveloppe, le piège se referme. Cornish sera sa nouvelle adresse. À la fin de l'été, elle a emménagé. Mais ce n'est qu'aux environs de Noël qu'il l'aide à débarrasser le reste de ses affaires de son appartement à Yale. Il n'a prévenu personne et surtout pas les enfants. Aussi quelle n'est pas la surprise de Peggy le jour où elle voit cette jeune fille en chemise de nuit de flanelle, assise sur le divan. «Elle avait l'air d'avoir douze ans. À la place d'une belle-mère, je découvrais une espèce de petite sœur bizarre[2].» Deux ans les séparent. Il n'était pas loin de midi, précise la compagne de l'écrivain. «Je voudrais te

1. Joyce Maynard, *At Home in the World*, *op. cit.* Notre traduction.
2. Margaret Salinger, *L'Attrape-rêves*, *op. cit.*

présenter Joyce, annonce Salinger. C'est elle dont je t'ai parlé. Elle a écrit cet article dans le magazine[1]. — Salut », répond Peggy, renfrognée, avant de retourner à ses rêveries.

La complicité épistolaire qu'ils ont partagée n'a pas résisté longtemps à l'épreuve d'une vie en commun. Pourtant, Joyce ne reste pas cloîtrée. Elle a ses activités extérieures. Le *New York Times Magazine* a accepté sa proposition de réaliser le portrait d'une jeune violoniste de douze ans, Lilit Gampel. Comme elle se produit à un concert donné par le Phoenix Symphony Orchestra avec le violoncelliste Pierre Fournier, ils prennent un vol pour aller l'applaudir et, ensuite dans les coulisses, saluer le phénomène couvé par les parents. Chaque fois qu'il se déplace quelque part, Salinger prend un nom d'emprunt, en l'occurrence John Boletus – l'appellation latine d'un champignon dont l'espèce la plus comestible est le bolet. Une lubie. Ces intermèdes musicaux ne parviennent pas à combler l'isolement de plus en plus pesant et mortifère de Joyce, pourtant affairée à l'écriture d'un livre. Cette année-là, le soir du réveillon, elle le plante seul avec son dîner trop cuit. La cuisine n'a jamais été le fort de Salinger. Il excelle toutefois dans la préparation de potages confectionnés avec les légumes du jardin. Et il est incollable sur les bienfaits de l'huile d'arachide pressée à froid dans la préparation des aliments. Quand un biscuit lui plaît, il en amasse des quantités pour en avoir toujours sous la main.

La fête de la Nativité le déprime, mais il se conforme à la tradition des cadeaux. Il offre à Joyce une mallette en cuir, de celle que portent les avocats, et elle un petit bureau en bois, de ceux que les capitaines de bateau mettent sur leurs genoux lorsqu'ils sont en mer, afin de

1. Joyce Maynard, *At Home in the World*, *op. cit.* Notre traduction.

lui éviter de toujours avoir à remonter à son bureau. « Merci, lui dit-il, avec une pointe de sarcasme. Ça me sera très utile la prochaine fois que je prendrai la mer[1]. »

Dans son livre témoignage dénué d'esprit de vengeance, Joyce Maynard le raconte sans aigreur et sans retenue : leur vie sexuelle était une misère. Elle n'avait aucune expérience et, visiblement, Salinger n'était pas un crack en la matière, même pendant les préliminaires, quand le désir est là, inassouvi, pour favoriser l'épanouissement de la partenaire. Il l'aime bien pourtant mais quelque chose en lui de résigné, d'absent, donne l'impression qu'il est ailleurs, le sentiment peut-être que leur relation se délitera. Elle-même le pressent. Elle lui en fait la remarque. « Comment une fille qui peut me rendre aussi heureux que toi pourrait-elle un jour me causer de la tristesse[2] ? » lui rétorque-t-il. Des mots prononcés presque mécaniquement, sans émotion particulière, comme s'il ne croyait pas à ce qu'il disait. La première fois, au moment de passer à l'acte, le corps de Joyce se refuse et c'est un désastre. Elle a mal, elle s'en fait le reproche. Une scène classique s'ensuit, des larmes, la salle de bains, un mal de tête foudroyant. Plus inattendu, Salinger s'assoit à son côté sur le bord du lit et lui presse l'extrémité du pouce et du majeur, une technique observée chez les acupuncteurs, afin d'apaiser la douleur. Les tentatives suivantes ne sont pas plus concluantes. Mais Joyce Maynard croit qu'en dépit des trente-cinq ans qui les séparent, ils vieilliront ensemble. Elle le souhaite et dès lors, pour le satisfaire, leur relation sexuelle se résume à des fellations qu'elle exécute à contrecœur. Il consulte ses livres dans lesquels, pense-t-il, réside la

1. *Ibid.* Notre traduction.
2. *Ibid.*

solution au problème. Le *De materia medica*, le codex pharmacologique en circulation depuis l'Antiquité romaine, lui apporte un début de réponse. Joyce souffre de vaginisme, une contraction musculaire du vagin, c'est bien ça. Sur les conseils du bon docteur Lacey, sa boussole, pour ne pas dire un dieu vivant, il prend rendez-vous chez un homéopathe afin qu'il règle les problèmes sexuels de sa jeune compagne. Le voyage en Floride a lieu en mars 1973, moins d'un an après le début de leur vie commune. John Boletus, alias Salinger, a pris les choses en main. Les enfants, Peggy et Matthew, les accompagnent. Tous logent au Daytona Hotel, où il a ses habitudes depuis trente ans déjà. Un séjour cataclysmique, mémorable. L'ambiance d'abord. Dans les allées du bord de mer, des garçons à la dégaine d'étudiants font vrombir leur grosse cylindrée, et sur la plage de sable blanc, les deux enfants se chamaillent, l'une voulant dormir et se faire dorer au soleil, l'autre jouer au cerf-volant ou dans les vagues. Les draps de bain ont été fournis par l'hôtel. Salinger, en maillot démodé, trimballe avec lui un sac rempli de bananes et de graines de tournesol, le livre de Ramana Maharshi, un gourou indien, et un journal d'homéopathie. Joyce se souvient qu'une radio portative diffusait la chanson de Neil Young *Heart of Gold*[1].

Ils ne sont pas là depuis longtemps que Salinger prend sa fille à part pour lui dire que Joyce partira le lendemain. Elle veut des enfants et lui se sent « trop vieux pour entendre trottiner des petits pieds autour de lui[2] ». Les références à son âge sont devenues un leitmotiv. Il n'a pourtant que cinquante-quatre ans. Elle-même se souvient qu'il a les épaules voûtées. Non par les courbettes,

1. Cœur d'or.
2. Margaret Salinger, *L'Attrape-rêves*, *op. cit.*

Salinger ne s'étant jamais plié à quoi que ce soit, mais par la fuite inexorable du temps, l'exil intérieur, la fatigue, et l'incessante réédition des jours. Il se prend la tête dans les mains et lui dit une fois, puis une autre fois encore : « Tu sais, je ne pourrais jamais avoir d'autres enfants. J'en ai assez de tout ça[1]. » Joyce Maynard se voit priée de rentrer à Cornish et de faire ses valises avant leur retour. Dans la chambre d'hôtel, il y a des larmes, des gestes de consolation, des paroles de supplication. Elle est salingérisée et elle suffoque. Mais a-t-elle au fond d'autre choix que celui de partir ? Il lui fait les recommandations d'usage : éteindre le chauffage et fermer la porte à clé derrière elle.

Il avait neigé dans le New Hampshire. Elle a ramassé ses affaires et elle est retournée chez sa mère, qui vit à présent séparée de son mari. La rupture avec Salinger a été douloureuse et elle le confesse sans chiqué. Un simple claquement de doigts de sa part et elle aurait repris sa place auprès de lui. Elle lui a envoyé des SOS, c'était avant l'ère des SMS, mais ils sont restés lettre morte. Il l'a découragée de persister à s'accrocher ainsi et il en est même venu à la mépriser de la voir succomber à la publicité pour la promotion de son livre récemment paru[2].

Quand une liaison amoureuse s'achève, Salinger tire un trait. Pour toujours. Il est comme ça. Résolu. Entier. Une fois la mésentente avérée et le contrat rompu, c'est sans espoir de retour. Margaret Salinger rapporte qu'un matin qu'elle l'avait accompagné au bureau de poste de Windsor, il en est ressorti interloqué, une enveloppe

1. *Ibid.*

2. Joyce Maynard, *Looking Back : A Chronicle of Growing up Old in the Sixties*, 1973. *Une adolescence américaine. Chronique des années 60*, traduit de l'anglais par Simone Arcus, Paris, Philippe Rey, 2013.

dans la main, qu'il regardait fixement. Une fois en voiture, il l'a de nouveau auscultée et sans l'ouvrir l'a déchirée en petits morceaux qu'il a glissés dans le vide-poche de la portière. À sa fille étonnée de son geste, il a confié que c'était une lettre de Sylvia, sa première épouse. Vingt-six ans qu'elle ne s'était pas manifestée. C'était, pour lui désormais, une affaire classée.

Joyce Maynard a le sens du récit, de la mise en scène et du marketing. La sortie de son roman *Baby Love*[1], l'histoire d'une jeune fille qui veut avoir un enfant avec un homme beaucoup plus âgé qu'elle, un décalque flagrant de ce qu'elle a connu avec Salinger, l'a mis hors de lui. «J'en suis malade de dégoût[2].» Aussi quand, vingt ans après leur liaison, conciliante, elle lui écrit pour lui proposer d'aller le voir et de faire un brin de marche et de causette ensemble, elle n'obtient pas même de réponse. Car il est passé à autre chose.

Salinger aime les jeunes filles dans la fleur de l'âge. Le mérite du livre de Joyce Maynard, parmi d'autres, est qu'il est le seul à renseigner sur la vie amoureuse et sexuelle de l'écrivain. Pas folichonne si l'on s'en tient à ce qu'elle rapporte d'expérience. Et plus proche de la contemplation et d'une certaine passivité que de la fougue passionnelle. Jamais elle ne l'accable, même si pendant leur liaison, le plaisir physique, qu'elle avoue avoir découvert par la suite avec un autre, appartenait au domaine de la *terra incognita.* Il semble en avoir été de même pour Claire Douglas, la deuxième épouse de l'écrivain, à en juger par le récit de sa fille, Margaret Salinger. Le jour où sa mère prend pour amant – le

1. Joyce Maynard, *Baby Love*, traduit de l'anglais par Mimi Perrin, Paris, Philippe Rey, 2013.
2. Joyce Maynard, *At Home in the World*, *op. cit.*

premier d'une longue liste – le père de deux gosses du voisinage, camarades de jeu des siens, sa vie en est métamorphosée et le couple explose. Sa sexualité enfin lui est révélée (avec un autre) après dix ans de mariage et elle la vit alors de manière débridée. Sa fille, jeune encore, s'en déclare scandalisée. Elles se querellent, durement, et ne se réconcilieront que beaucoup plus tard.

Pourtant, à la lecture de sa correspondance, Salinger paraît avoir multiplié les conquêtes. Avant même son idylle avec Oona O'Neill qui le quitte pour Chaplin, à son grand regret, ainsi que pendant sa période militaire, puis après son divorce d'avec Sylvia Welter, sa première épouse. Qu'il ait été un séducteur et qu'il en ait joué, notamment avant la guerre, le fait est acquis. De 1941 à 1943, durant sa liaison avec Oona, il a échangé quelques lettres avec Marjorie Sheard, une jeune femme au foyer de Toronto en proie à des velléités d'écriture. Il l'encourage à publier dans les magazines féminins comme *Mademoiselle* ou dans de petites revues littéraires, telle la *Kansas City University Review*. Il l'incite même à s'adresser à un directeur de publication dont il lui donne le nom. Qu'elle ne compte cependant pas s'acheter une Cadillac avec ce qu'ils paieront, la met-il en garde. Comme elle apprécie ses nouvelles, il l'informe de ses futures parutions et, à l'occasion, pousse le flirt. « J'écris pour Marjorie Sheard et quelques autres[1] », s'enhardit-il avant de lui demander une photo. Une audace dont il s'excusera bientôt, qu'il met sur le compte d'une étourderie. À la réception du cliché en noir et blanc, Salinger redouble, néanmoins, de galanterie : « Coquine, tu es jolie[2] ! »

1. Lettre à Marjorie Sheard du 4 septembre 1941, dossier Salinger, Morgan Library, New York.
2. Lettre à Marjorie Sheard du 18 novembre 1941, dossier Salinger, Morgan Library, New York.

Mais quelle sorte d'amant est-il au juste ? Holden Caulfield, à qui il dit s'être tellement identifié lors de la gestation du roman, est probablement en mesure d'apporter une réponse. « Ma vie sexuelle est branquignole », confesse-t-il à Luce, le barman du Wicker Bar, un copain de collège. Celui-ci met ça sur le compte de son manque de maturité. « Tu veux que je te dise mon problème, réplique Holden. Je peux pas arriver à être intéressé sexuellement – je veux dire *vraiment* intéressé – par une fille qui me plaît pas tout à fait. » Il ajoute qu'il faut qu'une fille lui plaise totalement, sinon son désir « fout le camp ». « Ouah, ça déglingue complètement ma vie sexuelle. Ma vie sexuelle est pourrie. »

Que ce soit dans *L'Attrape-cœurs* ou dans ses nouvelles, il y a des jeunes gens qui draguent, qui flirtent. Les garçons voudraient bien « tripoter » ou encore « papouiller » les filles, seulement, ils peinent à conclure. Comme si une immaturité, une gaucherie, les retenaient. Un doute plane.

De toute façon, Salinger n'a que faire des scènes d'amour, et de l'acte qui l'accompagne, deux sujets absents de sa littérature. Qu'on n'aille pas pour autant se figurer que c'était un horrible macho. Une journaliste d'un hebdomadaire local de Louisiane ayant réussi à lui extorquer une interview, un magnétophone caché sous le bras, cherche à connaître sa version du rêve américain. Le poussant dans ses retranchements, elle soutient que la Constitution américaine semble avoir été écrite par un homme pour des hommes. « Qui a dit que vous n'aviez pas le droit au rêve américain ? s'exclame-t-il. Qui ? C'est terrible ! C'est affreux ! N'acceptez pas ces idées reçues. Le rêve américain est pour tous les Américains. Y compris les femmes. C'est aussi pour vous.

Agissez. Revendiquez si vous en éprouvez le besoin[1]. »
Défiler pour une cause quelconque n'a jamais fait partie de ses préoccupations, mais il est apte à comprendre ceux qui se rallient à un étendard.

1. « Ce que j'ai fait l'été dernier » de Betty Eppes, paru dans *The Baton Rouge Advocate*, été 1981. Puis dans Catherine Crawford (éd.), *If You Really Want to Hear About It*, une compilation de textes consacrés à Salinger, New York, Thunder's Mouth Press, 2006.

34

L'Attrape-cœurs, un objet de culte

Cela va faire dix ans bientôt, en 1974, que Salinger n'a plus rien publié. Mais il veille sur ses manuscrits. À Cornish, l'espace qu'il s'est réservé pour travailler est sanctuarisé, et la porte d'accès fermée à double tour. C'est d'abord la petite cabane verte qu'il s'est aménagée à l'achat de la maison, puis une construction en forme de L, comprenant son bureau, une chambre et une salle de bains. Dans un cas comme dans l'autre, on n'y entre pas sans un sauf-conduit qu'il délivre avec parcimonie. Il a fait sceller au sol de gros coffres-forts, dans lesquels il archive ses documents qu'il a lui-même classés et étiquetés. Une marque rouge signifie que le texte est suffisamment abouti pour être publié en l'état, et une marque bleue qu'une révision et une correction seront nécessaires. Il ne précise pas qui devra s'en charger. Un anonyme, désireux de le rester, a assuré à Ian Hamilton, le premier biographe à avoir mené l'enquête, que deux manuscrits y ont été entreposés. De quoi ménager le suspense.

Pendant ce temps, ses ouvrages, au premier rang desquels *L'Attrape-cœurs*, continuent de se vendre à un bon rythme, d'autant que, devenu un classique, Holden Caulfield est désormais un sujet d'études scolaires. « Il a figuré sur la liste des livres inscrits au programme des établissements d'enseignement secondaire[1] pendant plus de cinquante ans[2] », déclare son agent littéraire en titre désormais chez Harold Ober Associés, Phyllis Westberg, huit mois avant la disparition de l'écrivain. Et, en 1968, soit dix-sept ans après sa publication, le roman comptait encore parmi les vingt-cinq livres les plus vendus dans le monde.

La singularité du personnage, farouche, sauvage, fantasque, et sa recherche obsessionnelle de tranquillité suscitent, en contrepartie, la curiosité et un culte croissant pour l'œuvre. Laquelle a donné lieu à de véritables opérations commandos dont on peut encore aujourd'hui mesurer les conséquences fâcheuses. Dans le numéro de la revue *Story* conservé à la New York Public Library, les pages reproduisant sa toute première nouvelle, *The Young Folks*, ont été arrachées. Idem dans celui où parut *Elaine*, ainsi que dans le *Cosmopolitan* ayant publié *The Inverted Forest*[3]. Un pillage dont le ou les auteurs n'ont jamais été identifiés.

À l'été 1974, un particulier, domicilié à New York, écrit à Salinger pour lui signaler que ses nouvelles non parues en recueil ont fait l'objet d'une édition clandestine en deux volumes, sous le titre *The Complete Uncollected Short Stories of J.D. Salinger, Vols 1 and 2*[4]. Il s'en est vendu 25 000 exemplaires en deux mois au prix de huit dollars les deux. À San Francisco d'abord, puis à New York,

1. « *High school* ».
2. Phyllis Westberg, déposition enregistrée le 1er juin 2009 devant le United States District Court, Southern District New York.
3. « La forêt inversée », notre traduction. Nouvelle magnifique sur le chassé-croisé des cœurs qui, mus par des forces supérieures incontrôlables, sont comme laissés en suspension au gré des rencontres et des situations. Ce texte, non traduit, est paru dans le numéro de *Cosmopolitan* de décembre 1947.
4. « Recueil complet de nouvelles de J.D. Salinger, vol. I et II ».

Chicago et ailleurs. L'expéditeur joint à son courrier un exemplaire de chaque. L'écrivain s'en dit « très chagriné[1] ». Il le remercie de sa prévenance et des spécimens qu'il lui a adressés, soulignant qu'il fait l'impossible pour mettre un terme à ce piratage. « Quelqu'un se les est appropriées. C'est un acte illicite, s'emporte Salinger. C'est déloyal. Supposez que vous ayez un manteau et que quelqu'un s'introduise chez vous, ouvre votre armoire et le vole. C'est ce que je ressens[2]. » Ces nouvelles ont été écrites il y a longtemps et il n'a pas l'intention de les (re)publier. «Je voulais qu'elles meurent de leur mort tout ce qu'il y a de plus naturelle », ajoute-t-il.

La publication et la vente non autorisées de ces ouvrages constituant une violation caractérisée de ses droits d'auteur, une action en justice est engagée[3] devant la cour du district du nord de la Californie, à l'encontre d'une personne dénommée et de plusieurs libraires. Une enquête est ouverte, et des actions similaires déclenchées partout où des volumes piratés apparaîtraient sur le marché. Salinger réclame des dommages et intérêts, tandis que son agent Harold Ober lance un vibrant appel à l'Association des libraires américains, afin de les mettre en garde contre ce commerce illicite. «J'ai survécu à beaucoup de choses, philosophe *in fine* Salinger, rescapé de la guerre. Et je survivrai probablement à cela[4]. » Le FBI, saisi de l'affaire, ne parvient pas à mettre la main au collet de l'auteur présumé de ce pillage, mais celui-ci cesse bientôt. Sans nuire à la valeur de ces volumes piratés, un trésor pour les collectionneurs patentés.

1. *The New York Times* du 3 novembre 1974. Entretien téléphonique avec la journaliste Lacey Fosburgh.
2. *Ibid.*
3. Le 17 septembre 1974.
4. *The New York Times* du 3 novembre 1974. Entretien téléphonique avec la journaliste Lacey Fosburgh.

L'engouement pour l'œuvre de Salinger ne faiblit pas. Il revêt aujourd'hui d'autres formes et suit le courant de la mode. En 2008, Noho, un magasin de vêtements « hype » au 628 Broadway, vendait pour vingt-huit dollars des tee-shirts aux couleurs de *The Catcher in the Rye.* Avec en impression, la toute première couverture du roman, constamment disponible au rayon best-sellers de la librairie Strand sur Broadway. Salinger en produits dérivés, il fallait y penser.

Soucieux à l'extrême de préserver son incognito, l'écrivain se garde de toute apparition publique. Lorsqu'il se hasarde à sortir dans le monde, nous l'avons dit, il prend un pseudonyme. Exception faite quand il s'agit d'aller rendre hommage à un ami, une denrée rare, les amis. John Keenan fait partie du cercle. Ils se sont connus pendant la guerre, étant, l'un et l'autre, agents du service de contre-espionnage américain. Une photo de l'époque les montre tous deux adossés à une Jeep, posant décontractés, en compagnie de Jack Altaras, le chauffeur du véhicule, et Paul Fitzgerald, un autre compagnon d'armes avec qui Salinger restera en contact. David Shields et Shane Salerno affirment que le quatuor s'était baptisé les « quatre mousquetaires[1] ». Cinq campagnes sous la mitraille et les bombes, cela crée des liens. À Cornish, John Keenan vient quelquefois rendre visite à son vieux camarade qui a tenu à honorer de sa présence le dîner offert à l'occasion de son départ à la retraite en 1978. Chef de la police de New York, il raccrochait enfin, avec les honneurs. Salinger a prononcé un petit discours.

Il a tellement tempêté contre tous ces voyeurs qui depuis trente ans s'acharnent à lui arracher une parcelle

1. David Shields et Shane Salerno, *Salinger, op. cit.*

de son intimité – un cliché, des propos, une confidence –, comme pour les brandir en trophée, que Salinger en est devenu intimidant. On ne l'aborde pas facilement. À moins de faire preuve d'une audace folle ou d'un culot monstre. Betty Eppes était journaliste dans un petit hebdomadaire de Louisiane, *The Baton Rouge Advocate*. À l'été 1981, lancée sur les traces de l'écrivain, elle effectue des repérages dans la région où il est censé aller et venir. Elle conduit une enquête de terrain, minutieuse et serrée. À Windsor, dans le Vermont, elle apprend qu'il fait ses courses dans une sorte de centre commercial, le Cummins Corner. Il y a un glacier, un magasin de vins et liqueurs, un coiffeur, et un marchand de primeur, incapable de dire s'il compte Salinger parmi ses clients. Une description sommaire et un peu d'insistance lui rafraîchissent la mémoire. Oui, il y en a un, étrange, qui vient une fois par semaine. Il détient son numéro de téléphone dans le fichier clientèle puisqu'il est sur la liste rouge. Quand elle le prie d'appeler, il s'exécute de bonne grâce mais au bout du fil, la femme de ménage répond que monsieur Salinger ne veut parler à personne, voir personne et en aucun cas être dérangé. Et que si la consigne n'est pas respectée, elle s'exposera à de sérieux problèmes. Avant de raccrocher, elle fait tout de même passer le message qu'il est possible d'écrire et de remettre le pli à la jeune fille du bureau de poste de Windsor.

Betty Eppes dispose *a priori* de deux atouts susceptibles de plaire au reclus de Cornish. Elle est une femme et elle est romancière. Car pour être ermite, Salinger n'en est pas moins homme. Elle essaie de gagner sa vie en écrivant mais écrire est difficile. Ce qu'il peut aisément admettre, lui qui a consacré dix ans à son unique roman. La lettre ne parle pas de *L'Attrape-cœurs*, juste de son expédition de Louisiane jusqu'au New Hampshire.

Il doit l'en croire, elle n'a aucune intention de violer l'intimité de sa vie privée. Elle lui donne rendez-vous pour le lendemain matin à 9 h 30 au coin du centre commercial, soulignant qu'elle attendra une demi-heure, pas plus. Elle précise que s'il ne vient pas, elle renouvellera la tentative le jour suivant. Sans un signe de sa part, elle repartira à Baton Rouge, faute d'avoir les moyens de rester plus longtemps à Windsor. Enfin, petit signe distinctif afin de l'identifier : elle a les cheveux auburn et des yeux verts.

Le jour dit, elle saute du lit persuadée qu'il viendra. Sur place, elle stationne sa voiture de location à l'orée du village, non loin du pont couvert en bois qui enjambe la rivière Connecticut et que Salinger doit traverser pour atteindre Windsor. Elle achète aussi une bouteille de soda, puis dissimule un petit magnétophone sur elle. Elle s'apprêtait à lire le *Boston Globe*, le quotidien local, quand à 9 h 30 précises, Jerome David Salinger a surgi dans la pénombre du pont couvert. À pied. Il n'a pas eu très loin à aller de chez lui. Il a les cheveux blancs. Toutes les photos qu'elle a vues de lui jusque-là le montraient les cheveux noirs. Mais il est reconnaissable à sa longue silhouette, mince. Il marche comme s'il était poursuivi, les épaules voûtées jusqu'aux oreilles. Il ne regarde ni à droite, ni à gauche, juste dans sa direction à elle. Son regard dégage une intensité surprenante. À son approche, elle met le magnétophone en marche. Un éclair de panique la traverse. La bande magnétique affiche une capacité d'enregistrement de vingt-neuf minutes. Il n'y a pas de temps à perdre. Toute fausse manœuvre lui est interdite. Salinger porte un jean, une veste-chemise, des baskets et un attaché-case sous le bras. Elle descend de sa voiture. Il vient droit sur elle et dit : « Betty Eppes ? » qu'il prononce à l'espagnole, « Eppès ». Ils échangent une poignée de main. Les siennes tremblent mais elle le trouve en très grande forme et en bonne santé. La conversation s'engage aussitôt. Elle le remercie d'être venu. À quoi il répond qu'il ne sait pas, en fait, pourquoi il est venu, si ce n'est parce que la lettre qu'elle lui a envoyée est très brève. Betty Eppes fait valoir qu'elle a fait le déplacement en tant que « porte-parole » de tous ceux qui veulent savoir s'il continue à écrire. Elle l'interroge sur Holden Caulfield, lui demande s'il va grandir et s'il y aura une suite à *L'Attrape-cœurs.* Dans le village, tout le monde épie la scène. Le gérant du Cummins Corner a le nez collé à la vitre de son magasin, des gens du pressing automatique sortent sur le trottoir. Salinger indique que tout est dans le livre, qu'il suffit de le relire. Holden est « seulement un moment figé dans le temps », dit-il. La jeune femme insiste. Cela signifie-t-il que son héros ne va pas grandir, qu'il n'y aura pas de suite au roman ? Pour réponse, l'écrivain répète invariablement : « Lisez le livre. Tout est dedans. » Quand elle lui demande si *L'Attrape-cœurs* est autobiographique, ainsi qu'il l'a confié à une élève de Windsor College trente ans plus tôt, quelque peu décontenancé par la question, il se raidit d'abord : « D'où tenez-vous ça ? » Avant de concéder : « Je ne sais pas... Je ne sais pas. C'est juste sorti de moi comme ça. Je ne sais rien de plus d'Holden, désormais[1]. » Non seulement il est sans nouvelles de son personnage de fiction mais lui, pourtant d'un ordinaire pince-sans-rire, se montrera farouchement jaloux de sa création lorsqu'un écrivain suédois de trente-trois ans, Fredrik Colting, se hasardera à lui redonner chair, sous un nom d'emprunt.

---

1. « Ce que j'ai fait l'été dernier » de Betty Eppes, *The Baton Rouge Advocate*, été 1981. Notre traduction.

35

Salinger arraché à sa thébaïde

L'auteur de *L'Attrape-cœurs* n'écrit plus que pour son propre compte et ce, depuis des lustres. Il n'éprouve pas davantage le besoin de publier. C'est ce qu'il confie en 1981 à Betty Eppes, la journaliste du *Baton Rouge Advocate.* Lorsqu'elle lui demande s'il a pressenti les conséquences du succès sur sa vie privée, il reconnaît que jamais il n'aurait pu imaginer ce qui allait se passer à la sortie de son roman : la curiosité intrusive des journalistes et des photographes, les interférences à répétition qui l'avaient empêché de mener une vie « normale ». Il en a été réduit à faire surveiller les routes près de chez lui par des patrouilles de police, afin de tenir les importuns à distance. Écrire, oui, c'était pour lui important, vital même, mais son souhait le plus cher était qu'on lui fiche la paix. Il n'aurait pas su dire pourquoi. Ce sentiment remonte à très loin. À l'école déjà, à l'académie militaire de Valley Forge ensuite, puis avant et après le service militaire. Pendant la guerre, et les mois précédents où il a effectué ses classes, la question ne s'est pas posée. Et pour cause. Il s'est battu pour la paix. Celle-ci revenue, lui retiré sur sa colline, il a éprouvé ce besoin impérieux de vivre à l'abri des regards extérieurs. Il insiste toujours sur ce point. Et lorsqu'il lui arrive de se montrer en public, c'est qu'il l'a choisi.

De même est-il toujours économe de paroles, y compris quand l'actualité le projette sous ses feux, bien malgré lui. Comme lors de l'assassinat de John Lennon, le 8 décembre 1980. Ce soir-là, vers 22 h 50, après une journée d'enregistrement en studio, le Beatles regagne le Dakota Building, sa résidence luxueuse donnant sur Central Park, en compagnie de sa femme Yoko Ono. Il venait de descendre de sa limousine et s'apprêtait à regagner sa suite, quand un « truc dingue », comme dirait Holden Caulfield, s'est produit. Tandis que Lennon s'engouffrait sous la porte cochère, Mark David Chapman, un gars de vingt-cinq ans complètement détraqué et qui se tenait à peu près à six mètres de distance, lui a déchargé son revolver dans le dos, un Charter Arms calibre .38 spécial à cinq coups. Atteint de quatre balles, Lennon trébuche et n'a que le temps de murmurer : « On m'a tiré dessus[1]. » Parvenu à la loge du concierge, il s'effondre de tout son long, la face contre le sol, sous les yeux horrifiés de Yoko Ono. Il est mortellement touché au cœur. S'étant jeté sur le tueur pour le désarmer, le portier envoie d'un coup de pied le revolver valdinguer dans le caniveau. Chapman en reste hébété. Alors, très calmement, il enlève son manteau et son sweater, prend dans sa poche l'exemplaire de *L'Attrape-cœurs* qu'il a acheté le matin même, et, assis sur le trottoir, se plonge dans la lecture. « Ceci est ma déposition », a-t-il écrit sur la page de garde. Les policiers procèdent à son arrestation et le coffrent. Du fond de sa cellule, Chapman, un raté en quête de notoriété, explique que le compositeur et interprète de la chanson *Imagine* était un type « bidon », dont le mode de vie démentait l'engagement. À son procès, il clame aussi que s'étant identifié au personnage de Salinger, il veut promouvoir le roman dont il

1. « *I'm shot.* » Notre traduction.

a lu un passage à la cour avant d'exhorter le public à faire de même. Mais il a mal lu. Holden Caulfield n'a pas le tempérament d'un assassin névrotique bien qu'ayant fantasmé de vider un automatique dans le bide d'un garçon d'ascenseur, demi-sel à ses heures, lequel l'avait rossé pour une embrouille d'un montant de cinq dollars. À défaut d'appâter de nouveaux lecteurs, Chapman[1] a fait des émules. Le 30 mars 1981, le président américain Ronald Reagan, qui sortait d'un déjeuner à l'hôtel Hilton de Washington, est sérieusement blessé après avoir essuyé six coups de feu tirés par un (autre) déséquilibré. L'auteur de la tentative d'assassinat, John Hinckley Jr, un maniaque, admet avoir manigancé ce projet pour gagner les faveurs de l'actrice Jodie Foster, l'enfant prostituée du film de Martin Scorsese *Taxi Driver*, dont il était marteau. Il était, lui aussi, armé d'un Charter Arms de même calibre. L'enquête a révélé que le jour de l'assassinat de John Lennon, il faisait partie des milliers de fans endeuillés agglutinés sur le lieu du crime. Dans sa chambre d'hôtel, les policiers ont retrouvé une copie en collection de poche du roman de Salinger à qui il a écrit pour s'excuser de l'avoir indirectement associé à son forfait, ayant reconnu dans ces pages un pseudo-lui-même.

Voilà ce que c'est quand on ne sait pas lire.

L'auteur de *L'Attrape-cœurs* connaît la folie des hommes. Il l'a touchée du doigt et il la redoute. Mais que peut-il bien penser de l'usage détourné de son œuvre à des fins criminelles ? Jamais il n'a émis de commentaire public sur ces deux événements, ni sur la revendication

1. Mark David Chapman a été condamné le 24 août 1981 à la réclusion criminelle à perpétuité assortie d'une peine de sûreté de vingt ans incompressible. Une fois le délai passé, ce détenu modèle a fait plusieurs demandes de libération conditionnelle. Elles lui ont toutes été refusées, Yoko Ono ayant fait valoir qu'il présentait toujours un danger pour sa famille.

des tueurs de porter son roman en trophée, pas plus que dans sa correspondance aujourd'hui accessible, il n'y fait allusion. Enfin, lors de ses sorties dans le monde, nul ne s'est hasardé à lui poser la question.

On l'aperçoit au théâtre, à une première de son fils Matthew sur Broadway, un autre soir à Jacksonville en Floride où il est allé applaudir une actrice américaine, Elaine Joyce, la future épouse de l'auteur américain de théâtre de boulevard Neil Simon. Elle est blonde comme les blés. Elle a vingt-cinq ans de moins que lui. L'ayant repérée dans une série télévisée, *Monsieur Merlin*, il lui a adressé un petit compliment par écrit, une méthode éprouvée qui lui a permis de faire connaissance. Ainsi une amitié épistolaire s'est nouée entre eux. Et de fil en aiguille, une intimité de quelque sept ans s'est créée. Au *London Evening Standard*[1], le quotidien populaire de Londres, elle a rapporté avec hardiesse que Salinger était de nouveau prêt à publier et qu'il l'aidait à écrire ses propres scripts. Des déclarations non suivies d'effets.

Depuis le divorce de Claire, sa deuxième épouse, puis sa liaison avortée avec l'écrivaine Joyce Maynard, alors étudiante, on ne lui a plus connu de compagne attitrée. De là à penser que la pratique du bouddhisme l'a conduit à l'abstinence serait une grossière erreur. En voici pour preuve le tableau qu'il dresse de ses proches à son vieux copain anglais Donald Hartog, réapparu à sa plus grande joie, après un long silence au mitan des années 1980 : sa sœur aînée Doris est toujours en vie, mais accablée d'infirmités et autres petits malheurs inhérents à la vieillesse. Elle habite New York et il la voit rarement, ce dont elle se plaint amèrement. Ses parents

1. Édition du 24 novembre 1981. Rubrique « Londoner's Diary ».

sont morts. Matthew a démarré une carrière d'acteur et vient même de décrocher des rôles de premier plan au cinéma. Quant à sa fille Peggy, trente ans, quatre de plus que son frère, divorcée, elle habite à Boston où elle travaille comme consultante pour des cabinets d'affaires, une expertise acquise après ses études universitaires et deux années passées dans la prestigieuse université britannique d'Oxford. Lui-même est en forme, les cheveux blancs, certes, et un peu flageolant, mais en forme. Deux mois à peine après leur premier échange de correspondance, alors que l'ami Hartog lui a envoyé une photo les montrant tous deux à Vienne, radieux, adossés à la balustrade du balcon de la maison qu'ils occupaient en 1938, il consent, elliptique, que la « maîtresse de maison[1] », très contente d'avoir reçu ce témoignage iconographique de leurs vertes années, s'est empressée de le faire encadrer. Pas un mot de plus sur l'identité de la dame. Probablement par pudeur, mais surtout en raison des tracas que lui occasionne l'entreprise du poète et critique britannique Ian Hamilton, décidé à consacrer un essai à « sa vie et son œuvre ». Cela pour le compte de la puissante maison d'édition américaine Random House. C'est pour Salinger un « casse-tête[2] », qui dure depuis trois ans (depuis 1983) et auquel il entend remédier en attaquant en justice cette « petite bande d'opportunistes ». Au biographe qui a sollicité son concours – à tout le moins des réponses aux questions qu'il se pose, l'écrivain réplique qu'« aussi longtemps » qu'il vivra, il ne tolérera pas que l'on viole sa vie privée. Quoiqu'il soit sans illusions sur la portée dissuasive de sa mise en garde, ayant depuis longtemps « désespéré » de trouver une quelconque justice dans la pratique courante des hommes,

1. « *Lady of the house* ». Lettre à Donald Hartog du 20 décembre 1986, Salinger Letters, UEA.
2. Lettre à Donald Hartog du 26 mai 1987, Salinger Letters, UEA.

sans parler de « bonté » ou de « décence », lui qui a enduré toutes les atteintes qu'il est possible de supporter au cours d'une seule vie.

Une première version intitulée « J.D. Salinger : une vie d'écriture[1] » était sur le point d'être publiée, quand un cabinet d'avocats de Manhattan, chargé de défendre les intérêts de l'écrivain, a exigé le retrait des citations provenant de sa correspondance inédite, sans quoi, il se verrait dans l'obligation de saisir les tribunaux. Ian Hamilton obtempère, réécrivant les passages incriminés sous forme narrative. Une nouvelle mouture est adressée aux avocats de la partie adverse, guère plus conciliante. Salinger estime que, là encore, il est fait un usage disproportionné et criant de ses lettres. Mettant sa menace à exécution, il intente une action en justice et obtient du tribunal de New York que la sortie du livre soit ajournée[2], le temps pour chacun d'exposer ses arguments, selon une procédure devant se dérouler en deux temps. Par écrit d'abord.

Dans une attestation sur l'honneur, Salinger se présente comme « un écrivain d'un certain renom » ayant « choisi, pour des raisons personnelles, de quitter définitivement la scène publique[3] ». Soucieux de faire le distinguo entre vie publique et vie privée, le biographe argue, pour sa part, qu'il a pris la précaution de ne pas pousser ses recherches au-delà de 1965, l'année de la publication de la dernière nouvelle de l'auteur de *L'Attrape-cœurs*, considérant que, passé cette date, celui-ci ne relève pas du « domaine public ».

La deuxième phase du contentieux se déroule en séance publique, devant une chambre du tribunal de

1. Ian Hamilton, « J.D. Salinger : a writing life ». Notre traduction.
2. Jugement du tribunal de grande instance de New York du 3 octobre 1986.
3. Ian Hamilton, *À la recherche de J.D. Salinger*, *op. cit.*

New York. Ils doivent, l'un et l'autre, se soumettre au feu des questions des avocats de la partie adverse. « Ce moment, nous, les défenseurs, l'avions si longtemps attendu que nous ne l'espérions plus ; c'était le moment où le pauvre Salinger allait enfin être contraint de quitter son repaire de Cornish[1] », écrit le biographe. Contre toute attente, le 10 octobre 1986, l'écrivain s'est arraché à sa thébaïde pour se présenter à l'audience présidée par le juge Pierre N. Leval. L'allure sportive, le visage austère, il est assisté de son avocate, Marcia B. Paul.

D'entrée de jeu, le conseil d'Ian Hamilton et de Random House, Robert M. Callagy, prend un malin plaisir à le mettre sur le gril. Il tente de savoir comment il vit, avec qui, de quoi, s'il écrit et garde des manuscrits inédits par-devers lui. À plusieurs reprises, son avocat objecte du manque de pertinence de certaines interrogations, lesquelles procèdent de l'intrusion. Non, Salinger n'a pas d'employeur et il ne détient pas d'actions ni de parts dans aucune société susceptible de posséder des droits sur son œuvre littéraire.

La poursuite du dialogue donne un aperçu de l'état d'esprit de l'écrivain et de sa réticence à livrer son petit tas de secrets. Extraits :

« M. Salinger, quand avez-vous écrit pour la dernière fois une œuvre de fiction destinée à être publiée ?

— Je ne pourrais pas vous le dire exactement.

— Au cours des vingt dernières années, avez-vous écrit une œuvre de fiction destinée à être publiée ?

— Vous voulez dire qui a été publiée ? s'enquiert Salinger.

— Oui, qui a été publiée.

— Non.

— Et une œuvre de non-fiction ?

1. *Ibid.*

— Non, je n'en ai pas écrit.

[...]

— Avez-vous, au cours des vingt dernières années, écrit quelque œuvre complète de fiction qui n'a pas été publiée ?

— Pouvez-vous formuler cela différemment? Qu'entendez-vous par une "œuvre complète" ? Voulez-vous dire prête pour la publication ? interroge Salinger.

— Une œuvre qui ne soit pas, par opposition, une nouvelle ou un conte ou un texte destiné à un magazine, précise l'avocat de la défense.

— Il m'est très difficile de répondre. Ce n'est pas comme ça que j'écris. Je commence tout simplement par écrire une histoire et je vois comment elle évolue.

— Une façon peut-être plus simple d'aborder la question : pourriez-vous me dire quelle a été la teneur de vos travaux littéraires dans le domaine de la fiction au cours des vingt dernières années ?

— Pourrais-je vous le dire ou devrais-je vous le dire ? » réplique Salinger, sans perdre de son mordant, et déterminé à ne rien lâcher.

Sentant qu'il se moque du monde, son avocate, Marcia B. Paul, l'incite à en dire un peu plus. Il ajoute alors que ses travaux relèvent de la fiction, « c'est tout ». « C'est la seule indication que je peux vraiment vous donner. »

Est-il en mesure de spécifier si les textes qu'il a écrits sont longs ? S'ils s'apparentent à des brouillons ou à des morceaux aboutis ? Enfin, a-t-il pris contact avec des journaux ou des éditeurs en vue d'une publication ? À toutes ces interrogations, Salinger, peu prolixe, répond « non », quelquefois sans attendre que l'avocat de la défense ait fini de les poser.

« A-t-il entendu parler d'un individu répondant au nom d'Ian Hamilton ?

— Entendu parler de lui? Entendu parler de lui? répète l'écrivain, devenu dur d'oreille.

— Oui.

— Oui, j'en ai entendu parler.

— Quand avez-vous pris connaissance, pour la première fois, de l'existence de M. Hamilton?

— De fait, il y a environ trois ans. »

Prié de préciser les circonstances dans lesquelles cela est arrivé, Salinger concède qu'Ian Hamilton lui a adressé une lettre l'informant que Random House l'avait chargé d'écrire sa biographie. « Là comme ça, je ne pourrais pas vous en dire plus. Je ne me souviens pas[1]. »

Il se rappelle, en revanche, en avoir parlé plusieurs fois par téléphone à son agent littéraire Dorothy Olding qui s'est débrouillée pour se procurer un jeu d'épreuves qu'elle lui a remis. Sur les instances pressantes de son contradicteur, il ajoute que certaines de ses connaissances – son fils, ses copains de l'armée, sa sœur, sa fille – l'ont informé qu'elles avaient été démarchées pour apporter leur témoignage. Il les a dissuadées de donner suite, quand il n'était pas trop tard étant donné que certaines d'entre elles avaient déjà répondu.

La déposition devant le tribunal tirant en longueur, l'exercice lui apparaît bientôt fastidieux. Salinger finit par manifester des signes de fatigue. La mémoire lui fait défaut. Du déroulé exact des événements, des menus détails, il a perdu le fil ou la teneur, comme de savoir s'il a souligné des passages de l'ouvrage incriminé – et si oui, lesquels, ou s'il l'a annoté dans la marge.

Le juge considère au final que la biographie, bien documentée, est sérieuse, et que le romancier ne peut pas se prévaloir d'un quelconque préjudice, moral,

1. Minutes de la déposition de J.D. Salinger devant la US District Court (Southern District of New York) contre Random House et Ian Hamilton, le 10 octobre 1986. Notre traduction.

littéraire ou commercial. Ian Hamilton remporte la première manche, mais sitôt accordée l'autorisation de publier son ouvrage, Salinger interjette appel. Cette fois, c'est lui qui obtient gain de cause, mais il ne se sent pas rasséréné pour autant, l'issue de cette affaire qu'il juge en tous points regrettable et coûteuse lui paraissant incertaine et sans fin. Une « sacrée poisse[1] ». C'est la seule chose qu'elle lui a apportée. Il voudrait une fois pour toutes en finir avec ce litige. Mais Random House et Ian Hamilton ne désarment pas. Ils tentent un dernier recours devant la Cour suprême des États-Unis. Au nom de la liberté d'expression et des menaces que la décision de la cour d'appel de New York fait peser sur les études historiques et les recherches biographiques, ils introduisent une requête. Celle-ci sera finalement rejetée[2]. Une victoire décisive pour Salinger, la Cour suprême ayant tranché en sa faveur. Il se félicite bien sûr du résultat, mais celui-ci lui laisse un goût amer, car il est las de ferrailler ainsi de tribunal en cour d'appel, et aussi à cause des notes d'honoraires d'avocats qui ne vont pas manquer de tomber.

Ian Hamilton va revoir sa copie. De quoi y trouver matière à désespérer. Une biographie « quelconque[3] » verra le jour dans une troisième version substantiellement remaniée, mais légale, intitulée *À la recherche de J.D. Salinger*. Le coup, cette fois, est imparable.

---

1. Lettre à Donald Hartog du 26 mai 1987, Salinger Letters, UEA.
2. Arrêt de la Cour suprême des États-Unis du 5 octobre 1987.
3. Lettre à Donald Hartog du 7 décembre 1987, Salinger Letters, UEA.

36

Rattrapé par le passé

1987 s'achève sur un bilan mitigé, car tout bien considéré, l'année n'a pas été très réjouissante. En plus des péripéties judiciaires qui l'ont accaparé au-delà du supportable, Salinger s'est retrouvé complètement isolé à Cornish. Le pont couvert en bois qui menaçait de s'effondrer ayant été rendu impraticable, il lui est impossible de franchir la rivière Connecticut pour aller relever son courrier au bureau de poste de Windsor. Tout lui paraît dès lors plus compliqué. Il remet donc à plus tard le projet qui lui tient à cœur de se rendre à Londres pour rencontrer son vieux complice Donald Hartog et faire la connaissance des siens. Une raison supplémentaire pourtant de revoir la vieille Europe où il allait d'ordinaire tous les trois ou quatre ans en villégiature. Il se voit déjà quelque part en compagnie de son ami, assis au même endroit, à la même heure, à raviver les bons souvenirs, la Vienne qu'ils ont parcourue, les sorties à la patinoire, les gâteaux au chocolat qu'ils ont savourés, les martinis qu'ils ont sirotés, les filles qu'ils ont charmées, et leur jeunesse à présent disparue.

Les derniers temps, deux témoignages authentiques et d'une lecture agréable ont paru aux États-Unis qui lui ont remémoré ce qu'il a entrevu de la montée du nazisme et de la persécution des juifs à la veille de l'Anschluss. Il les lui a vivement recommandés, son ami anglais étant le seul, croit-il, à pouvoir comprendre. L'un, écrit par un docteur en médecine, Richard Berczeller[1], est intitulé *Time Was* (C'était l'époque). L'autre, *Last Waltz in Vienna* (*Dernière valse à Vienne*) de George Clare[2], un auteur juif britannique, est le « triste[3] » récit de la vie d'un enfant juif dont les parents déportés sont morts à Auschwitz. Une autre lecture l'a passionné : *Berlin Diaries, 1940-1945* (*Journal d'une jeune fille russe à Berlin, 1940-1945*), de Marie Vassiltchikov[4]. Secrétaire au ministère des Affaires étrangères du Reich, cette jeune femme, issue d'une grande famille de l'aristocratie russe ayant fui la Révolution bolchevique, était, de par ses fonctions, très introduite dans la haute société mondaine et politique allemande. De ce poste d'observation privilégié, elle a tiré un récit unique sur la vie quotidienne des Berlinois mais aussi sur les réunions secrètes auxquelles elle a pu assister.

Presque chaque jour à Cornish, sur le sentier qu'il a fait tracer au bulldozer dans la forêt, il y a des années de cela, Salinger effectue une marche à pied ou à petite foulée, ses deux petits lévriers italiens efflanqués et graciles sur les talons. Au fil des ans, il a eu beaucoup de chiens de différentes races. Ce sont les seuls qui lui restent à présent.

Sauf obligation, il ne va désormais plus guère à New York, lui préférant Boston, plus proche et que, de

1. Richard Berczeller, *Time Was*, New York, Viking, 1971.
2. George Clare, *Last Waltz in Vienna*, Londres, Macmillan, 1982 ; *Dernière valse à Vienne*, traduit de l'anglais pas Jean-Baptiste Grasset, Paris, Payot, 1984.
3. Lettre à Donald Hartog du 22 octobre 1986, Salinger Letters, UEA.
4. Marie Vassiltchikov, *Berlin Diaries, 1940-1945*, New York, A.A. Knopf, 1987 ; *Journal d'une jeune fille russe à Berlin, 1940-1945*, traduit de l'anglais par Anne-Marie Jarriges et Anne Guibard, Paris, Pierre Belfond, 1991.

toute façon, il aime mieux. Il apprécie aussi Hanover, une petite ville de la Nouvelle-Angleterre, verdoyante et légèrement sophistiquée sur le fleuve Connecticut, à une vingtaine de minutes de chez lui par la route. Elle offre tous les agréments possibles : le Dartmouth College avec ses milliers d'étudiants, une bibliothèque de qualité, une animation commerçante et surtout un magasin d'alimentation coopératif où il aime faire les courses.

Le soir, avec assiduité, il regarde le journal télévisé. Les élections qui se déroulent de part et d'autre de l'Atlantique suscitent ses commentaires acerbes et désabusés. Les conservateurs ont le vent en poupe. Au Royaume-Uni, le parti Tory de Margaret Thatcher a remporté la victoire pour la troisième fois consécutive[1]. Un scrutin sans surprise, au vu des prédictions des instituts de sondage. Ce résultat ne lui inspire rien de bon. Ce n'est que le signe avant-coureur, ni pire ni plus désolant, de ce qui se profile à l'élection présidentielle de novembre 1988 aux États-Unis et qui portera George Bush père au pouvoir. Candidat républicain et vice-président sortant, ce dernier s'apprête à succéder à Ronald Reagan. Il a pour adversaire le démocrate Michael Dukakis. La campagne bat son plein. Voir à longueur de temps leur « sale gueule[2] » sur le petit écran lui répugne. La platitude et l'ennui des discours lui hérissent le poil quand il songe à ceux prononcés par certains de leurs prédécesseurs. Devant son poste de télévision, Salinger n'en apprécie que davantage de vivre ainsi retiré au milieu de nulle part, retranché de cette agitation vaine, à des années-lumière de tout cela.

1. Scrutin du 11 juin 1987 au Royaume-Uni.
2. Lettre à Donald Hartog du 26 mai 1987, Salinger Letters, UEA.

Les années se suivent, l'une chassant l'autre, sans qu'il change grand-chose à ses habitudes. La rudesse des hivers et le gel qui paralyse tout, les chutes de neige sur les hauteurs de Cornish totalement endormie dont il ne perçoit plus que le craquement des branches au milieu de sa forêt de conifères, de bouleaux, de hêtres et d'érables et, de temps à autre, le vol des mésanges à tête noire affamées qui viennent se ravitailler dans la mangeoire qu'il a suspendue à une branche. Un écureuil roux a fini par trouver l'accès du distributeur de graines de tournesol, bien que le vendeur se soit porté garant qu'il était conçu pour ne supporter d'autre poids que celui d'un moineau, sinon le clapet se refermait.

Le chemin pour aller et venir de chez lui étant rendu impraticable, il déblaie la neige. Un hiver qu'il avait gelé à pierre fendre, il a fait installer tout du long une rampe en corde pour pouvoir accéder à sa boîte à lettres, en contrebas du sentier escarpé. Cela ne l'a pas empêché à une ou deux reprises de glisser sur le sol verglacé et de se retrouver sur le dos, la tête heurtant la glace avec un bruit sourd.

Au printemps, avec le dégel, le sentier devient boueux, la gadoue atteignant un point culminant à la mi-avril, la saison des premiers semis. Alors, il retourne la terre de ses deux surfaces potagères avec un tracteur. Trop tôt encore cependant pour ensemencer, à l'exception des pois qui supportent un sol détrempé. Aujourd'hui comme hier, l'ennui lui est étranger.

1989 approchant, il va avoir soixante-dix ans et il n'en revient pas d'avoir réussi à traverser ces années comme par miracle, lui qui garde le souvenir ardent de ses dix-huit ans. Et si tout cela au fond n'avait été qu'un mirage, ou bien une erreur de sa perception du temps ? Donald Hartog, son camarade d'adolescence, bientôt septuagénaire lui aussi – ils sont nés la même année – lui a écrit pour l'inviter à son anniversaire qui tombe le 14 avril 1989. Salinger lui a aussitôt répondu avec allégresse qu'il irait. Il a très envie de le revoir, malgré son horreur viscérale des aéroports, synonymes de cohue et de bousculades, et des files d'attente à la douane, enfin de tout ce qui peut perturber sa quiétude. Aussi il s'en remet à la « dame[1] » avec laquelle il vit désormais et dont il a tu l'existence pendant longtemps. Elliptique dans un premier temps, un jour, il précise sibyllin à son vieil ami : « Je suis à la remorque de C[2]. » Les préparatifs du voyage outre-Atlantique se précisent. Encore deux mois et, sauf imprévu, ils se reverront.

C'est ainsi qu'incidemment, il se hâte de lui dire « en confidence » que la « mystérieuse » C. se prénomme Colleen. Il l'a épousée un peu après Noël 1988, au terme de « quelque dix années de relations », pendant lesquelles ils ont été, le plus souvent, « assez proches[3] ». D'où la bague en or très simple qu'elle porte à l'annulaire gauche. Il a donc régularisé une situation qui dure depuis un moment. Sa dulcinée est Irlandaise (comme les ascendants de sa mère), catholique pratiquante avant d'avoir été rattrapée par la science chrétienne, et elle aime à commander. Elle a trente ans, l'âge de Peggy. Il pourrait même être son grand-père. Quarante et un ans les séparent. Il ne s'en formalise pas plus que cela. Il s'en délecte même. Un malotru s'aviserait-il de soulever la question de leur différence d'âge, il a la réponse toute trouvée : elle est « plus jeune que moi de plusieurs années[4] ». Une manière élégante de couper court aux qu'en-dira-t-on et aux inévitables ricanements qui ne

1. Lettre à Donald Hartog du 9 novembre 1986, Salinger Letters, UEA.
2. Lettre à Donald Hartog du 8 décembre 1988, Salinger Letters, UEA.
3. Lettre à Donald Hartog du 9 février 1989, Salinger Letters, UEA.
4. *Ibid.*

manqueront pas de fuser ici et là. Une fois leur union officialisée, Salinger a jugé préférable d'en informer ses enfants, afin qu'ils soient, eux aussi, en situation de répondre à d'éventuels quolibets proférés sur son compte.

Sitôt reçu le carton d'anniversaire pour Londres, une ville qu'elle connaît et qu'elle est heureuse de revoir, Colleen, ravie, s'est calée dans un fauteuil, une pile de catalogues commandés par correspondance sur les genoux, à chercher une jupe adéquate pour honorer la fête des Hartog. Salinger la chahute affectueusement. Un rien lui va, et même une combinaison de mineur de fond lui conviendrait à merveille, en l'occurrence. Elle est avenante, d'une douceur et d'une gentillesse naturelles, comme se doit de l'être toute bonne infirmière ayant travaillé, comme elle l'a fait, en bloc opératoire. Elle a exercé un temps à Bel Air dans le Maryland. Une fille au grand cœur candide que Colleen, et ne pensant pas à mal.

Ils se sont rencontrés dans d'étranges circonstances à l'hiver 1978, un jour de février alors qu'elle se rendait au carnaval d'hiver de Dartmouth, un grand moment festif et sportif organisé sur le campus trois jours durant. Il y avait eu cette année-là des chutes de neige records, un bonheur pour les amateurs de ski. Salinger ayant pris place à côté d'elle dans l'autobus, ils ont engagé la conversation. Il s'est montré charmant. À White River Junction, une petite municipalité distante de quelques kilomètres de sa destination finale, elle lui a demandé où prendre un autre moyen de locomotion pour atteindre Hanover. En gentleman prévenant, il a offert de l'accompagner et au moment de se séparer, il a décliné son identité : Jerry Salinger. « Vous voulez dire J.D. Salinger[1] ? » s'est-elle exclamée. Effet réussi. Il a les

1. Joyce Maynard, *At Home in the World*, *op. cit.*

cheveux gris, l'air inoffensif. Ils échangent leurs adresses et une correspondance régulière a fait le reste.

Cette entrée sans fracas dans la vie de Salinger a provoqué quelques grincements de dents. De la part de sa fille Peggy d'abord qui, pour bien souligner la différence d'âge avec son père, relève avec malice qu'elle était « ravissante comme une écolière[1] ». Les cheveux fins coupés court, les yeux verts, un sourire gracieux. Le teint joliment laiteux d'un Gainsborough. Une bonne nature, pleine d'entrain et joyeuse. Elle avait fait ses études dans le Sud d'où elle était originaire. Au collège, membre de l'équipe de bowling, elle avait été majorette. La couture et la confection de patchworks, un savoir-faire dans lequel elle brillait, étaient son passe-temps favori. À la foire annuelle de Cornish qu'elle organise et dont Salinger est un visiteur habituel, elle a la manie de ramasser les rubans susceptibles d'être recyclés. L'air de ne pas y toucher, Peggy décoche le coup de pied de l'âne lorsqu'elle rapporte, avec la meilleure intention proclamée, ce propos de son père à ce sujet : « D'après mon expérience, les gens qui excellent dans ce genre de travaux n'ont jamais l'esprit très subtil[2]. »

Auprès de l'ami Hartog au contraire, Salinger vante en long et en large les talents d'aiguille de Colleen. Sans ironie aucune ni arrière-pensée. Mais sous la plume de sa fille, il apparaît rarement à son avantage. Par exemple quand elle raconte qu'enceinte de six mois, ayant été hospitalisée à la suite d'une septicémie, elle l'avait appelé pour lui dire qu'elle avait besoin d'être suivie par une infirmière une fois rentrée chez elle. Colleen avait proposé ses services. « Mais qu'est-ce qu'elle a besoin d'une

1. Margaret Salinger, *L'Attrape-rêves*, *op. cit.*
2. *Ibid.*

infirmière, d'abord ? » avait explosé l'écrivain, avant de reprocher à sa jeune épouse d'encourager les « tendances maladives[1] » de Peggy. Le lendemain néanmoins, Colleen était auprès d'elle à l'entourer de ses soins.

Cette facette bienveillante de sa personnalité a échappé à Joyce Maynard, encore plus mordante que Peggy dans le portrait qu'elle lui réserve. Il faut dire qu'elle n'en connaît que ce que lui a rapporté la chroniqueuse et essayiste Phyllis Theroux. Au cours d'une réception à New York où elles s'étaient rencontrées, cette dernière confia qu'elle avait eu une fille au pair à l'été 1980 qui détenait des lettres de Salinger et qui n'était autre que Colleen O'Neill. De quoi piquer la curiosité de l'ancienne étudiante éconduite et raviver le tumulte intérieur des sentiments bafoués. Joyce Maynard n'était donc pas la seule à avoir échangé une correspondance avec l'écrivain, elle qui voulait croire qu'il n'avait jamais aimé personne d'autre qu'elle de la façon dont il l'avait aimée.

Colleen était dans sa chambre à défaire sa valise quand, passant devant la porte ouverte, Phyllis Theroux, qui l'avait embauchée pour s'occuper des enfants en bas âge et de la maison, aperçut un paquet de lettres sur son lit. Elle lui demanda ce que c'était. « Oh, ça, ce sont les lettres que m'a écrites Jerry Salinger ! » Avec la condescendance de classe d'un employeur envers un domestique, elle observa même que « Colleen était impressionnée de recevoir des lettres d'un écrivain célèbre[2] ». Avant d'ajouter un commentaire désobligeant selon lequel répondre à Salinger faisait partie des tâches usuelles comme se faire les ongles ou se laver les cheveux. Quitte à laisser accroire qu'elle pouvait être sinon un peu bébête, du moins une midinette.

---

1. *Ibid.*
2. Joyce Maynard, *At Home in the World*, *op. cit.*

Colleen les lui laissa lire, néanmoins, sans difficulté. Les missives se résumaient, d'après Phyllis Theroux, à d'aimables comptes rendus de la vie domestique au quotidien avec le fils, et concernaient le jardin, la maison. Pas de quoi laisser présager, entre les lignes, l'amorce d'une romance. Une impression confortée par le fait que Colleen était à l'époque courtisée par un élève infirmier prénommé Mike, le père d'un enfant de quatre ans. Il l'appelait chaque soir et elle finit par l'épouser. Elle célébra les noces en robe de taffetas bleu à manches courtes, rehaussée d'un col blanc Peter Pan avec, sur le devant, une rose dans le même tissu et le même coloris. Une union météorique.

Pendant ce temps, la correspondance avec Salinger s'espaça, sans jamais s'interrompre. Puis un jour de Thanksgiving, Colleen appela son mari à son travail pour lui annoncer qu'elle le quittait, lui et son rejeton, à qui, chaque année à sa date anniversaire, elle adressa une enveloppe remplie d'un nombre de billets d'un dollar correspondant à son âge. Cela en plus des cinquante dollars qu'elle envoyait tous les mois au père pour subvenir aux besoins de l'enfant. Incapable de fournir une explication, elle déménagea chez sa sœur avant de disparaître sans plus laisser d'adresse ni de téléphone, juste un numéro de boîte postale à Windsor, celui-là même où l'écrivain recevait son courrier en poste restante.

Les déconvenues conjugales s'étaient succédé. En présence de Colleen O'Neill, Salinger aurait-il enfin trouvé sa Catherine Barkley, l'infirmière anglaise de *L'Adieu aux armes*? Dans son roman, Ernest Hemingway fait de son héroïne une femme exclusive, prévenante et diligente, jalouse que toute autre qu'elle touche son amant hospitalisé, le lieutenant Frederic Henry. Éperdue, elle jure de satisfaire chacun de ses désirs, d'anticiper la moindre de ses exigences. Cela, bien entendu, par amour. Un amour fou, la réciprocité du serment s'accordant avec les sentiments. Auprès de la jeune femme, si aimante, si vaillante et si enveloppante, le dur à cuire, blessé aux jambes d'un éclat de mortier, redevient un petit garçon. Dans une lettre à « Papa » Hemingway, écrite au lendemain de la guerre de son lit d'hôpital à Nuremberg où il était soigné pour une dépression, Salinger, bravache, déplore l'absence notable d'une Catherine Barclay (*sic*) attentionnée à son chevet. Peu importe qu'il écorche l'orthographe du patronyme. À l'évidence, il lui aura fallu attendre d'être presque septuagénaire pour rencontrer, lui aussi, l'âme sœur, à tout le moins la main secourable qu'il avait toujours espérée et que Colleen lui tendait lorsqu'ils étaient ensemble. Comme sur ces photos en couleur où on les voit tous deux traverser la rue, la main dans la main.

37

Un bon ange veille sur lui

Salinger ne vit donc plus seul sur les hauteurs de sa colline luxuriante et boisée. Il a une femme à demeure. Colleen O'Neill a pris ses quartiers à Cornish avec hardes et bagages. Elle est sans lien de parenté avec Oona, l'épouse de Chaplin, faut-il le préciser. La maison s'est trouvée soudain encombrée de boîtes, de caisses et d'une quantité de cuillères et de fourchettes qu'ils comptent désormais en double. Pour elle, il a dégagé de la place et transformé la chambre bureau des coffres-forts en atelier de couture. Il manifeste un enthousiasme de jeune marié lorsqu'il parle d'elle, on ne dirait pas que c'est la troisième fois qu'il convole. Et il est aux petits soins.

L'hiver, une fois de plus, a été long et éprouvant – des semaines de froid sibérien, des chutes de neige de quelque cinquante centimètres, laquelle n'a commencé à fondre qu'au printemps. Une grippe, doublée d'une otite, ayant terrassé sa belle pendant une dizaine de jours, il s'est démené comme un diable pour la soulager, ne la quittant pas d'une semelle. Colleen, en retour, le materne. Il vient d'avoir soixante-dix ans, sa santé n'est plus aussi florissante, et il aime cela, ce réconfort empressé de chaque instant. Elle le rassure. Qui plus est, elle s'occupe de tout, l'intendance, l'organisation des visites et des sorties. Sans elle, il l'admet, livré à lui-même et dans l'incapacité de bouger de chez lui, il ne mettrait plus le nez dehors. Rien pourtant ne le retient à Cornish, si ce n'est son aversion pour les déplacements, et aussi sans doute le mouvement lui-même.

Peu après qu'ils eurent eu renoué le contact, Donald Hartog et sa femme Dilys l'avaient convié à leur rendre visite à l'été 1987. Le mois de juin était arrivé et reparti comme il était venu, juillet avait suivi le même chemin. Il n'en avait rien fait, mettant cela sur le compte de la chaleur estivale écrasante, laquelle l'avait laissé comme paralysé. Alors oui peut-être qu'à l'automne, il entreprendrait de faire le voyage. Il en était là quand Colleen, dans la fleur de l'âge, a emménagé. Elle l'oblige à ne pas rester confiné, à sortir et à voir du monde. L'aggravation de sa surdité lui rend la vie impossible, l'écoute difficile, bien qu'il soit maintenant équipé d'un appareillage. «J'ai une audition déplorable. Terrible[1].» Ce qui tend à entraver sa légère allure de cow-boy. C'est moins l'insuffisance du volume de la prothèse qui est un obstacle que le manque de clarté des sons, sa capacité à les distinguer. L'adversité aurait pu lui gâter le caractère, le rendre acariâtre, eh bien non, stoïque, il se débrouille pour être de bonne humeur, épargner à Colleen ses récriminations sarcastiques.

Salinger avait rêvé d'être acteur. Sa passion adolescente étant restée inentamée, elle l'emmène au théâtre. Où désormais, il n'entend «foutre rien». Il a beau monter le volume de son sonotone à s'en déchirer les tympans, les voix des acteurs ne lui paraissent pas plus intelligibles. Alors, assise tout près de lui, le menton pratiquement posé sur son épaule, elle lui souffle à l'oreille les échos de ce qui se passe sur scène. Il la trouve

1. Lettre à Donald Hartog du 9 mars 1989, Salinger Letters, UEA.

« héroïque[1] » dans son dévouement et se laisse guider, peut-être bien attendrir aussi, par les marques de sollicitude qu'elle lui prodigue.

Salinger était en joie à la perspective des retrouvailles – « le clou du voyage[2] » – avec son « cher Don » que les Safir, des juifs d'Europe de l'Est, chez qui ils logeaient tous deux à Vienne, appelaient « der Donald » – au lieu de « dear » (cher). Un demi-siècle qu'ils ne se sont pas revus. Sur les photos récentes que son ami lui a envoyées, il trouve « merveilleux » de voir combien il ressemble à celui qu'il a connu jadis. Le visage n'a pas pris une ride. « Comment t'y prends-tu ? » l'interroge-t-il. Alors que lui, grand dieu, devenu méconnaissable, ne se reconnaît plus. Si seulement il avait pu lui joindre une photo... Mais il n'en a pas. Colleen l'a du reste gourmandé pour ça.

C'est elle qui a tout arrangé, lui se contentant d'ajouter son grain de sel : l'achat des billets d'avion, la réservation pour une dizaine de jours au Swallow International Hotel, un hôtel moderne dans le quartier huppé de Kensington, d'un tout autre style que l'ancestral Cadogan au charme victorien désuet, davantage dans ses cordes. Que ne ferait-il pas pour Colleen ? Et que ne ferait-elle pas pour lui ? La formule séjour inclut une ou deux visites guidées des principaux monuments de la ville en autobus. En parfaits touristes américains moyens, ils l'ont retenue afin de s'éviter des fatigues inutiles. Ce mode de voyage qu'ils pratiquent quelquefois aux États-Unis, bizarrement, lui est agréable. Il le tranquillise.

À Londres, des balades à pied figurent au programme, une, en particulier, le long de la Tamise, ainsi que des

1. Lettre à Donald Hartog du 9 mars 1989, Salinger Letters, UEA.
2. *Ibid.*

intermèdes consacrés au shopping. Chez Nelsons, la pharmacie homéopathique de Duke Street à la réputation légendaire pour ses gammes de crèmes, onguents, gels, teintures, lotions confectionnées sur mesure pour le bien-être et les soins de santé d'après la nature, s'avère une halte obligée, l'occasion pour lui de renouveler son stock de plantes médicinales. Sans oublier les vieux bouquinistes de Charing Cross Road, près de Covent Garden, où il aime à flâner, et les merceries aux rayons garnis de pelotes de laine et de fil à coudre, qu'elle prise. De son côté, son ami Hartog leur a soumis une liste de réjouissances. Ils ont retenu la visite le dimanche au zoo de Whipsnade, un parc safari près de Dunstable à une trentaine de kilomètres au nord de Londres et une soirée ou une matinée au théâtre. Une pièce d'Anton Tchekhov ou d'Alan Ayckbourn, celle qu'il lui plaira de sélectionner. Salinger adore les acteurs britanniques de la trempe des Raymond Huntley, Naunton Wayne ou Felix Aylmer, ces seconds rôles, qui valent bien les premiers, l'ayant autrefois enchanté. Il aurait donné cher pour aller les applaudir et ne manquait du reste pas de le faire lorsqu'il était de passage dans la capitale anglaise. À présent, il lui faut réserver des places dans les premiers rangs, sur le devant de la scène pratiquement, afin que les dialogues lui soient audibles. Sinon, mieux vaut pour lui attendre la publication des pièces ou leur adaptation au cinéma.

Quinze jours avant le départ, la fièvre du voyage, bientôt contagieuse, s'est emparée de Colleen. Elle était si virevoltante à écouter une cassette de *My Fair Lady* qu'elle passait en boucle à l'idée de revoir Covent Garden, le quartier où Eliza Doolittle, l'héroïne de la comédie musicale, vendait des bouquets, qu'il aurait été inhumain de la freiner. Salinger, frétillant à son tour, a essayé deux costumes qui dormaient au fond d'une armoire et qu'il avait achetés il ne savait combien d'années de cela à Londres.

Mais, à l'instant de les enfiler, ils lui ont donné l'impression d'avoir rétréci car ils le serraient à la taille. Comme son fils Matthew au gabarit de poids léger est plus corpulent que lui, il lui en a prêté un de bonne coupe à petites rayures, tout à fait passable pour un dîner de gala. Il a presque l'allure d'un milord.

Le 11 avril 1989, le couple décollait de l'aéroport de Boston pour Londres-Gatwick, un vol de nuit sur la Northwest Airlines. Revoir « Don » lui procurait un plaisir non dissimulé, accru par la célébration de ses soixante-dix ans. Une table avait été réservée au Savoy Grill, le restaurant emblématique de l'hôtel éponyme situé sur le Strand, qui a régalé les célébrités, de Winston Churchill à James Dean, de Marilyn Monroe à la reine Elizabeth II. Salinger avait pris la peine de signaler que ni Colleen ni lui n'étant des végétariens de stricte obédience, ils ne seraient pas dépaysés et feraient honneur à la bonne chère. Que ceux donc qui avaient cru qu'il était une sorte d'ascète tyrannique et un peu fantasque ne mangeant que les produits du jardin poussés on ne sait comment, se détrompent. Si la semaine, le couple se nourrit souvent de salades, de légumes et de céréales, il s'offre aussi volontiers une pizza, des sandwiches aux œufs durs, d'autres choses encore, lorsqu'ils vont faire les courses. Leur régime alimentaire n'est pas exempt de viande.

Pratiquement tous les samedis soir aux dîners, pas guindés, organisés par les paroisses des villages voisins auxquels ils participent, d'une semaine sur l'autre, ils ont droit à de la dinde, du bœuf rôti ou bouilli en pot-au-feu, ou encore du jambon aux haricots. Les saucières sont abondamment remplies de jus de viande et le *coleslaw* servi à volonté. Les menus sont copieux, les assiettes garnies à ras bord de victuailles et à l'heure du dessert, pas moins de neuf ou dix tartes et gâteaux sont présentés à l'appétit ou à la gourmandise des convives. On peut se resservir, y compris du café. Autour des longues tables dressées comme pour un banquet, certains se mettent en bras de chemise. Personne n'a moins de soixante ans, si bien que Colleen, de loin la cadette de l'assemblée, passe souvent pour la fille divorcée de Salinger, qui serait rentrée au bercail. Des bénévoles assurent le service à la bonne franquette, le sourire et un mot aimable aux lèvres. Pas bégueules, Salinger, coutumier de la cuisine indienne, et son épouse ont aussi leurs habitudes dans un restaurant français de standing éclairé aux chandelles et donnant sur la rivière, non loin de chez eux. Autant dire qu'ils ont un bon coup de fourchette quand le cœur leur en dit. Les Hartog peuvent être rassérénés et ne pas leur commander un menu spécifique de spartiates dyspeptiques.

À son arrivée, Salinger est tombé dans les bras de son vieil ami Donald, toujours aussi attentif et prévenant qu'il l'était à ses dix-huit ans. Ce dernier avait pris ses dispositions pour éviter les embouteillages et les files d'attente, lui faisant d'instinct saisir que, malgré les années qui les avaient séparés, leur amitié avait survécu, telle qu'au premier jour. Elle porte la marque distinctive et profonde, si rare, de l'authenticité, une qualité inégalable aux yeux de l'écrivain. Au pied de la passerelle de débarquement, ne manquaient que la fanfare et des tonnes de pétales de roses. Mais, il le sentait, un lien indéfectible les unissait.

Salinger a beaucoup apprécié que son hôte les promène un matin à Covent Garden, le cœur battant de Londres, un peu kitsch depuis que les boutiques ont remplacé les marchands de quatre saisons d'antan. Eliza Doolittle, l'héroïne de George Bernard Shaw, incarnée à l'écran par Audrey Hepburn, a déserté la halle. Mais les souvenirs se télescopaient. Parmi lesquels ce soir mémorable de 1938 à Vienne où le père de Donald les avait initiés à la tournée des grands-ducs.

Dans le passé, l'écrivain s'est souvent demandé comment son ami avait bien pu gagner sa vie pendant ces années et, chaque fois, il l'imaginait à juste titre allant sur les brisées de son père. En effet, Donald avait repris le négoce d'import-export familial dont les ficelles lui avaient été enseignées en Autriche. Né à Londres et demeurant à Twickenham, dans la banlieue sud-ouest de la capitale, il est issu d'une famille de juifs d'Europe de l'Est ayant émigré aux Pays-Bas trois générations plus tôt. De là, ses ancêtres ont traversé la mer du Nord pour s'installer au Royaume-Uni.

Outre d'avoir vu le jour en 1919 à trois mois d'intervalle, Salinger et Donald Hartog ont de réelles affinités : une même ascendance juive du côté paternel, un athéisme assumé sans ostentation, des souvenirs d'adolescence d'« avant l'Anschluss » et d'avoir combattu pendant la Seconde Guerre mondiale. Le théâtre d'opérations de Donald a démarré par la campagne d'Afrique du Nord au cours de laquelle il s'est distingué à la bataille d'El-Alamein, le coup d'arrêt allié à l'offensive des troupes de l'Axe dans les sables d'Égypte. Puis de Palestine, alors sous mandat britannique, il est remonté par l'Italie avec son régiment, jusqu'en France. Un pays qu'il aime et qu'il a toujours aimé. Il en maîtrise parfaitement la langue et il continue d'y aller en vacances avec sa famille, dont Salinger a fait la connaissance lors de ce séjour à Londres avec Colleen.

La soirée au Savoy, d'une grande simplicité, amicale autant que familiale, a été une réussite complète. Les deux compères se sont retrouvés comme s'ils s'étaient quittés la veille. Salinger s'est réjoui de cette « merveilleuse entente » entre eux. Toujours d'accord sur tout, il n'y a pas eu d'ombre au tableau. Frances Hartog, la fille cadette de Donald, se souvient qu'à plusieurs reprises il a insisté pour que son père raconte par le menu comment et avec qui il avait jadis fêté son vingt et unième anniversaire, au Savoy, déjà. Un cadeau royal des parents. Salinger lui dit qu'il le trouvait « facile à vivre », un point de vue tempéré par sa fille qui le juge au quotidien « sujet à des sautes d'humeur[1] », et, pour tout dire, « plutôt acariâtre », la patience n'étant pas son fort. À table, la conversation a porté sur les souvenirs de jeunesse, le miracle d'avoir tous deux survécu à la guerre, et leurs progénitures respectives. Bref, c'était comme s'ils avaient tourné les pages de l'album photo de leur existence.

Donald s'est marié une première fois en 1952. Deux filles et un garçon sont nés de cette union : Amalia, Frances et Simon. Ayant perdu son épouse en 1973, il a convolé une seconde fois un an plus tard avec Dilys, une femme d'une douzaine d'années sa cadette, rencontrée à un concert. Elle est membre du chœur de l'orchestre philharmonique de Londres. Salinger admire son aisance à vocaliser des compositions d'un siècle à un autre et le plaisir qu'elle prend à chanter la musique classique, lui qui est surtout friand de musique légère, jazzy, dansante, celle de l'Amérique conquérante des années 1930 et 1940. Le répertoire d'un Hector Berlioz ou d'un Gustav Mahler lui est étranger. Et il va rarement au concert. Mais il aime beaucoup le *Requiem* de Giuseppe Verdi qu'il n'a entendu qu'une seule fois en entier, assez cependant pour louer sa beauté. Ce n'est que très tard, après-guerre, à une époque où il vivait en célibataire, qu'il s'est mis à écouter musique de chambre

1. Entretien avec l'auteur le 1er avril 2011.

et symphonies. Et encore, de loin en loin à la radio, en fond sonore, tandis qu'il faisait la vaisselle ou le ménage. Pour qu'un air lui plaise, il lui faut du rythme, une forte ligne mélodique. Les envolées lyriques et le bel canto, très peu pour lui. Cependant lorsque Colleen, que la voix des ténors d'opéra fait chavirer, a acheté la vidéo du concert historique donné par Luciano Pavarotti, Placido Domingo et José Carreras, il n'a pas boudé son plaisir, reconnaissant qu'ils avaient l'air de s'être tous les trois bien amusés à chanter ensemble ou à tour de rôle des rengaines aussi éculées que *O sole mio, La Vie en rose,* ou *Maria* de *West Side Story.* D'une gaieté communicative, la magie a fonctionné. Salinger s'avoue un faible pour la voix de José Carreras, pas aussi viril et massif que les deux autres, « gavés de spaghettis[1] ». Au point de se repasser la cassette comme fait Colleen ? Pas vraiment. Elle l'écoute sans arrêt à plein tube dans la pièce qui lui sert d'atelier de couture, et, quand toute la maison résonne des graves, il se demande, plaisantin, lui qui est tout de même devenu dur d'oreille, s'il ne devrait pas finir par déménager. Avec le temps, ses goûts musicaux se sont étoffés. Il a même caressé le projet d'aller assister à une prestation du pianiste Alfred Brendel, sans toutefois le concrétiser.

1. Lettre à Donald Hartog du 9 mars 1991, Salinger Letters, UEA.

38

Du goût pour les médecines parallèles

Avec Dilys, qui avait poussé son mari à renouer avec l'écrivain un contact interrompu depuis des lustres, le courant est passé. Salinger éprouve de l'affection pour elle et lorsqu'elle a présenté les premiers symptômes d'une maladie que le corps médical ne parvenait pas à soigner, il s'est voulu de bon conseil, lui recommandant quelques traités d'homéopathie, parmi lesquels *A Physician's Posy*[1] de Dorothy Shepherd, une praticienne faisant autorité auprès des adeptes. Il connaît sur le bout des doigts les vertus de cette méthode thérapeutique, ses pionniers, ses imitateurs aussi. Que dans les cercles de la médecine alternative, le mot revête un certain chic, il ne l'ignore pas, pas plus qu'il en existe plusieurs sortes. C'est une de ses vieilles marottes. Aussi il conseille l'originelle, la seule véritable à ses yeux, celle élaborée par son inventeur – Christian Hahnemann[2], un médecin allemand né en Saxe et mort à Paris en 1843 à quatre-vingt-huit ans. Il est enterré au cimetière du Père-Lachaise.

Que Dilys suive ou non les avis sincères et désintéressés qu'il lui prodigue en la matière n'est pas de nature

1. Le bouquet du médecin. Notre traduction.
2. Christian Hahnemann (1755-1843). Inventeur, en 1796, de l'homéopathie.

à l'offusquer. Elle peut en être sûre. Là où il habite sur les collines du New Hampshire, il est malaisé de trouver un spécialiste digne de ce nom. À Londres, en revanche, il y a Nelsons, l'apothicaire à l'ancienne qu'il recommande. D'autant que l'agencement des pots à pharmacie en porcelaine sur d'antiques étagères en acajou patiné vaut le coup d'œil.

Salinger lui a suggéré de s'y rendre, la médecine traditionnelle ne lui inspirant que méfiance et coups de sang. Tout comme la chirurgie qu'il voue aux gémonies, admettant, toutefois, qu'en dernière extrémité, il faut parfois en passer par là. À cette adresse, elle pourra se procurer un traitement susceptible de faire l'affaire, du moins de soulager la douleur. On y dispense les principes de la guérison par les plantes, les fleurs et les élixirs mis au point par le docteur Edward Bach, des soins d'après la nature, qu'il s'administre quand un coup de froid carabiné le met sur le flanc ou qu'il passe des journées à moucher et renifler. D'autant plus qu'un début de refroidissement a la faculté de l'assombrir plus qu'à l'accoutumée.

Il croit tellement aux remèdes naturels qu'il lui a expédié un traité de John W. Armstrong intitulé *The Water of Life*[1], une savante curiosité sur la thérapie par l'urine. L'auteur théorise que tous les désordres organiques, excepté ceux provoqués par des traumatismes ou d'origine génétique, peuvent être soignés par ce liquide riche en sels minéraux, hormones et autres substances vitales, produit par le corps humain. L'opuscule, un vademecum des plus singuliers, est tout sauf d'une lecture ennuyeuse – Salinger en répond –, malgré l'absence de cas d'école un peu concrets. Son ami Donald se montre plus sceptique quant aux bienfaits de telles

1. L'eau de la vie.

potions salvatrices, convaincu que le cours inexorable de la vie conduit à la vieillesse, à la dégradation, à la ruine et pour finir à la disparition du corps humain. Une étude pratiquée sur des animaux soumis à un régime alimentaire strict étant susceptible de conduire à la conclusion que « ce qu'il y a de mieux après le secret de la vie », c'est « la clé de la longévité », Salinger s'est empressé de lui faire suivre l'article[1] en question. Comme quoi, il accorde du crédit à la médecine parallèle.

Un cancer a été diagnostiqué. Dilys a suivi un traitement de cheval, elle a connu une rémission de plusieurs années, qui lui a permis de reprendre le chant. Salinger a salué cette bonne nouvelle en lui disant, pour la faire rire, que de là où il était – de l'autre côté de l'océan –, il n'était pas impossible qu'il l'entende grâce à sa prothèse auditive hors de prix et un peu efficace tout de même, surtout par temps clair. Puis ce fut la rechute, une épreuve pour Dilys, qui devait l'emporter en 2003.

Au Savoy, les bougies d'anniversaire ont été soufflées. Le dîner venait de s'achever. À l'heure de regagner qui son domicile, qui son hôtel, Salinger et Colleen ont raccompagné Frances chez elle en taxi. L'attention bienveillante qu'il lui a témoignée durant la course, sa simplicité naturelle, la curiosité qu'il a manifestée pour son métier de restauratrice en tapisserie au Victoria et Albert Museum, et la tonalité générale de la soirée, l'ont amenée à la conclusion que c'est un « homme de cœur que le monde effraie[2] ». Salinger a d'emblée aimé les enfants de son ami. Il voulait que ceux-ci le sachent. Il le leur dit à sa façon, en les priant de faire appel à lui en cas de besoin. Non pas qu'ils aient l'air incapables de faire

1. « *Studies involving animals on restricted diets may reveal the next best thing to the secret of life : the key to longevity* », de la journaliste Madeline Drexler.

2. Entretien avec l'auteur le 1er avril 2011.

face à l'adversité, mais si, pour une raison ou une autre, il peut leur être de quelque utilité que ce soit, qu'ils n'hésitent pas.

Les jours suivants, le déjeuner chez les Hartog a été un autre moment d'exception. Dilys avait mis les petits plats dans les grands. Ils habitent une belle maison spacieuse de quatre étages avec jardin à Twickenham. Ils sont à l'abri. Salinger s'est félicité de leur sécurité matérielle, comme d'avoir désormais le loisir, une fois rentré à Cornish, de pouvoir visualiser son vieil ami à distance lorsqu'ils se téléphonent ou s'écrivent. Ou plus simplement lorsque, vaquant à ses occupations, il se l'imagine avec affection, allant et venant chez lui.

De le voir ainsi parmi les siens, tous tranquilles dans un monde menaçant, lui procure une joie sans pareille. Car au fond de lui-même, Salinger savoure cette tranquillité partagée ainsi que leur amitié retrouvée. Il est content pour son ami Donald. Peu importe ce que l'avenir leur réservera. Qu'une autre occasion leur soit offerte ou non d'échanger des moments aussi intenses et chaleureux. Une réflexion fugace des plus vivifiantes. Puis ils ont engagé une promenade digestive dans le parc voisin de Richmond. Il faisait soleil. La photo l'atteste qui montre deux beaux septuagénaires souriants assis sur un banc public : Salinger en pull marine ras du cou et chaussures en suédine, Donald Hartog en tenue de campagne.

La relation amicale a repris sous les meilleurs auspices, ils ne se sont plus perdus de vue. Jusqu'à la mort de son vieil ami anglais en novembre 2007.

39

Cultiver son jardin

Au tournant des années 1990, habitué à une bonne vie rurale qu'il coûte à entretenir et qui n'est pas sans apporter son lot de désagréments autant que de distractions, Salinger se ménage, lui qui, à l'instar de Candide, a longtemps cultivé son jardin. Cependant, il procède encore à l'épandage du fumier naturel provenant de la litière de chevaux et de vaches, un fertilisant desséché, idéal pour le potager. En ayant découvert des tonnes dans la grange de sa propriété, il en prélève chaque année une partie qu'il transporte dans de grands sacs en plastique, pour le répandre avant de le retourner en terre. Il manie aussi toujours la faucheuse à ailettes rotatives pour débroussailler les sentiers dans les bois alentour. En revanche, tailler les branches des arbres à la tronçonneuse est au-dessus de ses forces. Étant devenu trop distrait pour l'utiliser sans risquer de se blesser, il fait désormais appel à un professionnel. Colleen, elle, la « Sarcleuse », se coltine le plus gros du jardinage. D'abord parce qu'elle aime conduire le petit tracteur, arracher les mauvaises herbes, et aussi parce qu'il a fait le vœu, il y a longtemps de cela, de ne plus jamais attraper de courbatures à la corvée du désherbage. Au printemps, il a semé des épinards dont il se régale des premières pousses en salade, mais il n'a pas eu la main verte avec les tomates cerises.

Laitues, navets verts, choux de Chine, haricots d'Espagne poussent à foison. L'œuvre de Colleen. Les pois gourmands sont tardifs, chaque fois qu'une vague de froid inhabituelle s'abat sur la région.

D'une année à l'autre, en précurseur de l'agroécologie et de la permaculture, il alterne les cultures maraîchères, céréalières, légumineuses. Il voue presque un culte à la pomme de terre, sans doute en raison des mille et une façons de l'accommoder en cuisson. Il a aussi essayé le maïs, la première tentative a été la bonne.

Le citadin qu'il a longtemps été a, par ailleurs, développé un appétit pour les plantes sauvages comestibles, certaines d'entre elles devenues assez rares et vulnérables. Il les ramasse sur le bord des sentiers de sa propriété. Cela va du pissenlit à la tête de violon, l'autre nom de la fougère-à-l'autruche recherchée pour ses pousses tendres, et de l'angélique à l'amarante, dont il aromatise potages et salades de leurs délicats pétioles. Quand le temps s'y prête et que la chance lui sourit, il cueille aussi des morilles. Colleen ne raffole ni de ces champignons ni des herbes folles, mais elle s'est fait une raison. Aussi, il s'étonne de sa capacité à composer, qui plus est de bonne grâce, malgré leur différence de goûts, patente. Ou serait-ce qu'il n'a plus l'intransigeance d'autrefois qu'il manifestait avec d'autres ? Non, Salinger est loin d'avoir abdiqué son caractère. Mais, ainsi qu'il s'en est ouvert à son ami Donald Hartog, il semble qu'il se soit résigné à la philosophie d'un vieux sage, résumée par lui un jour en ces termes : « Quel monde étrange que le nôtre et qu'on prétend encore tenable[1]. »

Dans le jardin, les pieds de tomate sont en fleurs. Lorsque la récolte est abondante, avec son épouse, ils

1. Lettre à Donald Hartog du 2 mai 1990, Salinger Letters, UEA.

en mettent une partie au congélateur, un travail qui nécessite de les ébouillanter afin de les peler plus commodément avant de les réduire en purée pour de futures soupes ou sauces de spaghettis. Les activités potagères sont une fête pour Colleen, et, pour lui, un spectacle qui, de sa fenêtre, le distrait. Comme de regarder les haricots à rames dont l'extrémité des tiges s'entortille sur les tuteurs pour grimper toujours plus haut.

L'été, quand le soleil tape, il faut la voir, elle, un chapeau de fortune en papier sur la tête, couverte de la tête aux pieds, en jean rugueux et chemise à manches longues de grosse toile, gantée et chaussée de grandes bottes en caoutchouc. Une véritable armure. Une moustiquaire lui protège le visage et le cou. Toutes ces précautions n'empêchent pas les nuées de moustiques et autres bestioles de la dévorer alors que ces insectes voraces épargnent Salinger. Comme s'il avait trop d'acidité dans les veines. Une discrimination aussi injuste qu'incompréhensible que son ami Hartog attribue pour plaisanter au fait qu'il a sans doute eu le cuir tanné par les mariages, l'armée, l'école, sans parler des engagements extraprofessionnels.

À l'automne, c'est le rituel : il prépare les cheminées, s'assure du bon fonctionnement des conduits d'évacuation de la fumée, et réceptionne la livraison de deux camions de bois de chauffage. Plus qu'il n'en faut pour l'hiver. Mais Salinger est comme ça. Il voit grand. Serait-ce la peur de manquer ou sa répugnance à s'extraire de sa tanière ? Que ce soit en bois de chauffage, en fournitures de bureau ou en produits alimentaires, il a la manie de faire des provisions en quantité. Il stocke.

Dehors, les arbres perdent peu à peu leur feuillage qui se colore de jaune, d'or et de cramoisi. Il en a fait abattre quelques-uns pour avoir une vue dégagée sur le mont Ascutney, les collines environnantes et, au loin, les pistes skiables. Vue imprenable, panorama splendide. Il voudrait en partager le kaléidoscope et les charmes avec son ami Donald. Car il savoure ces joies simples. Le rendez-vous a lieu en 1994 et c'est un succès total.

Le fardeau des ans se faisant sentir, Salinger se découvre un teint blafard. Il perd du poids et il lui en coûte d'écrire à s'arracher les cheveux, ne serait-ce qu'une lettre aux (rares) amis, histoire de raconter l'existence bucolique qui est la sienne, conduite presque au ralenti. Signe que les années passent : les deux petits lévriers italiens ont le tour du museau qui blanchit. Lui-même a connu un drôle de moment d'hébétude, demeurant inhabituellement immobile, debout, puis assis, dans un mutisme presque total. L'agitation alentour aurait pu troubler l'ordre des choses, mais y a-t-il seulement quelque chose qu'il n'ait vu venir ? Ou serait-ce le symptôme que, malgré la vie qu'il a eue et qu'il continue d'avoir, il n'est pas programmé pour une vieillesse manifestement robuste ? Il veille cependant au grain. En 1995, il s'est conformé aux préceptes de Luigi Cornaro[1], ce noble vénitien contemporain des peintres de la Renaissance, qui, après avoir frôlé la mort en raison de ses excès, s'astreignit à une existence sobre et régulière pour atteindre un grand âge. Il est mort à cent deux ans. Salinger prise ses traités du XVe siècle, intitulés pour le premier *Discours sur la vie saine et tempérée*[2]. Il avait suivi ses exhortations une première fois au tournant des années 1970 pendant un an durant lequel il affirme ne s'être jamais senti aussi en forme. Et léger. Ce qui l'avait incité à s'imposer ce régime spartiate n'apparaît pas

1. Luigi Cornaro (1464-1566).
2. Titre original : *Discorsi della vita sobria.*

d'une clarté d'eau de roche, mais il venait de subir le contrecoup d'une histoire d'amour déçue.

Colleen adore voyager, être par monts et par vaux, une aspiration ravivée chaque fois qu'ils reçoivent une carte postale des Hartog de leurs pérégrinations en France, en Italie, aux Pays-Bas ou bien ailleurs. Lui, plus difficile à bouger qu'une montagne, n'est jamais plus heureux que chez lui. C'est donc toujours à contrecœur qu'il quitte sa maison, son bureau, les champs environnants, les bois, les sentiers, la grange, le tracteur, les chiens. Ses compatriotes peuvent bien célébrer chaque 4 Juillet la fête de l'Indépendance, une cérémonie qu'il exècre comme toutes les autres, qu'elles soient locales, nationales ou cosmiques, il ronchonne. Les défilés lui paraissent d'une imbécillité sans nom. Aussi qu'on ne compte pas sur lui pour brandir la bannière étoilée. Un pique-nique occasionnel lui suffit. Il sait juste que ce jour-là, il ne recevra pas de courrier et ne pourra pas en poster.

Malgré ses réticences viscérales, il a tout de même consenti à une expédition de trois jours avec Colleen pour aller voir les chutes du Niagara, du côté du Canada limitrophe. Un voyage organisé, en autocar, pas fatigant du tout, impersonnel, et curieusement assez plaisant. On est pris en main, un peu comme à l'armée. On se laisse guider. On n'a rien à faire. Juste à suivre le mouvement. Les autres touristes, d'âge mûr et en surpoids – ce qui est assez triste –, étaient de bonne compagnie, gentils et amicaux dans l'ensemble. La ville de Niagara ou ce qui en tient lieu est une horreur, réduite à une immense boutique de souvenirs. Dans la veine de Brighton, sur la côte anglaise, mais en pire. À la nuit tombée, un festival de lumières criardes achève de fusiller le paysage. On se croirait à Broadway. Les chutes elles-mêmes, et c'est heureux, ont échappé à ce déluge de vulgarité. Quarante millions de tonnes d'eau se déversent à la minute dans un bruit assourdissant. Impressionnant ! Plus encore du côté du Canada que du côté des États-Unis car on peut s'en approcher davantage.

Quelque temps plus tôt, dans des conditions similaires, ils avaient assisté à un carrousel à Worcester dans le Massachusetts. Comparé à celui que Salinger avait vu pour la première fois en 1937, la déception était grande. C'était même de bout en bout un cauchemar. Du transport chaotique sur les routes que l'assoupissement ne parvenait pas à atténuer aux numéros équestres acrobatiques, que ne sont-ils arrivés pour le final ! Cela aurait suffi amplement.

Chaque hiver, la période qu'il aime plus que tout autre pour le calme, les feux de cheminée, l'isolement qu'elle procure, il fait le plus souvent un froid de gueux. Les coupures de courant régulières provoquées par les intempéries n'en constituent pas moins un inconvénient majeur. Quand le chauffage électrique s'arrête, le poêle à bois permet tout de même de maintenir une température décente, mais l'éclairage à la bougie ou à la lampe à pétrole l'insupporte. Au plus fort des rigueurs de la saison, Colleen part pour son exode annuel : une semaine en Floride, où habitent sa mère, une de ses sœurs et ses nièces. Bains de soleil, shopping, discussions à n'en plus finir avec des retraité(e)s de sa connaissance composent le programme. Elle s'adonne aussi à fond aux plaisirs de la plage et aux sports aquatiques – natation, un peu de surf, longueurs en piscine, laissant son époux indocile à une vie de célibataire. Si Salinger refuse de l'accompagner dans ses périples, il sait éprouver quelques remords de conscience conjugaux, aussitôt tempérés par le fait qu'elle savait à quoi s'en tenir avant qu'ils se marient.

Une année, en plein mois de juillet, avec sa sœur cadette Eileen, Colleen est allée au mariage d'un de ses cousins à Baltimore. Puis elle a prolongé son séjour au bord de la mer dans le Maryland. La météo était déplorable. Il est tombé une pluie glaciale. Resté seul chez lui, Salinger s'est délecté de cette parenthèse, non sans quelques scrupules. Ce besoin de solitude, il y aspire quelquefois à hautes doses, quand bien même il sacrifie des heures d'écriture ou de méditation à ranger du bois. Ou encore dans la contemplation. Comme ce matin blanc – il avait neigé –, où il est resté des heures à observer de sa fenêtre les allées et venues d'un renard qui s'était aventuré hors des sous-bois.

Autrement, les veillées devant l'âtre avec Colleen le comblent de quiétude. Elle, galvanisée par la machine à coudre électronique dernier cri qu'elle s'est achetée, ne lâche pas sa courtepointe et ses tissus matelassés. Avec une joie touchante, elle assemble des patchworks multicolores à partir de vieilles étoffes. Lui, occupé au renouvellement fastidieux de vieux contrats d'édition qu'il ausculte avec un soin maniaque, répond au courrier ou s'adonne à la lecture. Son aversion pour les éditeurs est aussi inentamée qu'à ses débuts, époque où, pressé de se débarrasser d'eux, il affirmait signer tout ce qu'on lui présentait. La réalité est, en fait, plus nuancée. Salinger a toujours âprement négocié les clauses qu'on lui soumettait et il (im)posait ses conditions. Avec courtoisie, fermeté, opiniâtreté. L'âge venu, la posture rageuse demeure inaltérée.

D'ailleurs, il n'est pas mécontent de ne pas se laisser distraire ou interrompre par des questions de publication. Autrement dit de perdre son temps avec les éditeurs. Il l'avoue à son ami Donald Hartog à qui il a en outre confié que durant toutes ces années, oui, il n'a eu de cesse d'écrire. Quoi au juste ? C'est avec plaisir qu'il aurait aimé le lui préciser, mais il n'est pas sûr d'être en mesure de pouvoir lui donner une explication claire de ce qu'il a creusé et ciselé au cours des vingt-cinq dernières années et quelques qui se sont écoulées depuis sa dernière parution, *Hapworth 16, 1924* en 1965 dans le *New Yorker.* Une imprécision qui rappelle celle qu'il employait à l'adresse de Whit Burnett, son professeur d'université à Columbia et son tout premier éditeur, quand ce dernier le pressait d'écrire un roman. Seule certitude admise : c'est de la fiction, « comme toujours[1] ». Ce qu'il en fera exactement, à quel moment et pourquoi, il n'en sait encore rien. Ce qui n'est pas sans poser de problèmes, vu qu'il a soixante-douze ans et non plus trente-deux, l'âge auquel il a publié *L'Attrape-cœurs.* Mais au fond de lui, cela lui est égal la plupart du temps.

1. Lettre à Donald Hartog du 11 avril 1991, Salinger Letters, UEA.

40

Une vie au ralenti

En toutes saisons, Salinger, entouré de ses chiens, regarde beaucoup la télévision. À commencer par les tournois de tennis, dont celui, en premier lieu, de Wimbledon à Londres qu'il commente l'œil critique, hasardant des pronostics sur les résultats. Une vieille habitude. Il a ses chouchous parmi les champions, en particulier ceux qui le plus souvent échouent à gravir la plus haute marche du podium comme l'Australienne Evonne Goolagong, un feu follet des fonds de court abonnée aux défaites en finale. Apparue pour la première fois en 1970, elle a longtemps eu sa préférence. Pas comme les Allemands, Boris Becker, sa bête noire chez les messieurs, et Stefi Graf qu'il trouve tout sauf sympathique, chez les dames. Deux bûcherons, le premier surnommé « Boum-Boum », la seconde « Mademoiselle Coup droit »[1]. Ces cogneurs métronomiques, les « krauts[2] », comme il les appelle, lui donnent des boutons. À cause de leur puissance de frappe qui a vitrifié les circuits pendant une quinzaine d'années, leur sacre étant chaque fois quasi assuré avant même le début des compétitions. Auprès de son ami Donald, qui préfère

1. Fraulein Forehand.
2. Lettre à Donald Hartog du 29 juillet et du 11 octobre 1989, Salinger Letters, UEA.

le football, il regrette le temps des grands professionnels, jeunes et moins jeunes, qui déployaient sur les courts une grâce, un style, une nonchalance, à cent lieues des stéréotypes des champions modernes, sinistres et robotisés, infatués. Quels que soient leur visage, leur nationalité, leur manière de jouer, leur sexe, ils ont tous l'air de singer le crack tchécoslovaque Ivan Lendl, un modèle de « casse-burnes[1] », lorsque après une reprise de volée, ils remontent le fond de court, satisfaits d'eux-mêmes, en palpant les cordes de leur raquette qu'ils font mine de soumettre à un examen minutieux. John McEnroe, notamment, le prodige américain et roi de la volée, capable de décrocher la victoire en remontant deux sets à zéro face à un adversaire émérite, lui tape sur les nerfs. Quel gâchis que ses coups d'éclat et de colère, sa manière imbue de parader sous les tonnerres d'applaudissements dont le gratifie par anticipation le public afin de l'inciter, tel un taureau dans l'arène, à prodiguer le meilleur de lui-même et son jeu le plus spectaculaire. Service volée meurtrier, balles de match gagnantes, insultes à l'arbitre... sur les courts, McEnroe assure le show, un motif supplémentaire d'exaspération pour Salinger. Néanmoins, il lui reconnaît une adresse à nulle autre pareille qui force l'admiration lorsque, pour sauver une balle, il effectue une pointe de vitesse, courte et puissante.

Avec Donald Hartog, ils sont comme deux gosses passionnés, intarissables et la dent dure, à échanger impressions et commentaires. La finale du simple messieurs en 1990 les a mis en joie quand leur favori, Stefan Edberg, qualifié contre Ivan Lendl en demi-finale, et qu'ils jugeaient au départ un peu tendre, pas assez brutal

1. « *A pain in the behind* ». Notre traduction. Lettre à Donald Hartog du 11 juin 1990, Salinger Letters, UEA.

et manquant d'animalité, a battu Boris Becker en cinq sets. Au terme d'un match épique, le Suédois a réédité l'exploit réalisé deux ans plus tôt déjà sur gazon à Wimbledon. Le vaincu avait déclaré pour se justifier qu'à jeu égal, la finale s'était jouée sur une question de forme physique. Des propos de mauvais perdant. Voilà ce qu'il fallait en penser.

Autres petits plaisirs du même acabit l'année suivante, quand Boris Becker a de nouveau mordu la poussière face à son compatriote Michael Stich et que, du haut de ses quinze ans à peine, l'Américaine Jennifer Capriati a sorti en deux sets la tenante du titre aux coups droits foudroyants Martina Navratilova, en quarts de finale. Il suit également de près l'Open d'Australie et le rendez-vous américain de Flushing Meadows, vibre pour le discret Pete Sampras et la foudroyante Monica Seles mais s'agace des facéties d'André Agassi, le « kid de Las Vegas ».

Salinger s'est pris à rêver qu'ils iraient un jour ou l'autre ensemble assister à une finale. Colleen, pas fan de tennis, mais se laissant volontiers captiver par le suspense d'une rencontre et susceptible d'en aimer l'ambiance – décor et public –, les aurait sûrement accompagnés. Et peut-être que Dilys aussi. Il s'est aussitôt ravisé. Non, mieux vaut fuir la foule compacte des tribunes, les bousculades dans les travées. En outre, les prises de vues sur le petit écran sont de si bonne qualité qu'il est plus sage et plus confortable de suivre les matchs, calé dans un fauteuil.

Salinger est bon public. Les feuilletons télévisés constituent depuis longtemps un de ses divertissements de prédilection. Il regarde aussi les sitcoms, ces séries à dominante humoristique dotées de petits budgets, aux éclats de rire préenregistrés. Il peut comparer les différentes productions, se laisse volontiers captiver par les intrigues et par ce qu'elles disent de la société anglaise. Car les comédies britanniques recueillent sa préférence, très nette. Il les trouve de bien meilleure qualité que les américaines. Encore qu'il regrette que *Campion*, une réalisation de la BBC tirée des aventures d'Albert Campion, le détective excentrique créé par Margery Allingham, une auteure de romans policiers populaires, contemporaine d'Agatha Christie et de son héros Hercule Poirot, soit en deçà de la célèbre série *Maîtres et valets*[1]. Il avait aimé cette saga, un condensé d'humour anglais, piquant et subtil, mettant en scène une famille aristocratique anglaise et leurs domestiques à l'aube du XXe siècle. Tous vivaient sous le même toit, séparés par des escaliers, les maîtres occupant l'étage noble, les domestiques le rez-de-chaussée. Salinger connaît par cœur les acteurs, leur jeu, leurs petites manies, il est même capable de dire qui tenait quel rôle dans tel ou tel feuilleton. Robert Hardy, un pilier des séries télévisées britanniques, dont la voix et la prononciation sont une plaie pour la surdité de l'écrivain, a été écarté de la distribution de *Campion* et il s'en réjouit. Peter Davison, une autre vedette du petit écran, tient le premier rôle, un moindre mal. Car à tout prendre, il aurait préféré que celui-ci revînt à Christopher Timothy, la tête d'affiche d'*All Creatures Great and Small*[2]. Tiré de l'œuvre de James Herriot, le nom d'auteur d'un chirurgien vétérinaire d'un village du Yorkshire, Alfred Wight[3], ce feuilleton relate, au gré de situations comiques, la vie quotidienne de ce père de famille dévoué au bien-être

1. *Upstairs, downstairs* – littéralement En haut, en bas.
2. Toutes les créatures, petites et grandes.
3. Alfred Wight (1916-1995). Ses livres, dont le premier fut écrit à cinquante ans, ont connu un grand succès commercial au Royaume-Uni et aux États-Unis.

des bêtes. La façon dont les chiens, *petits et grands*, et tous les animaux de la ferme étaient traités, à l'égal des comédiens, comme des protagonistes à part entière, avait emballé le public. Et au premier chef, Salinger, pas seulement amateur de divertissement.

La diffusion du documentaire de Marcel Ophuls *Hôtel Terminus* (1988), quatre heures d'archives et de témoignages consacrés à « Klaus Barbie, sa vie et son temps », comme l'indique le sous-titre, l'a tenu éveillé un soir fort tard, provoquant chez lui un sursaut de dégoût. Cette fresque retrace l'itinéraire du chef de la Gestapo de Lyon, de l'enfance allemande à l'adhésion au parti nazi, de la traque des juifs qu'il faisait déporter sous l'Occupation à l'arrestation le 21 juin 1943 à Caluire, dans la banlieue de Lyon, de Jean Moulin, le chef de la Résistance française torturé à mort par ses soins sadiques. Jusqu'à la capture de cet antisémite patenté en 1985 en Bolivie par les services secrets français, et sa condamnation à la réclusion criminelle à perpétuité pour crimes contre l'humanité, deux ans plus tard.

Après la guerre, le « boucher de Lyon » – son surnom – avait réussi à s'enfuir avec la complicité active des services secrets américains, ceux-là mêmes que Salinger avait servis. Grâce à leur aide, d'anciens nazis avaient été exfiltrés dans les pays d'Amérique latine pour prêter main-forte aux dictateurs en place dans les opérations de maintien de l'ordre contre les opposants. La guerre froide battait son plein. Les États-Unis ne lésinaient pas pour défendre leur pré carré et contenir l'expansionnisme soviétique. Tous les moyens étaient bons. Klaus Barbie devint un agent traitant de l'Intelligence Service. Salinger enrage de voir le rôle « stupide » et « absolument ignominieux[1] » joué par les services de renseignement à ce moment-là.

1. Lettre à Donald Hartog du 16 mai 1992, Salinger Letters, UEA.

Aussi quand il y repense, comme il est heureux rétrospectivement de ne plus appartenir à aucun corps d'armée, d'école ou de campement militaire.

Sur le plan cinématographique, son cadre de référence le porte surtout vers les films des années 1920, 1930 et 1940 tournés à Hollywood. Il les emprunte en DVD à la Dartmouth Film Library, la filmothèque de l'université de Hanover. Son faible pour les Marx Brothers, Laurel et Hardy ainsi que W.C. Field est de notoriété publique, mais le film d'espionnage d'Alfred Hitchcock *Les Trente-Neuf Marches* (1935) demeure son favori, comme c'est le cas de Phoebé dans *L'Attrape-cœurs.* Une jeune fille se croyant pourchassée demande l'asile à un homme chez qui elle est retrouvée assassinée. Craignant d'être suspecté du meurtre, celui-ci se lance sur les traces du coupable, avec deux indices en poche. Une intrigue haletante, cousue main. Des longs-métrages plus récents, il retient *Tous les matins du monde* (1991), du Français Alain Corneau tiré du roman de Pascal Quignard, « juste » pour la prestation des deux principaux acteurs, Gérard Depardieu dans le rôle de Marin Marais, violiste des XVIIe et XVIIIe siècles et Jean-Pierre Marielle dans celui de Monsieur de Sainte-Colombe, le maître de musique.

À Cornish, ordinairement, tout est calme. Il ne se passe rien ou si peu. Les nouvelles sont rares en dehors de celles que déverse la télévision et qui sont les mêmes d'un continent à l'autre, quand elles revêtent un caractère international. Salinger vit loin de tout, mais le truchement satellitaire lui permet de rester relié au monde extérieur dont le cours, bizarrement, ne le laisse pas indifférent. Il s'en étonne lui-même. Le mur de Berlin est tombé le 9 novembre 1989, les vestiges de l'Empire soviétique ont été précipités dans les abîmes de l'histoire, épilogue de soixante ans de communisme. Comment expliquer cet intérêt soudain pour des événements si éloignés de son quotidien ? L'écrivain ne saurait dire au juste. Le délitement était perceptible, la faillite éclatante, l'effet de surprise a, cependant, été total. Il a donc suivi les formidables bouleversements à l'Est et dans les Balkans, une région où Donald Hartog voyage beaucoup pour ses affaires et avec qui il ne manque pas de s'entretenir. Aucune espérance folle ne transparaît dans la lecture qu'il fait de ces jours pourtant extraordinaires. Sa conviction est que l'accélération du processus d'effondrement de l'Union soviétique résulte moins d'une révolte politique que du réveil des peuples à bout de souffle. La nature humaine étant, croit-il, éternellement avide de s'enrichir, il n'y a cependant rien à espérer. Coup de chapeau toutefois à la clairvoyance de Mikhaïl Gorbatchev, le dernier président de l'Union des Républiques socialistes soviétiques (URSS), qui fut l'artisan de la politique de *transparence* et *de restructuration économique,* la fameuse *glasnost* et *perestroïka.* Pour Salinger, c'est « *the big Russian butter and egg man* » d'une URSS ruinée. Une allusion ironique qui renvoie autant au standard de jazz de Louis Armstrong dans les années 1920, désignant en argot une personne dépensière, qu'à l'angiome cutané lie-de-vin maculant, côté gauche, le haut du crâne chauve du fossoyeur du régime, tel un œuf au plat écrasé.

L'écrivain en est convaincu : ce retournement spectaculaire de la situation géopolitique procède d'une prise de conscience de franges entières de la population, assoiffées d'un retour à une forme de normalité, trop longtemps réprimée. Pendant des décennies, le parti communiste a imposé sa ligne de conduite à coups d'expédients et de terreur mêlés. De sorte qu'en URSS aussi

41

Revoir Vienne

Salinger va être à nouveau grand-père. Il compte déjà deux petits-enfants du côté de sa fille Peggy, mais, cette fois, c'est Betsy, l'épouse de Matthew, qui est enceinte. Ce sera un garçon. Gannon est né à l'été 1990. Dieu sait pourquoi les parents lui ont donné ce prénom. Salinger aurait préféré celui de John et si ça avait été une fille, celui de Mary, comme sa mère. Pas un autre. Les jeunes gens sont contents, après tout, c'est là l'essentiel. Matthew est fou de son fils. Il l'a toujours dans les bras, sauf lorsqu'il ne peut pas faire autrement. Sur la photo prise par l'écrivain un jour de grand froid, un froid comme il n'en existe pas en Californie où réside la progéniture, il le porte sur les épaules. Le bambin n'ayant pas trop aimé être dehors par ce temps, ils ne se sont pas attardés. Salinger en serait-il lui aussi gaga ? Avec un ravissement maîtrisé, il épie ses moindres faits et gestes, qu'il décoche un sourire enjôleur – « On voudrait l'embrasser[1] », craque-t-il –, qu'il braille à tue-tête pendant tout un repas au restaurant, ou qu'il explore la maison à quatre pattes, le biberon dans une main, la tétine dans la bouche comme un bon cigare de La Havane.

1. Lettre à Donald Hartog du 4 octobre 1991, Salinger Letters, UEA.

Entre Salinger et Matthew, le lien filial est très fort. Chaque fois qu'ils le peuvent, ils se retrouvent à New York, en famille ou en tête à tête. Les échanges sont directs et décomplexés. Le fiston rend aussi souvent visite à son père qu'il tient informé de ses bonnes ou mauvaises fortunes. Il a décroché un premier rôle au cinéma dans un remake de *Captain America* (1990), un épigone de Superman, signé Albert Pyun. Il était ravi d'avoir été embarqué dans cette aventure de super-héros tournée en grande partie en Yougoslavie. Mais lors d'une scène filmée dans les plaines d'Afrique, il a eu la frousse de sa vie. Un assistant cameraman posté à ses côtés s'apprêtait à réaliser une prise de vues quand un éléphant prétendument inoffensif l'a projeté au loin d'un mouvement de trompe, le tuant sur le coup. Le choc a été terrible.

Outre cela, le film tarde à sortir en salle aux États-Unis, or il a déjà été distribué en Grande-Bretagne. Dilys, l'épouse de Donald Hartog, voulait aller le voir, mais la maladie l'en a empêchée. Salinger a tenu à la rassurer : elle n'a rien perdu. De ce qu'il a déduit des commentaires formulés par son fils, ce n'est pas vraiment un chef-d'œuvre. Bien sûr, Matthew est content d'avoir décroché le premier rôle masculin, celui de Steve Rogers, de façon à pouvoir prétendre à de meilleurs cachets à l'avenir. Mais il ne se fait guère d'illusions sur le métier d'acteur. Un constat que, d'après Salinger, il tire également de son expérience au théâtre. Il a joué une pièce aux dialogues mal écrits dans une petite salle off-Broadway[1]. Une fois de plus, ce n'était pas le rôle de sa vie. Il ne s'en est pas offusqué, pas plus que son père du reste. Pourtant, il est persuadé que s'il incarnait autre chose que des arsouilles, des casseurs d'assiette et autres rustres de pacotille, sa carrière décollerait. La rétribution

1. Une salle de 99 à 499 places.

était une misère. Certes il ne l'a pas fait pour l'argent, mais pour l'action. C'est pour cela qu'il avait accepté le rôle et aussi parce que le propre d'un acteur c'est d'être sur scène. Beaucoup trop, de l'avis de Salinger dont la singularité est de se faire rare.

Matthew a quelques aspirations personnelles que, pour d'obscures raisons, il ne parvient pas à atteindre. Qu'importe, pour le père aimant, c'est un bon garçon.

Une année, fin août 1992 très précisément, Salinger s'est décidé à traverser les États-Unis avec Colleen pour aller lui rendre visite en Californie. Un voyage express de quatre jours, aller-retour inclus, le genre qu'il affectionne. Au-delà, le maximum qu'il puisse endurer se limite à une semaine tout au plus. Une hérésie étant donné la distance et le prix des billets d'avion. Exception à la règle, toutefois, deux ans plus tard au printemps, quand il a offert un tour d'Europe de trois semaines à Colleen. Il voulait revoir l'Allemagne reconstruite, qu'il avait laissée en ruine en 1946, et surtout la lui faire découvrir. Il l'a emmenée à Nuremberg où il avait été hospitalisé à la fin des hostilités, et dans le Harz, le massif rocheux du centre nord du pays, qu'il a beaucoup apprécié, probablement parce qu'il ne porte aucun stigmate des bombardements de 1944, même si c'est dans les entrailles de ces montagnes que les nazis fabriquaient leurs engins de mort volants, les V2.

Salinger avait une petite pointe de remords de n'être pas encore allé voir la maison que son fils s'était fait construire sur la côte pacifique. Il s'y rendit donc. Elle se situait dans un quartier horriblement chic de Malibu, à une bonne demi-heure de Los Angeles, du fait de la circulation infernale, incessante. C'était une grande bâtisse, blanche, spacieuse, inondée de soleil, perchée sur une colline dominant l'océan, au milieu d'un tas d'autres constructions à peu près identiques. Comme Los Angeles ne dispose pas de métro, partout, à toute heure, les Californiens doivent prendre leur voiture pour se déplacer. Pas seulement pour parcourir de longues distances, mais aussi pour se rendre ne serait-ce qu'au premier centre commercial venu ou encore dans un de ces jardins publics équipés de balançoires et de tape-culs ainsi qu'ils l'ont fait pour la plus grande joie du petit Gannon. Même l'accès à la mer nécessite d'aller en voiture, une mesure de sécurité très relative quand on songe au risque supplémentaire de pollution dans une région où le taux d'oxyde de carbone est élevé. Le smog recouvrait presque entièrement la ville. Salinger en a fait la remarque. Quel contraste avec le New Hamsphire que la chlorophylle embaume.

Le samedi soir tous ensemble, ils sont allés à un match de base-ball à Anaheim, à une centaine de kilomètres de distance. Arrivés au stade, ils ont fait la queue pour dîner d'une pomme de terre cuite au four et de brocolis servis avec une sauce au chili étonnamment bons, qu'ils ont accompagnés de bière et de cacahuètes. La journée s'était passée à chiner dans les boutiques de tissu et patrons de mode de Santa Monica et, en ce qui le concerne, chez les libraires.

Salinger est revenu du voyage avec le sentiment d'avoir visité le bureau du meilleur des mondes et que son fils était assailli de factures à payer, faute d'avoir un emploi stable dans le cinéma. Matthew faisait néanmoins bonne figure, pendu en permanence au téléphone à prendre des notes et des rendez-vous. Le reste du temps, au comble du ravissement, il a joué avec son fils. Les parents n'avaient d'yeux que pour l'enfant – un « petit garçon tout à fait adorable[1] », Salinger l'admet – dont ils venaient

1. Lettre à Donald Hartog du 1er septembre 1992, Salinger Letters, UEA.

de fêter les deux ans. Mais à regarder Matthew et Betsy se débattre ainsi au milieu des difficultés professionnelles, il en a conclu que, de temps à autre, son fils se languissait de la Nouvelle-Angleterre. Et pas qu'un peu.

Salinger l'a échappé belle. Dans la nuit du 19 au 20 octobre 1992, un incendie a ravagé sa maison. Il était environ une heure et demie du matin quand le feu s'est déclaré. Colleen a été la première réveillée en sursaut par le crépitement des flammes. La porte de la chambre où ils dormaient était, comme d'habitude, fermée. Quand Salinger l'a entrebâillée, très légèrement pour éviter de créer un appel d'air et que redouble l'embrasement, une fournaise d'enfer a failli s'engouffrer dans la brèche. D'un coup sec, il a aussitôt refermé la porte. Colleen avait déjà appelé les pompiers. Après avoir enfilé dare-dare vêtements et chaussures, ils ont grimpé par la fenêtre dans la pièce jouxtant la chambre à coucher qui lui sert de bureau, heureusement sans se fouler la cheville ou se casser une jambe. Une fois hors de danger, ils ont pris la voiture pour aller chez des voisins chercher des vêtements chauds. Puis ils sont remontés chez eux afin de suivre les pompiers en action le restant de la nuit et une bonne partie de la journée qui a suivi. Lances à incendie, camions-citernes, projecteurs... le déploiement des moyens mis en œuvre était impressionnant. Salinger a passé une partie de la nuit à arpenter les champs environnants à la recherche de ses chiens qui ne répondaient pas à ses sifflets. Les deux petits lévriers italiens étaient restés prisonniers de la maison en flammes. À la vue de leur corps inerte, Colleen et lui ont constaté que, de toute évidence, ils étaient morts asphyxiés et non pas brûlés vifs, ce qui, malgré la tristesse ambiante, les a un petit peu consolés.

La semaine suivante, un va-et-vient d'experts en tout genre – assurance, plomberie, maçonnerie, charpenterie, reliure, décoration – a parcouru les ruines à la recherche d'indices. Salinger bénéficiait d'une pleine couverture contre le risque incendie mais les dégâts étaient importants. La salle de séjour qu'il avait fait repeindre l'année précédente à la satisfaction de Colleen, bien que le bourdonnement ininterrompu des ouvriers l'ait, pour sa part, indisposé, a été dévastée. Tout comme la cuisine. Deux chambres, dont la leur, ont été réduites en cendres. Les téléphones, transformés en magmas informes, ont fondu, de même que les poêles à frire et les casseroles, sans parler des armoires de vêtements, bonnes à jeter. Un trou béant dans la toiture calcinée témoignait de la violence du brasier. Le couple pouvait néanmoins se réjouir de s'en être sorti sain et sauf, une pensée raisonnablement réconfortante après coup.

Une quantité inestimable de rayonnages de livres que l'écrivain aimait le plus et auxquels il attachait le plus de valeur est partie en fumée. Ceux qui ont subsisté sont cependant en partie carbonisés. La destruction de ces ouvrages, amassés au fil du temps, constitue une perte d'autant plus irrémédiable qu'ils ont été ses meilleurs compagnons. Car Salinger ne saurait dire quelle période plus ou moins longue de sa vie il peut considérer, sans réserve aucune, avec une tendresse absolue. Souvenirs de jeunesse ou prime enfance, il ne s'encombre pas l'esprit du passé. Les instants pleinement savourés qui lui tiennent à cœur viennent de ses lectures ou de l'écriture. Pas beaucoup de la vie *vécue*. Exception faite, toutefois, de cette année d'avant-guerre à Vienne. Aussi loin qu'il remonte dans sa mémoire à jamais figée, elle lui revient avec une impression diffuse de nostalgie soudaine, passagère, attendrie. Peut-être parce que, pour la première fois, il a eu l'impression de ne pas avoir à se conformer aux conventions sociales, à obéir ou plus simplement à rendre des comptes à qui que ce soit en particulier. Il lisait, il écrivait, il marchait le long des rues, le nez au vent, le manteau ouvert, un chapeau tyrolien sur la tête, empruntant le Ring, ce boulevard annulaire bordé de monuments imposants, emblématique de la capitale autrichienne. Le sentiment de liberté qu'il a éprouvé et partagé avec son ami Donald était alors total. D'où son souhait que les enfants – les siens, comme ceux de son ami anglais – aient, eux aussi, l'occasion de connaître un jour des moments similaires. Ce séjour passé loin du cocon familial a été la grande affaire de sa vie. Il s'en est même ouvert en 1945 à Ernest Hemingway de sa chambre d'hôpital à Nuremberg, lui confiant avoir demandé, pour cette raison, aux services du renseignement américain de l'envoyer à Vienne. L'occasion d'attacher des patins à glace aux pieds d'une jeune Viennoise lui aurait peut-être à nouveau été donnée, qui sait.

42

Son personnage lui échappe

Cette nuit-là à Cornish, les efforts des pompiers, dépêchés de plusieurs casernes, n'ont pas été vains. Ils ont réussi à circonscrire le sinistre avant que les papiers, archives et travaux de l'écrivain amassés au cours des vingt-cinq dernières années, ne partent en fumée. Que la pièce lui servant de refuge pour écrire ait été totalement épargnée par les flammes tenait du miracle.

Un de ses amis, agent immobilier, leur a tout de suite déniché non loin une maison spacieuse et meublée pour les reloger, le temps que les opérations de déblaiement, nettoyage, consolidation, reconstruction soient achevées. Salinger s'en faisait une montagne. Superviser les travaux est, pour lui, un enfer, une source supplémentaire de désagréments, d'inquiétudes, de discussions, pour ne pas dire de bavardages à rendre fou. Rien d'autre. Il en avait éprouvé l'amère expérience dans le passé lors des différents aménagements et extensions de la propriété. D'ailleurs, en son for intérieur, il n'était pas certain que cela en ait valu la peine. Heureusement, cette fois il a pu compter sur la diligence de Colleen, toujours affairée entre son club de courtepointe et ses réunions du comité de direction de la foire de Cornish dont elle est trésorière et où il l'avait croisée bien avant leur mariage.

Au bout de six mois, ils ont fini par réintégrer leurs pénates. Deux beaux félins, des russes bleus aux yeux verts, ont remplacé les petits lévriers vénitiens. Il aime leur épais pelage d'un bleu argenté, leur indépendance aussi. Une photo les montre montant la garde auprès d'un Salinger assis à son bureau, de dos, en gilet de peau sans manches, des dictionnaires à portée de main, et devant lui une machine à écrire à tabulation. La pièce, inondée par la fenêtre d'une lumière naturelle, est remplie d'étagères de livres. Mais on n'y voit pas l'*Encyclopædia Britannica* qu'il a fait relier à neuf à l'occasion du sinistre.

À son grand soulagement, la machine à écrire Royal, qui l'a accompagné, jeune écrivain aspirant à la reconnaissance, dans ses pérégrinations, campagne militaire de France incluse, est intacte. Elle a juste besoin d'être décontaminée comme tous les objets ayant survécu au désastre, afin de dissiper les odeurs de suie et de brûlé dont ils sont imprégnés. Ses masses de documents ont été eux aussi sauvés, n'est-ce pas l'essentiel ? Mais au fait, que va-t-il advenir de ces manuscrits inédits, source de fantasmes et d'enjeux financiers majeurs? Que contiennent-ils au juste ? Des pépites ? Car enfin, Salinger peut-il faire mieux que *L'Attrape-cœurs*? Rien n'est moins sûr.

Sans lui faire injure, il n'a jamais été meilleur que lorsqu'il a donné la parole à Holden Caulfield. Que ce soit dans son roman et dans les nouvelles qui l'ont précédé. Ces textes, imprégnés de ses années de formation et de ses expériences juvéniles ainsi que de ses rencontres à l'université, dans les night-clubs, à l'armée, sur le front, sont du vif-argent. Il les portait en lui. Les dialogues étincellent. Il les a écrits avant de se couper du monde pour se retrancher dans sa tour d'ivoire à Cornish. La guerre et ses traumatismes sont passés par là.

Il s'était engagé, la fleur au fusil, mais confronté à l'horreur du réel, il a perdu sa naïveté de jeune bourgeois new-yorkais n'ayant guère mangé de vache enragée. Une immense fatigue morale l'a saisi. À jamais. Plus rien désormais ne serait comme avant. Il cultive son jardin, il coupe son bois, il s'est même remis au poker, vestige de ses vingt et quelques années, un soir qu'une tante de Colleen était de passage. Dans l'ensemble, à domicile, peu de visiteurs sont tolérés, à part les sœurs de Colleen, ses nièces, sa mère, son père (une fois). Et bizarrement un couple de Kyoto qui vient chaque été un ou deux jours. Lui est américain, elle japonaise. Il enseigne dans une université bouddhiste au Japon. Aux vacances, il vient voir sa mère dans le New Jersey, ainsi que Salinger qui, pour sa part, cherche un sens à la vie dans l'étude des sciences et philosophies orientales, la médiation et la nature. Les aventures de la famille Glass, Franny, Zooey, Seymour, etc., reflètent pleinement ses préoccupations à ce moment-là, sans atteindre à la drôlerie et à la liberté de ton qui ont fait sa singularité des débuts. Salinger a déserté l'adolescence, ses personnages ont pris de l'âge, quelques années supplémentaires en tout cas. La guerre n'est plus au centre de sa création littéraire, la religion a pris la place et plus encore la quête mystique. Quelque chose s'est brisé. L'ampleur de la tâche qu'il s'était assignée serait-elle soudain devenue trop grande pour lui ? Pourtant, afin de se consacrer pleinement à l'écriture, il n'a conservé aucun de ses vieux amis, à l'exception de Donald Hartog. Il y a des années, l'idée lui était peu à peu venue à l'esprit que, tôt ou tard, une totale immersion lui serait nécessaire pour arriver à ce à quoi il voulait parvenir en tant qu'auteur de fiction. L'ambition lui a quelquefois été prêtée de vouloir bâtir, dans un registre personnel, une œuvre dont l'impact serait de l'ordre de

À la recherche du temps perdu. Seule l'ouverture du fonds littéraire qu'il a laissé dira s'il a ou non réussi son pari.

En attendant, gérer à l'échelle mondiale le patrimoine existant, à savoir l'utilisation et les éventuelles transpositions qui pourraient être faites des nouvelles et roman déjà publiés, est presque une occupation à plein temps. Mais plus il avance en âge, plus l'énergie physique lui fait défaut, comme l'illustre le dernier contentieux engagé contre la publication de *60 Years Later : coming through the Rye*[1]. Soixante ans après la publication de *L'Attrape-cœurs,* Fredrik Colting, un auteur suédois se présentant comme un ancien fossoyeur, a décidé de remettre en selle un Holden vieilli et solitaire, hanté par le personnage qu'il a créé et prisonnier de sa propre réussite. Paru en 2009, environ six mois avant la mort de Salinger, sous le nom d'emprunt de J.D. (pour John David) California – un clin d'œil évident à Jerome David... Caulfield, le livre déroule les aventures de Monsieur C., soixante-seize ans. On le voit errer dans les rues de New York à la manière d'Holden Caulfield, et dialoguer avec un écrivain, un dénommé Monsieur Salinger. Les analogies parodiques, les tics de langage de son héros, du genre « pour tout te dire[2] » ou « ça me tue[3] » et les jurons se succèdent, *ad libitum.* Holden fuguait de l'internat d'où il avait été renvoyé, Monsieur C., lui, s'enfuit d'une maison de retraite. L'adolescent, idéaliste et tourmenté, souffrait de problèmes existentiels, le septuagénaire, travaillé de la prostate, est sujet à l'incontinence. Quant à Phoebé, la petite sœur d'Holden, futée et tout, mais, entre-temps, devenue sénile, elle avale à présent des médicaments.

1. « Soixante ans plus tard : traversant le seigle ». Publié le 25 juin 2009 à Londres et deux mois après aux États-Unis. Notre traduction littérale.
2. « *To tell you the truth* ».
3. « *It kills me* ».

Enfin, dans les deux romans, le protagoniste se demande où vont les canards de Central Park pendant l'hiver quand le lac est gelé. Le point d'orgue de *L'Attrape-cœurs* pour maints lecteurs.

La plaisanterie n'est pas du goût de Salinger, pourtant capable de se prêter à un tel gag à l'époque où il cherchait la reconnaissance littéraire. Là, l'insolence et l'humour, exercés à ses dépens, l'agacent. Pour lui, même si l'ouvrage ne mentionne pas nommément Holden, Monsieur C. est un emprunt flagrant à son roman, un « pillage pur et simple[1] ». Afin de le faire interdire, il intente un procès pour « contrefaçon[2] ». À quoi Fredrik Colting réplique en défense que son livre n'est autre qu'une « parodie critique ». Et non une « suite » du roman de Salinger. La juge Deborah A. Batts du tribunal fédéral de Manhattan balaie l'argument[3]. Le dessein de l'auteur « manque de crédibilité » et partant « tombe à plat », développe-t-elle, tout en relevant qu'il prête à son personnage de soixante-seize ans les mêmes observations et les mêmes réflexions qu'à Holden à seize, lesquelles venant d'un adolescent le rendent « sincère » et « sympathique », alors que de la part d'un septuagénaire, elles semblent « pathétiques ». Au lieu de « grandir », le protagoniste a seulement vieilli, « son développement intellectuel s'étant arrêté à seize ans », souligne la juge Batts, sans craindre d'outrepasser son rôle et de verser dans la critique littéraire.

Pour elle, il est clairement établi que la publication de l'ouvrage a un but « lucratif » et non « éducatif ». L'agent littéraire de l'écrivain a, d'ailleurs, certifié en justice que si Salinger venait à changer d'avis et à écrire une suite

1. Conclusions des avocats de J.D. Salinger déposées devant le tribunal fédéral de Manhattan (Federal District Court in Manhattan) le 17 juin 2009.
2. *Ibid.*
3. Jugement du tribunal fédéral de Manhattan rendu le 1er juillet 2009.

aux aventures d'Holden Caulfield, il pourrait prétendre à une avance de cinq millions de dollars. Le caractère commercial de *60 Years...* est « patent » et susceptible de faire du tort aux ventes de *L'Attrape-cœurs*, trompette la juge, avant de conclure à l'interdiction du livre, aussi bien aux États-Unis qu'à l'étranger.

Salinger, absent des débats parce que vieux et malade, a gagné la première manche. Mais la bataille ne fait que commencer. Fredrik Colting organise la riposte en réclamant en appel 500 000 dollars américains de provision en raison des dommages économiques « irrémédiables[1] » subis par cette décision de justice, rendue, soutient-il, en violation du premier amendement de la Constitution américaine qui interdit de limiter la liberté d'expression. Un principe avec lequel on ne badine pas aux États-Unis. Ce changement de stratégie de défense se révélera payant. Tous les grands groupes de presse et de médias américains – agences, journaux, sites Web – lui emboîteront le pas, en arguant que « l'interdiction préalable » est la « sanction la plus radicale », à laquelle ils sont « le moins favorables[2] ». Leurs observations sont jointes à l'appel. Mais le jour où la cour de New York rend sa décision, Salinger est déjà mort depuis près de trois mois.

Les magistrats concluent que le roman de Colting est « susceptible de constituer une contrefaçon[3] » de *L'Attrape-cœurs*. Mais ils soulèvent aussi la question du préjudice moral visant à déterminer à qui appartient le personnage d'une fiction créé de toutes pièces. À l'auteur ou au lecteur qui, par la lecture qu'il en a, se

1. Conclusions des avocats de Fredrik Colting déposées le 23 juillet 2009 auprès de la cour d'appel de New York.

2. Conclusions déposées par Amici curiæ au nom des plus grands groupes de presse et de médias américains auprès de la même cour d'appel.

3. Arrêt de la cour d'appel des États-Unis rendu le vendredi 30 avril 2010, trois mois environ après la mort de Salinger.

l'approprie ? Prudente, la cour se garde de statuer, renvoyant les parties dos à dos et l'affaire devant une autre instance. Il ne fait dès lors plus de doute que la Cour suprême, le plus haut degré de juridiction américain, finira par être saisie. À quelle échéance ? Très lointaine, assurément. Cela prendra du temps et nécessitera une dépense d'énergie et des frais d'avocats. Pour une issue hypothétique, cela va de soi. Un compromis valant mieux qu'un mauvais procès, un accord est conclu[1] avec les héritiers de Salinger. Fredrik Colting accepte que son livre soit interdit aux États-Unis et au Canada, jusqu'à ce que *L'Attrape-cœurs* tombe dans le domaine public, soit en 2046, quatre-vingt-quinze ans après sa publication. Il consent également à ne pas utiliser le titre original *60 Years Later : coming through the Rye*, et renonce à dédier son livre à J.D. Salinger comme il l'avait envisagé ainsi qu'à user en bandeau du slogan « Le livre interdit par Salinger » pour sa promotion. En échange, les héritiers de l'écrivain s'engagent à ne pas interférer, ailleurs, dans la publication de l'ouvrage, déjà commercialisé au Royaume-Uni et en Suède. Ce qui en réduit singulièrement la portée et lui donne le coup de grâce.

Une victoire posthume pour Salinger.

De son vivant pourtant, à aucun moment le romancier n'a exprimé le moindre désir de produire une suite à *L'Attrape-cœurs*. Quand bien même il en aurait eu une fin prête dans ses tiroirs, il n'en a rien fait à l'annonce de la sortie de *60 Years Later : coming through the Rye* de Fredrik Colting. Contrairement à son lointain aîné, Miguel de Cervantes qui, dix ans après la parution de *Don Quichotte* en 1605 et peu avant sa mort, s'était empressé d'achever et de publier les nouvelles aventures de son héros

1. Accord conclu entre les avocats de Fredrik Colting et ceux des ayants droit de Salinger le 16 janvier 2011, un an après la mort de l'écrivain.

chevaleresque bataillant contre des moulins à vent, afin de couper l'herbe sous le pied de ses imitateurs. Que ceux-ci aient voulu y « ajouter leur grain de sel » n'avait inspiré que « dégoût » et « nausées[1] » à l'Espagnol, un sentiment que pouvait partager Salinger.

1. Miguel de Cervantes, *L'Ingénieux Hidalgo Don Quichotte de la Manche*, Prologue au lecteur, Paris, Gallimard, « Bibliothèque de la Pléiade », 1949.

43

Le crépuscule

Après la disparition de l'écrivain en 2010, Phyllis Westberg, son agent littéraire, crut bon de déclarer avec autorité que rien n'avait changé en termes d'adaptation de son œuvre au cinéma, à la télévision ou encore sur scène. L'offre de personnalités aussi en vue que le réalisateur Steven Spielberg ou le producteur Harvey Weinstein avait été rejetée. Toutefois, Salinger avait lui-même indiqué des années plus tôt qu'il était ouvert à une adaptation de son roman... après sa mort. Une facétie supplémentaire ? L'affirmation qu'après lui, le déluge pouvait survenir ? La probabilité étant qu'il ne meure pas riche, il laissait le soin à son épouse (Claire Douglas à l'époque) et à sa fille Peggy le soin de gérer la succession, les droits d'auteur faisant office d'assurance-vie, en quelque sorte. Savoir qu'il n'aurait pas à connaître le résultat de cette transaction lui procurait un immense plaisir. Seulement voilà, cette lettre testament date de 1957. Or, entre-temps, Salinger a divorcé pour se remarier avec Colleen O'Neill, il a eu un fils et les relations avec sa fille se sont singulièrement distendues. Les statuts de la fondation littéraire J.D. Salinger, qu'il a créée en 2008 pour gérer ses droits commerciaux et moraux, stipulent d'ailleurs que les gestionnaires en sont Colleen et Matthew, Margaret en étant exclue. Pour la raison évidente que la publication de ses souvenirs, *L'Attrape-rêves*[1], dans lesquels elle dévoile sans concession ni retenue les petits secrets de famille, le plus souvent à travers le prisme de la psychanalyse, a été ressenti par l'écrivain comme un coup de poignard dans le dos. Avoir bataillé sa vie entière pour préserver une intimité, soudain jetée en pâture par sa propre fille, ne pouvait qu'atteindre et ulcérer un Salinger octogénaire, affaibli par l'âge. Fidèle à sa ligne de conduite fondée sur le silence, il ne dit mot, laissant à son fils Matthew l'initiative de critiquer les élucubrations de sa sœur sur leur « supposée enfance[2] ».

Décidément, le XXIe siècle a mal commencé pour l'écrivain, rivé à la télévision pour suivre les matches de tennis et autres divertissements. Il laisse les mauvaises herbes envahir le jardin et en vient à s'étonner que la presse ne fasse pas ses choux gras de quelques commérages sur ses habitudes alimentaires de New-Yorkais déraciné. Sa consolation est que Matthew remporte un joli succès comme producteur off-Broadway de la pièce de théâtre *The Syringa Tree*[3] de la Sud-Africaine Pamela Gien, qu'il est allé voir avec Colleen. Pendant une heure et demie, il n'a pas compris un traître mot à l'action ni au monologue, car il est maintenant complètement sourd. Son agent littéraire ne communiquera bientôt plus avec lui que par écrit, le téléphone ne lui étant plus d'aucune utilité. Mais la joie immense de son fils, lancé dans cette nouvelle aventure, suffit à son bonheur. Au surplus, les critiques sont bonnes.

---

1. Paru en 2000 aux États-Unis et en 2002 en France.
2. Dans une lettre parue dans *The New York Observer.*
3. *The Syringa Tree,* de Pamela Gien, fut couronnée meilleure pièce de l'année en 2001 produite off Broadway. Traduite en français par Sasha Dominique sous le titre *Le Lilas africain.*

À part ça, les forces lui manquent à présent pour mettre du gravier sur le chemin boueux conduisant à la propriété et lorsqu'aux premiers rayons du soleil du printemps, il sort sur la terrasse pour lire, c'est avec une couverture sur les genoux. De temps à autre, il a une pensée attendrie pour les gens qu'il a rencontrés au cours de son existence et qui se sont signalés par leur bonté et leur discrétion. Comme les Safir qui l'ont hébergé à Vienne et les parents d'un camarade de Valley Forge dont il a oublié le nom. La décennie 2000 a apporté son lot de tristesse avec la disparition de Dilys, l'épouse de Donald Hartog, vaincue par un cancer, puis celle de son vieil ami quatre ans plus tard. Elizabeth Murray s'était éteinte bien avant; ils étaient restés une décennie sans se donner de nouvelles. Bibi Safir, lui aussi, a succombé à une leucémie, à soixante-dix ans. C'est sa veuve qui, un matin tôt, l'en a informé par un coup de fil de Londres. Ils ont tous été emportés et la vie semble peu à peu l'abandonner lui aussi. Plusieurs problèmes de santé liés à son grand âge le ralentissent. En mai 2009, Salinger a fait une mauvaise chute, il s'est fracturé la hanche. Une opération suivie d'une longue convalescence et de séances de rééducation l'a contraint à s'en remettre de plus en plus à son agent littéraire, Phyllis Westberg, pour la gestion de ses affaires et la défense de ses intérêts littéraires. Matthew veillait et Colleen restait à son chevet. Il en a été ainsi jusqu'à son dernier souffle, le mercredi 27 janvier 2010.

44

« Allez vous faire voir ! »

Salinger a magnifié l'enfance mais l'expérience aidant, il a dû se rendre à l'évidence, les (sales) mômes ne valent guère mieux que les parents. À l'égal des grandes personnes, ils sont capables de traîtrise. Une constatation qui ne pouvait que le décevoir. À Windsor, son quartier général à l'aube des années 1950, il avait parlé en confiance aux élèves du secondaire de la *high school*. À trente-trois ans, célibataire, il en avait fait ses meilleurs amis, eux le considéraient comme un bon copain. Il faisait partie de la bande. Assis au milieu du petit groupe, il assistait aux matches de basket et de *soccer*, reconnaissable à sa grande taille. Il faisait une bonne tête de plus que la moyenne et semblait à l'aise dans sa veste de tweed aux coudes renforcés de pièces en cuir. Les soirs de désœuvrement, quand ils ne savaient pas trop où aller, les enfants lui rendaient visite. Il pouvait arriver qu'il vienne les chercher avec sa Jeep. La fréquence de leurs allées et venues paraissait acquise. La maison était tenue. Il y avait un chien, un english sheep, toujours allongé sur le sol. Amical, Salinger restait assis à fumer la pipe ou une cigarette, sans dire grand-chose, et à écouter. Il laissait ses visiteurs s'égayer, leur mettait des disques. *Le Lac des cygnes* de Tchaïkovski était la musique préférée de Shirlie Blaney, une très jolie petite fille aux boucles dorées. Il le passait et le repassait à sa demande. De tous les enfants, elle était peut-être la plus délurée. Sensible et volontaire, elle avait seize ans, de l'esprit, du succès parmi ses condisciples et de la hardiesse. Un jour qu'elle lui avait dit qu'elle aimerait être écrivain et que la nuit elle restait allongée dans son lit à essayer de trouver des idées, il avait approuvé : « C'est la meilleure façon de faire, mais prends garde à te lever pour prendre des notes afin de ne pas les oublier[1]. »

Une fois par mois, les élèves candidats à une hypothétique carrière de journaliste se retrouvaient dans un bureau, au deuxième étage du journal local, le *Daily Eagle* à Claremont. Une page leur était accordée. Un jour, à l'automne 1953, alors qu'ils se creusaient la tête pour la remplir, Shirlie aperçut Salinger qui traversait la rue. Avec une camarade, elle descendit les marches quatre à quatre pour qu'il leur vienne en aide. Il les entraîna dans un café-restaurant, lui pour déjeuner, elles prirent un Coca. Elles l'interrogèrent sur sa vie qu'il leur raconta dans les grandes lignes. Quatre jours plus tard, l'article paraissait dans une magnifique mise en page éditorialisée du *Daily Eagle*[2]. Salinger décrocha son téléphone pour appeler l'adolescente. Ce fut leur dernière conversation. Les élèves retournèrent frapper chez lui peu après, mais personne ne leur ouvrit.

Non, décidément, il n'y avait rien à faire, rien à espérer. Quand on veut la paix, il faut vivre porte close. Blaise Pascal n'a-t-il pas raison quand il affirme que « tout le

1. L'anecdote est rapportée par Ernest Havemann dans « À la recherche du mystérieux J.D. Salinger », un texte paru le 3 novembre 1961 dans *Life* et reproduit dans une compilation de contributions consacrées à l'écrivain, *You Really Want to Hear About It* (Vous voulez vraiment que je vous dise), titre identique à l'incipit de *L'Attrape-cœurs*.

2. Interview de J.D. Salinger par Shirlie Blaney parue dans le *Daily Eagle* de Claremont, New Hampshire, le 13 novembre 1953.

malheur des hommes vient d'une seule chose, qui est de ne pas savoir demeurer en repos dans une chambre » ? Par la voix d'Holden Caulfield, Salinger l'avait pressenti : « C'est tout le problème. On peut jamais trouver un endroit qui soit agréable et tranquille, parce qu'il n'y en a pas[1]. » Il aurait aussi pu adopter en manière de précepte philosophique celui que son héros relève à plusieurs reprises sous forme de graffitis sur le mur de l'école de Phoebé, sa petite sœur bien-aimée, et que, s'il venait à mourir, il imagine gravé en épitaphe sur sa pierre tombale : « Allez vous faire foutre ! »

1. Margaret Salinger, *L'Attrape-rêves*, *op. cit.*

Postface

Jean-Paul Enthoven, vous connaissez ? C'est un éditeur de chez Grasset, la célèbre maison d'édition parisienne à Saint-Germain-des-Prés. Il a toujours l'air de rentrer de vacances à Marrakech tellement il est bronzé. Et ce, été comme hiver. Il va d'ailleurs souvent dans le riad marocain de BHL, Bernard-Henri Lévy à l'état civil, le nouveau philosophe des années 1970. De vieux copains.

Aux beaux jours, on peut voir Enthoven débouler à plein gaz dans une décapotable intérieur cuir, genre Mercedes, du côté du Sénat, la crinière terriblement grisonnante au vent et la chemise blanche déboutonnée au col, gonflée par la brise.

Il avait aimé mon *Houellebecq non autorisé*, paru en 2005 chez Maren Sell, un petit coup de tonnerre dans le Landerneau des lettres de la rive gauche. Un livre à contre-courant, qui dévoilait la face cachée de l'auteur des *Particules élémentaires* et autres best-sellers. Tout le monde était à plat ventre devant l'écrivain prophétique et faussement neurasthénique, dont la petite phrase « la religion la plus con, c'est quand même l'islam », lâchée au détour d'une interview, devait rester dans les annales. Il l'avait prononcée peu de temps avant les attentats américains du 11 septembre 2001, perpétrés au nom d'Allah contre les tours du World Trade Center.

Là-dessus, je croise Enthoven dans les couloirs de l'hebdomadaire *Le Point*. À l'époque, j'étais au service politique, chargé des questions de justice. Lui, sorte de fou du roi, y occupait le rang de conseiller du directeur de la rédaction, un boulot en or. On était dans l'atrium, le centre névralgique des distributeurs automatiques de boissons chaudes ou rafraîchissantes et autres coupe-faim. Bref, la cafét'. Il me met le marché en main : « Est-ce que ça te dirait de travailler pour moi ? Salinger, tu connais ? Ça te tenterait ? Je pourrais te payer un ou deux ans, le temps, pour toi, d'enquêter. »

Un peu que je le connaissais Salinger. *L'Attrape-cœurs*, je l'avais acheté à New York. Où exactement ? Je ne sais plus bien. Ce que je sais, c'est que dès que je l'ai eu ouvert, je ne l'ai pas refermé. Je l'ai lu d'une traite, dans l'avion qui me ramenait à Paris, ce jour-là. C'était en 1979 ou quelque chose comme ça, vers le mois de mars.

Enthoven me proposait 22 000 euros d'à-valoir – j'en ai la preuve écrite. Pourquoi 22 ? Allez savoir... Et, par-dessus le marché, de me financer le temps qu'il faudrait pour mes recherches aux États-Unis. L'offre était alléchante mais ce n'était pas gagné. La moindre des choses avant de dire oui n'était-elle pas d'étudier la faisabilité du projet ?

Les premiers coups de fil passés de l'autre côté de l'Atlantique, dans les milieux littéraires et universitaires, se révélèrent concluants. À l'été 2006, je m'envolais pour New York.

Darline et Peter – j'aimerais que vous les connaissiez tellement ils sont chouettes (Darline est fan de Simon-Nicolas-Henri Linguet et plus encore d'Olympe de Gouges, deux figures de la Révolution française et Peter, un physicien, est le champion toutes catégories de la cuisson du hamburger au barbecue). Ils avaient mis leur appartement à ma disposition. Une adresse super au 28e étage d'un immeuble à Bleecker Street dans le Village. Avec vue imprenable sur Broadway, Uptown, et le soir, à travers les baies vitrées, le scintillement féerique de l'Empire State Building. Ouah ! On se serait cru dans un film. Je m'en souviens, c'est à minuit tapant qu'il fermait ses quinquets. Des vacances de rêve. Enfin, des vacances, si on peut dire... car se mettre dans les pas de Salinger n'allait pas de soi. Et le débusquer à Cornish procédait de l'expédition.

Atteindre son repaire, situé à quatre heures de New York par la *highway*, vers le nord, en direction du Canada, nécessite de traverser une forêt de hêtres, de pins et d'érables. L'écrivain avait trouvé refuge au sommet d'une colline accessible en Jeep ou en 4 × 4. Le chemin de terre crevassé, aux rigoles ruisselantes sur les côtés, est des plus escarpés. À la belle saison, les tamias grouillent dans les sous-bois humides et les battements d'ailes furtifs des oiseaux font craquer les branches. Il y avait tout à redouter de s'aventurer dans les parages, à savoir trouver porte close ou être congédié comme un malpropre. Bien qu'il n'ait jamais repoussé un intrus à coups de fusil.

En ce mois d'août 2006, la voiture filait sur la route bitumée, laissant les paysages sylvestres de trappeurs dans le rétroviseur. La fournaise estivale était tempérée par l'air conditionné de l'habitacle. En fin d'après-midi, la chaleur tomba. La forêt d'arbres centenaires dégageait un mélange d'odeurs boisées de résine, de fraîcheur, de mousse et de chlorophylle, assez grisantes. À mesure qu'elle se faisait plus dense et que le soleil déclinait, les feuillages se paraient de rubans torsadés de brume. La nuit, épaisse, n'allait pas tarder.

La voiture japonaise de location à boîte de vitesses automatique pila net devant le Cornish General Store, un bâtiment en lattes de bois faisant office à la fois d'épicerie, de bistrot, de papeterie et de quincaillerie. Les clients étaient rares. Dans l'arrière-boutique servant de débit de boissons, un homme taciturne sirotait une mousse.

Dans la lumière blafarde du Cornish General Store, une femme sans âge bien que jeune encore, d'une pâleur mate et vêtue comme une pénitente, se tenait derrière le comptoir.

« Bonsoir, je voudrais aller chez monsieur Salinger, savez-vous quelle route il faut prendre pour y arriver ?

— Je ne peux pas vous le dire, répondit-elle avec courtoisie. « Et elle ajouta littéralement : Ce ne serait pas poli de ma part[1] ».

— Je sais qu'il habite à Cornish, à Sander Hill Road, je voudrais juste savoir comment m'y rendre.

— Je ne peux rien vous dire. »

L'insistance urbaine mais plus sûrement l'achat, pour quelques dizaines de dollars, de vivres et d'un plan détaillé de Cornish agirent comme un sésame. La langue de la commerçante se délia, non sans qu'elle eût d'abord jeté un coup d'œil subreptice à droite, puis à gauche, comme pour s'assurer que nul ne la surprendrait en flagrant délit d'indiscrétion. Si elle ne se signa pas, ce fut tout comme ; car c'est avec un ton de pécheresse à confesse qu'elle consentit à dévoiler l'itinéraire menant chez Salinger. Visiblement, l'épicière qui avait bon cœur eut peut-être aussi un peu pitié du visiteur étranger.

En sortant du magasin, il suffisait de prendre à droite Townhouse Road. Impossible de se tromper : c'était la seule voie existante. Au stop débouchant sur la Route 12 A,

1. « *It wouldn't be polite.* »

encore à droite, le long de la rivière Connecticut, en direction de Lebanon, une grosse ville sans âme tirée au cordeau par de larges artères bordées de logements préfabriqués en béton. Là, sur la gauche, un pont couvert en bois crevait les yeux. Un monument historique. *Le* point de repère. À partir de cette curiosité architecturale, le fameux chemin de terre escarpé grimpant jusqu'à la « cabane » était tout proche. « C'est le premier ou le deuxième », précisa l'épicière à voix basse, de crainte d'être surprise à violer une règle non écrite : le respect du silence monastique voulu par Salinger.

« Il n'y a aucun panneau indicateur, mais vous verrez, c'est un de ces chemins-là », ajouta-t-elle, confirmant par là même le caractère réputé fantasque de l'écrivain, jaloux de sa tranquillité jusqu'à la névrose.

Le ciel sans nuage hésitait entre chien et loup. La nuit serait bientôt noire. Le Chase House, le seul *bed and breakfast* dans les environs, affichait complet. À Lebanon, à une vingtaine de miles au nord de Cornish, il n'y aurait que l'embarras du choix pour trouver un motel. Ce fut le cas.

Le lendemain matin à la première heure, retour au pont couvert de 137 mètres, le plus long des États-Unis, maintes fois franchi par Salinger pour se rendre dans le Vermont, séparé du New Hampshire par la rivière Connecticut. De l'autre côté du pont donc, à Windsor, il y avait gardé ses habitudes, allant au volant de son 4 × 4 au supermarché local ou au bureau de poste retirer son courrier laissé en poste restante. Sur sa boîte à lettres volumineuse, pas de nom, mais un numéro : le 32.

En revanche à Cornish, celle qui subsistait à l'entrée de sa propriété, en lisière des sous-bois, était à l'abandon. On ne distinguait plus qu'un numéro, le 174, et juste en dessous un aigle aux ailes déployées, l'emblème de la poste américaine. En dehors de ça, pas de panneau de signalisation, ni le moindre indice tangible de la présence de l'écrivain.

Accéder au refuge de Salinger pouvait se révéler périlleux. Non seulement à cause des ornières comblées de gravier et de l'étroitesse du chemin raide et chaotique, mais surtout parce qu'il avait tout fait pour dissuader les curieux de s'y aventurer. À la classique pancarte « Voie sans issue », à l'orée du bois, succédait, cloués dans le tronc des arbres, un nombre impressionnant d'« Avis » maniaques et explicites. « Propriété privée. La chasse, la pêche, le braconnage ou toute violation de propriété, quel qu'en soit le but, est strictement interdite. Les contrevenants seront poursuivis. » Salinger n'avait pas lésiné sur les moyens. Même en plein jour, ces grosses lettres noires sur fond orangé rendaient la forêt plus oppressante encore. Aller à reculons pouvant conduire au fossé, il n'y avait dès lors pas d'autre issue que d'avancer, quitte à croiser un véhicule ou voir surgir un homme armé, irascible.

La voiture déboucha sur un terre-plein, barré par un rideau d'arbres feuillus et élancés. À travers les branchages, le pignon d'un cabanon apparut. Une baie vitrée, un toit en planches, c'était donc là que Salinger s'isolait pour écrire, ainsi que l'avait rapporté, photo à l'appui, le magazine américain *Time*. Le décor était inchangé, juste un peu plus touffu.

De son vivant, pourtant, aucun éditeur ou agent littéraire, pas même le sien, n'a réussi, en près d'un demi-siècle, à lire et moins encore à publier une ligne de sa main. La diffusion de la photo de sa tanière, enfouie dans les feuillages, contribua néanmoins à renforcer le mythe de l'écrivain solitaire, impossible à apprivoiser.

En ce jour d'été de l'année 2006, Salinger paraissait à portée de main. Seulement voilà : comment le voir sans l'importuner ? Le dilemme se posait. Si près du but, était-il raisonnable de renoncer après tant de kilomètres parcourus et un océan traversé ? Valait-il mieux frapper à sa porte quitte à être éconduit ? Entre la crainte de le déranger et la vague appréhension d'être chassé comme un malotru, la marge s'avérait étroite. La visite s'étant faite impromptu, la solution retenue fut de respecter le mur de silence que Salinger avait méticuleusement érigé autour de lui. La prochaine fois, car il y en aurait une, un courrier lui serait d'abord envoyé.

Encore fallait-il se procurer son adresse postale. Au bureau de poste de Windsor, le préposé « baba cool » à queue-de-cheval grisonnante ne fut d'aucune aide. « Écrivez-lui en poste restante. » Auprès des gens du voisinage, l'épreuve tourna au jeu de piste. Les silences et les regards affolés étaient aussi éloquents que les paroles prononcées du bout des lèvres sur la crainte diffuse mais réelle qu'inspirait Salinger. De déductions en recoupements, la persévérance fut finalement récompensée.

Au revoir donc Salinger. À un de ces jours.

De Paris, France, une lettre lui fut envoyée. Il y était question de Raimu et de *La Femme du boulanger*, film de Marcel Pagnol dont Phoebé, la sœur de Holden Caulfield, le héros de son roman, était tombée complètement « dingue » le jour où son frère l'avait emmenée le voir au cinéma. Il était aussi question des plages du Débarquement en Normandie et de la façon dont il avait survécu aux atrocités de la guerre. Le courrier resta sans réponse. Ce qui n'était pas une raison suffisante pour céder au découragement.

Car la pêche avait été bonne. Presque miraculeuse.

Luc, mon fils, avait, à l'époque, quatorze ans. Il n'était pas encore dans la haute cuisine étoilée, mais il était déjà dégourdi. À Cornish, c'est lui qui suggéra de relever, malgré les paroles dissuasives de sa mère, les rares indices de présence de l'écrivain. Il prit des photos de tout ce que l'on pouvait trouver qui rappelait son passage ou conduisait jusqu'à lui.

Écrire une biographie de Salinger devenait possible. Réalisable même. Restait à voir avec Jean-Paul Enthoven de chez Grasset pour la publication. Il était partant. C'est ce qu'il me dit. Je rédigeai un synopsis assez détaillé, relatant, entre autres, par le menu, sa liaison avec Oona O'Neill. Et je le lui envoyai. Il défendrait le projet, m'assura-t-il. Mais son boss, le patron de la maison, Olivier Nora, n'en voulait pas, sous prétexte qu'une mégabiographie américaine de Salinger allait prétendument faire l'objet d'enchères à la Foire du livre de Francfort cette année-là (à l'automne 2006). Rien ne se passa. Ni les années suivantes, d'ailleurs. L'argument était bidon. En revanche, huit ans plus tard, Grasset devait publier une semi-fiction d'un auteur maison et du Tout-Paris, Frédéric Beigbeder, intitulée *Oona et Salinger.*

Ainsi vont les mœurs de l'édition à Paris.

Deux ans plus tard, en 2008, bénéficiant toujours du précieux concours logistique de Darline et Peter, imbattables quand il s'agit de prêter gîte et assistance, retour à New York. Pour procéder au relevé et à la visite de toutes les adresses où Salinger avait traîné ses guêtres, à un moment donné de son existence. Des domiciles aux écoles et aux universités. De là, direction la Pennsylvanie, dans les collèges qu'il avait fréquentés, puis dans le Vermont, et enfin, pour clore le périple, le New Hampshire.

Cornish offrait le même décor. Tamias, papillons et libellules s'étaient donné rendez-vous dans le sous-bois. Au pied de la colline, un petit changement était perceptible. Au-dessus de la boîte à lettres, anonyme et décrépite, une belle plaque verte indiquait « Slade [et non Sander] Hill Road ». D'évidence, Salinger s'était conformé aux us et coutumes édictés par les services des ponts et chaussées américains. Soudain, surgit une Jeep Chevrolet blanche qui emprunta le chemin escarpé, laissant un nuage de poussière dans son sillage. Au volant, un homme d'une petite cinquantaine, cheveux mi-longs et petite barbe blonde de trois jours, l'allure de l'entrepreneur britannique milliardaire Richard Branson, mettait les gaz pour aborder sans peine la montée. Il n'était autre que Matthew Salinger, le fils de l'écrivain, tout d'un bloc, massif, tel qu'on peut le voir dans les films qu'il a tournés à Hollywood. Sollicité pour les besoins de ce livre, il a malheureusement refusé toute demande d'entretien.

Dans la plus grande improvisation, décision fut prise de pousser alors jusqu'à Woodstock, dans le Vermont, pour se restaurer. De là, il serait loisible de téléphoner à Salinger. La serveuse du motel prêta gracieusement son portable. Une voix féminine et douce décrocha.

« Bonsoir, vous êtes bien Colleen O'Neill ?

— Oui, répondit un peu surprise l'épouse – la troisième – de l'écrivain.

— Je vous appelle de Woodstock. Je viens de Paris. En France. Je voudrais vous rencontrer.

— Ça ne va pas être possible, je ne vous connais pas, répliqua-t-elle, avec une courtoisie des plus *british*.

— Vous imaginez sans doute la raison de mon appel ?

— Je suis désolée, je ne vais pas pouvoir vous parler. Je vais devoir raccrocher.

— Ne vous donnez pas cette peine et excusez-moi de vous avoir dérangée. Je vous écrirai. »

Décidément, l'homme n'était pas facile et pas des plus accessibles. Les consignes, visiblement suivies à la lettre, étaient connues : motus et bouche cousue. Même son entourage se défilait. Par égard pour la ligne de vie que le vieil ermite s'était fixée ou pour s'épargner son courroux.

Le plus dur, cependant, était fait, si on peut dire. Car Salinger a pas mal bourlingué. En Autriche, en Pologne, en France, en Allemagne, au Royaume-Uni. Dès lors, aller constater, sous ces latitudes, ce qu'il a vu, ce qu'il a fait, les traces qu'il a laissées de son passage et ce qu'il en a rapporté, s'inscrivait dans la suite logique des choses. Cela pour essayer de comprendre au plus près comment s'est forgée la personnalité de l'auteur de *L'Attrape-cœurs*, le reclus de Cornish.

Remerciements

Que celles et ceux qui, de près ou de loin et à des degrés divers, m'ont aidé dans mes recherches soient ici assurés de ma plus profonde gratitude.

Ce sont :

Les archives Chaplin à Vevey, Suisse. Les archives municipales et la bibliothécaire de Bydgoszcz, Pologne. L'académie militaire de Valley Forge, Pennsylvanie. Les archives militaires nationales du Royaume-Uni. Les archives du collège Ursinus à Collegeville, Pennsylvanie. Les archives Harry Ransom Center à Austin, Texas. Les archives de l'université Columbia à New York. La bibliothèque Firestone à l'université de Princeton, New Jersey. La bibliothèque de l'université d'East Anglia à Norwich, Royaume-Uni. Le D.T. Suzuki Museum à Kanazawa, Japon. La John F. Kennedy Presidential Library and Museum à Boston, Massachusetts. La Morgan Library and Museum à New York. Les National Archives and Records Administration à College Park, Washington DC. La New York Public Library. Le musée du Général-Leclerc-de-Hauteclocque-et-de-la-Libération-de-Paris – musée Jean-Moulin, à Paris. Le Pays d'art et d'histoire du Clos du Cotentin à Valognes (Manche). La pharmacie homéopathique Nelsons à Londres. Le Ramakrishna Vivekananda Center à New York.

Et aussi :

Gillies Bridget, Annie Chaplin, Geraldine Chaplin, Jane Chaplin, Josephine Chaplin, Robert Laffont, Kate Guyonvarch, Kathryn Hadley, Frances Hartog, Satoshi Inotani, Charles A. Jamison, Florent Massot, Coco Minardi, Johnnie B. Newton, Ted Russell, Erica Spizzirri, le lieutenant-colonel Bill Smith, Wieslaw Trzeciakowski, Carolyn M. Weigel, Rick Watson, Elizabeth Wise, Barry Zelikovsky, le Swami Vidananda.

Un merci tout particulier à Phyllis Westberg, l'agent littéraire de J.D. Salinger, qui a accepté de me recevoir dans ses bureaux de Madison Avenue à New York, et qui, sans divulguer de grands secrets, a, par ses paroles, jeté un éclairage de première main sur l'écrivain.

Et encore :

Pour leur soutien logistique inestimable : Hélène Baron à Saint-Brévin-l'Océan (Loire-Atlantique), Mme Jacqueline Houdart, Marie-Jeanne et Philippe Houdart à Bois-le-Roi (Seine-et-Marne), Darline et Peter Levy à New York, Nina Salter à Jeufosse (Yvelines).

Et enfin :

Anna, guide unique et irremplaçable sur ses terres de Pologne, pour ses judicieux avis aussi.

Charles Schiffmann et Jean-Pierre Tison, mes premiers lecteurs, pour leur science inégalable de la langue française et de la ponctuation.

Anne et Graham Martin, pour la pertinence de leurs observations.

REMERCIEMENTS

Darline Levy, pour sa lecture minutieuse, ses conseils affûtés et son formidable enthousiasme.

Fernando Barquero, pour son soutien indéfectible.

Laurent Léger, pour son flair à trouver un titre.

Romain Perusset, pour sa constance stimulante d'éditeur.

À tous, merci.

Bibliographie

Œuvres de J.D. Salinger

Traduites

The Catcher in the Rye, Penguin (*L'Attrape-cœurs*, Robert Laffont, « Pavillons Poche »).

Nine Stories, Little, Brown Books (*Nouvelles*, Robert Laffont, « Pavillons Poche »).

Franny and Zooey, Little, Brown and Company (*Franny et Zooey*, Robert Laffont, « Pavillons Poche »).

Raise High the Roof Beam Carpenters and Seymour an Introduction, Little, Brown and Company (*Dressez haut la poutre maîtresse, charpentiers* suivi de *Seymour, une introduction*, Robert Laffont, « Pavillons Poche »).

Non traduites

The Young Folks, in *Story* de mars-avril 1940.

Go see Eddie, in *University of Kansas City Review*, de décembre 1940.

The Hang of it, in *Collier's* du 12 juillet 1941.

The Heart of a Broken Story, in *Esquire* de septembre 1941.

The Long Debut of Lois Taggett, in *Story* de septembre-octobre 1942.

Personal Notes of an Infantryman, in *Collier's* du 12 décembre 1942.

The Varioni Brothers, in *The Saturday Evening Post* du 17 juillet 1943.

Both Parties Concerned (aussi appelée *Wake Me When It Thunders*), in *The Saturday Evening Post* du 26 février 1944.
Soft-Boiled Sergeant, in *The Saturday Evening Post* du 15 avril 1944.
Last Day of the Last Furlough, in *The Saturday Evening Post* du 15 juillet 1944.
Once a Week Won't Kill You, in *Story* novembre-décembre 1944.
Elaine, in *Story* de mars-avril 1945.
A Boy in France, in *The Saturday Evening Post* du 31 mars 1945.
This Sandwich Has No Mayonnaise, in *Esquire* d'octobre 1945.
The Stranger, in *Collier's* du 1er décembre 1945.
I'm Crazy, in *Collier's* du 22 décembre 1945.
Slight Rebellion off Madison, in *The New Yorker* du 21 décembre 1946.
A Young Girl in 1941 With No Waist At All, in *Mademoiselle* de mai 1947.
The Inverted Forest, in *Cosmopolitan* de décembre 1947.
A Girl I Knew, in *Good Housekeeping* du 12 février 1948.
Blue Melody (aussi appelée *Needle on a Scratchy Phonograph Record*), in *Cosmopolitan* de septembre 1948.
Hapworth 16, 1924, in *The New Yorker* du 19 juin 1965.

Non publiées
« The children's echelon ».
« Birthday boy ».
« Mrs Hincher ».

Autres
Paul Alexander, *Salinger a Biography*, Los Angeles, Renaissance Books, 1999.
Truman Capote, *Prières exaucées*, Grasset, « Les cahiers rouges », 1988.

Cervantes, *L'Ingénieux Hidalgo Don Quichotte de la Manche*, Gallimard, « Bibliothèque de la Pléiade », 1949.

Charlie Chaplin, *My Autobiography*, Simon and Schuster, 1964.

Terry Coleman, Olivier *The Authorised Biography*, Bloomsbury, 2005.

Arthur et Barbara Gelb, *O'Neill*, New York, Harper & Row, 1962.

Ernest Hemingway, *Œuvres romanesques* en deux volumes, Gallimard, « Bibliothèque de la Pléiade », 1966.

Colonel Gerden F. Johnson, *History of the Twelfth Infantry Regiment in World War II*, National Fourth (Ivy), Division Assoc., 1948.

Lawrence Lee et Barry Gifford, *Saroyan a Biography*, New York, Harper and Row, 1984.

Joyce Maynard, *At Home in the World*, Picador, 1998.

Margaret Salinger, *L'Attrape-rêves*, NiL, 2000.

Joanna Smith Rakoff, *Mon année Salinger*, Albin Michel, 2014.

David Remnick, *Wonderful Town, New York Stories from "The New Yorker"*, Random House, 2000.

Shane Salerno et David Shields, *Salinger*, The Story Factory, 2013.

Kenneth Slawenski, *J.D. Salinger. A Life*, Random House, 2010.

Et aussi

Catherine Crawford (éd.), *If you really want to hear about it. Writers on J.D. Salinger and his Work*, New York, Thunder's Mouth Press, 2006.

François Bédarida présente Normandie 44 du débarquement à la Libération, Albin Michel, 2004.

6 juin 1944 par Jean-Pierre Azéma, Robert Paxton, Philippe Burrin, Perrin-Mémorial de Caen, 2004.

Guillaume Piketty, *La Bataille des Ardennes. 16 décembre 1944-31 janvier 1945*, Tallandier, 2013.

Table

Imprimé en France par CPI
en décembre 2017

La photocomposition de cet ouvrage
a été réalisée par
GRAPHIC HAINAUT
30, rue Pierre Mathieu
59410 Anzin

N° d'édition : 56544/01
N° d'impression : 144141